4 Geschichte der
deutschen Literatur

Herausgeber:
Joachim Bark · Dietrich Steinbach
Hildegard Wittenberg

Vom Naturalismus zum Expressionismus Literatur des Kaiserreichs

Von Klaus D. Bertl
und Ulrich Müller
Berater: Dietmar Wenzelburger

Ernst Klett Verlag

Geschichte der deutschen Literatur
Herausgeber: Joachim Bark · Dietrich Steinbach ·
Hildegard Wittenberg

Vom Naturalismus zum Expressionismus
Literatur des Kaiserreichs
Verfasser:
Klaus D. Bertl: Zweiter Teil
Ulrich Müller: Einleitung, Erster und Dritter Teil
Berater: Dietmar Wenzelburger

ISBN 3-12-347450-X

1. Auflage   1   7   6   5   4   3 | 1991 90 89 88 87

Alle Drucke dieser Auflage können im Unterricht nebeneinander benutzt werden; sie sind
untereinander unverändert. Die letzte Zahl bezeichnet das Jahr dieses Druckes.
© Ernst Klett Verlage GmbH u. Co. KG, Stuttgart 1984. Alle Rechte vorbehalten.
Umschlag: Manfred Muraro
Satz: Setzerei Lihs, Ludwigsburg
Druck: Gutmann + Co., Heilbronn

Vorwort

Wie und zu welchem Ende schreibt man heute eine Literaturgeschichte?
Und was vermag ihr Studium zu bewirken? So mag Schillers Frage,
unter die er am 26. Mai 1789 seine berühmte Antrittsvorlesung in Jena
gestellt hat, abgewandelt werden: Was heißt und zu welchem Ende stu-
diert man Universalgeschichte?

Zwischen der Literaturgeschichte und einigen Ansichten von Schillers
Geschichtsdeutung einen – zwar sehr lockeren – Zusammenhang zu stif-
ten, bedeutet, die Voraussetzungen zu erhellen, die diese Geschichte der
deutschen Literatur in ihren inhaltlichen und methodischen Grundannah-
men, ihrer Zielsetzung und Darstellungsweise geprägt haben (Schillers
weltgeschichtliche Perspektive hat hier freilich keine Entsprechung):
Demnach kommt es nicht darauf an, den Gang der Literatur vollständig
und scheinbar unmittelbar im Gang der Literaturgeschichte einfach zu
wiederholen, womöglich in allen einzelnen Schritten und Schöpfungen.
Die universalhistorische Blickrichtung ist vielmehr bestrebt, das
„zusammenhängende Ganze" zu sehen, den Gang der Literatur als Prozeß zu erkennen. Von daher wird eine „Ordnung der Dinge" gestiftet.
„Verkettungen", Gliederungen und Zusammenhänge werden ins Werk
gesetzt. Dies bewirkt Zusammenziehungen und Auslassungen, die ein
„Aggregat" von Einzelstücken zum epochengeschichtlichen „System"
erheben. Darin ist ein weiteres Moment des Geschichtsverständnisses
beschlossen: Dem universalhistorischen Blick erscheint die Vergangenheit auch im Licht der Gegenwart, in der Perspektive der „heutigen
Gestalt der Welt" und des „Zustands der jetzt lebenden Generation", so
daß stets auch „rückwärts ein Schluß gezogen und einiges Licht verbreitet werden kann". Wechselseitige Erhellung von Einst und Jetzt wird
daher möglich.

Wie und zu welchem Ende schreibt man eine Literaturgeschichte? Die
Frage nach dem Wozu, nach Sinn und Zweck der vorliegenden
Geschichte der Literatur mag befremdlich anmuten, da der historische
Gang der Literatur doch eigentlich von sich aus zur Literaturgeschichte
drängt. Sie wird jedoch verständlich angesichts der Vertrauenskrise, in
welche die Literaturgeschichtsschreibung in den letzten Jahrzehnten
geraten ist. Dies betrifft gerade auch den Deutschunterricht, der bisher
der Literaturgeschichte wenig Recht eingeräumt, ja oft genug die
Abkehr von der Geschichte vorgenommen hat.

Sucht man nach Gründen, so ist unter anderem an die lange Zeit vorherrschende Methode der werkimmanenten Literaturbetrachtung zu
denken, die sich Fragen nach der Geschichtlichkeit der Literatur kaum
stellt. Zu denken ist aber auch an eine allzu plane und kurzschlüssige
Literatursoziologie. Zuletzt war es noch eine linguistisch orientierte
Texttheorie, die Literaturgeschichte außer acht gelassen hat.

Der Umschwung ist indes am Tage; die Vorherrschaft der Methoden, die sich der Geschichtlichkeit der Literatur entziehen, ist gebrochen. Die Literaturgeschichte gewinnt ihr Selbstbewußtsein wieder. Auch der Deutschunterricht ist dabei, sich mehr und mehr der geschichtlichen Dimension zu öffnen.

Bewirkt wurde der Wandel durch ein wieder erwachtes Interesse an der Geschichte. Ihm entstammen die Frage nach der Geschichtlichkeit und Zeitlichkeit der Literatur, nach ihrer Historizität, und ein von der Literatur selbst bewirktes Geschichtsdenken. Es geht um historisches Verstehen von Literatur, das sich zugleich selbst als etwas Geschichtliches begreift.

Die historische Besinnung verliert allerdings ihren Grund, sobald frühere Epochen und Werke im Aneignungsprozeß allein vom heutigen Standpunkt aus betrachtet und kritisiert werden. Die historische Dimension wird durch bloße Aktualisierung verkürzt, das Verstehen um die Möglichkeit der wechselseitigen Erhellung von Vergangenheit und Gegenwart gebracht. Verloren geht die Spannung zwischen Traditionsbewahrung und Traditionskritik.

Es kommt vielmehr darauf an, die Literatur auch aus ihrer Zeit, aus dem Erfahrungsraum und der geschichtlichen Konstellation ihrer Epoche zu verstehen. Der geschichtliche Gehalt einer bestimmten Zeit und Epoche liegt in den Werken selbst, in ihrem historischen und literarischen Eigensinn, in ihrer literaturgeschichtlichen Stellung. Die (auch widerspruchsvolle) Einheit von Geschichte und Kunstcharakter deutlich zu machen, ist die vornehmste Aufgabe der Literaturgeschichte.

Diese Vorstellungen und Grundsätze versucht die vorliegende Literaturgeschichte einzulösen. Sie gliedert den Literaturprozeß in Epochen von der Aufklärung bis zur Gegenwart.

Mit der Epoche der Aufklärung zu beginnen, hat gute historische Gründe: Sie setzt, mit dem Anbruch des bürgerlichen Zeitalters, nicht nur eine deutliche geschichtliche Zäsur; sie ist auch das Epochenfundament der Folgezeit über die Romantik hinaus.

Auch wenn man sich nicht, wie im Falle der Aufklärung, auf das Selbstverständnis der schreibenden und lesenden Zeitgenossen berufen kann, besteht kein Grund, von den bislang gängigen Bezeichnungen für die großen Epochen der Literaturgeschichte abzugehen. Doch muß deutlich bleiben, daß es sich hierbei um Konstruktionen handelt, die eine Verständigung über die jeweiligen Zeiträume und ihre Literaturen ermöglichen. Die herkömmlichen Epochenbegriffe bleiben somit weiterhin in der Diskussion, weil die Erkenntnis einer Epochenstruktur und das Einverständnis über die sie bestimmenden allgemeingeschichtlichen und literarischen Aspekte immer nur vorläufig sein können. Das Urteil dessen, der ein Werk als exemplarisch für einen geschichtlichen Zeitraum auswählt und an ihm Epochenaspekte darlegt, ist subjektiv; es ist Wertung und muß sich im Verlauf des Lesens und Verstehens bewähren.

Damit ist schon einiges gesagt über die Art und Weise, in der die vorliegende Literaturgeschichte dem Ziel nahekommen will, die Kluft zwischen der ästhetischen Betrachtung des Einzelwerks und der historischen Erschließung einer Epoche zu überbrücken. Es soll wenigstens tendenziell eine Einheit zwischen Literatur und Geschichte gestiftet werden. Deshalb verzichtet dieses Werk auf eine je vorausgehende Gesamtdarstellung der Epochen, in die die einzelnen Werke hernach kurzerhand eingeordnet werden müßten. Solche epochalen Überblicke, losgelöst von den literarischen Individualitäten, den Werken, bleiben unsinnlich und recht eigentlich unvermittelt; sie führen zu Verkürzungen, weil sie einen Drang zur Einlinigkeit haben. Der Blick auf das einzelne Werk soll auch nicht dadurch verengt werden, daß ein Abriß der politischen und kulturellen Verhältnisse vorausgeschickt oder ein biographischer Abriß den Werkinterpretationen gleichsam vorgeordnet wird.

Mittelpunkt der Darstellung sind die einzelnen Werke. Die Darlegung ihrer ästhetischen Struktur soll die Erhellung der Epochenstruktur fördern; die Aspekte, die zum Verständnis der Poesie fruchtbar sind, taugen auch zur Skizze des literaturgeschichtlichen Zeitraums. Dabei trägt nicht nur das 'Meisterwerk' die Zeichen seiner geschichtlichen Zeit in sich; zuweilen können gerade an dem unvollkommenen, aber weitverbreiteten und insofern für die Literaturrezeption typischen Werk die Züge der Epoche abgelesen werden.

Der Autor tritt in den Hintergrund. Schriftstellerbiographien werden daher nur kursorisch eingeblendet, wenn sie etwas zum Verständnis der epochentypischen Werke beitragen.

Am besten wird die geistige Spannweite einer Epoche sichtbar, wenn unterschiedliche, unter dem epochenerhellenden Aspekt antipodische Werke oder Gattungsreihen in Konstellationen einander gegenübergestellt werden, die einen aufschlußreichen geschichtlichen Augenblick der Epoche erfassen. In derartigen 'Zusammenstößen' von Autoren und Werken, die auf die Herausforderung ihrer Zeit gegensätzlich reagierten, läßt sich die Gleichzeitigkeit von Gegensätzen erkennen. Eine Epoche wird dann als Einheit von Widersprüchen durchschaubar.

Um die Literaturgeschichte nicht nur als Epochengeschichte, sondern auch als Nachschlagwerk tauglich zu machen, sind den Kapiteln, die unter je einem epochentypischen Aspekt stehen, tabellarische Übersichten von inhaltlich zugehörigen Werken vorangestellt. Eine kleine Synopse von Daten zur Literatur und Philosophie sowie allgemeinen kulturgeschichtlichen und politischen Daten beschließt die Bände.

Die Form dieser Literaturgeschichte macht es nicht möglich, Bezüge zu wissenschaftlicher Literatur ausdrücklich auszuweisen.

Joachim Bark   *Dietrich Steinbach*

Inhaltsverzeichnis

Dritter Teil: Avantgarde und Expressionismus

Einleitung: Die Epoche – zwischen Reichsgründung und Weltkrieg

Zwei Kaiserreiche

Vor und nach der Jahrhundertwende vollzogen sich auf allen Lebensge-
bieten in Europa tiefgreifende Veränderungen, die, zumindest unter
den Gebildeten, das Bewußtsein hervorriefen, man lebe am Ende einer
alten Zeit, im 'Fin de siècle', und am Beginn einer neuen Zeit, der
'Moderne'. Den historischen Rahmen für diese Periode der Übergänge
zur Moderne setzte in Mitteleuropa die politische Geschichte, mit der
Gründung des Deutschen Reiches 1871 am Anfang und mit dem Ersten
Weltkrieg, mit dem 1918 das deutsche Kaiserreich der Hohenzollern
und gleichzeitig die österreichisch-ungarische Donaumonarchie en-
deten.

Nach dem Sieg über Frankreich 1871 und der Einigung des Reiches
erlebte Mitteleuropa in wenigen Jahrzehnten die industrielle und geld-
wirtschaftliche Revolution, die in England und Frankreich schon in der
ersten Jahrhunderthälfte begonnen hatte. Die 'Gründerjahre' des mit-
teleuropäischen Hochkapitalismus seit 1871 wurden 1873 durch eine
weltweite Wirtschaftskrise unterbrochen, setzten sich aber spätestens
seit den neunziger Jahren fort und prägten den feudalen und großbürgerlichen Lebensstil der Epoche. Ihre Kehrseite waren folgenschwere
soziale Krisen, vor allem die Proletarisierung der Industrie- und Landar-
beiter, die Verarmung des kleinbürgerlichen Gewerbes und die Vermassung in den Großstädten. Mit ihrer imperialistischen Politik förderten
die Regierungen die wirtschaftliche Expansion der Unternehmer und
auch den technischen Fortschritt. Zu ihrer Legitimation aber beriefen
sie sich auf die nationale oder dynastische Tradition; konservative Gruppen wie Adel, Großgrundbesitzer und Militär hatten großen Einfluß –
das waren eher fortschrittshemmende Kräfte. In beiden Kaiserreichen
war der politische Liberalismus seit der Jahrhundertmitte geschwächt
und mit ihm der politische Einfluß der Parlamente und der örtlichen
Selbstverwaltung. Vor allem in Österreich-Ungarn stützte sich die
Regierung auf eine ausgedehnte Verwaltungsbürokratie, auf Militär,
Polizei und Justiz, um die Selbständigkeitsbestrebungen sozialer und
nationaler Gruppen niederzuhalten. Hier waren die konservativen
Staats- und Gesellschaftsstrukturen ohnehin längst verfestigt, zumal
durch die über mehr als ein halbes Jahrhundert sich erstreckende Regie-
rungszeit des Kaisers Franz Joseph I. (1848–1916).

Während die Habsburger seit 700 Jahren große Reiche regiert hatten
und seit 1804 erbliche Kaiser von Österreich waren, bestand das Kaiserreich der Hohenzollern nicht einmal 50 Jahre. Beide Reiche gerieten um
1900 in schwierige internationale Spannungsfelder. Das Deutsche Reich

konkurrierte im Westen und in Übersee vor allem mit Frankreich und Großbritannien, seit dem Ende der vorsichtigen Außenpolitik Bismarcks verschlechterten sich die Beziehungen zu Rußland im Osten. Österreichs Interessen kollidierten vor allem mit denen Rußlands und Italiens, Nachbarn, die sich die Nationalitätenprobleme der Donaumonarchie zunutze machten. Die Spannungen zwischen den Großmächten Europas, eine unsichere Bündnispolitik Berlins und Wiens und der überall wachsende und geschürte Nationalismus ergaben den Zündstoff, den der Funke verhältnismäßig unbedeutender Anlässe wie des Attentats in Sarajevo zum Ersten Weltkrieg entzündete. Nach dem Krieg bestand das Mitteleuropa der beiden Kaiserreiche nicht mehr.

Wilhelminismus und Gründerstil

Dem kritischen Zeitgenossen mußten die inneren Widersprüche der nach außen so gefestigt erscheinenden Reiche auffallen. In der Donaumonarchie strebten die Nationalitäten auseinander, zumal der Austria-Traditionalismus die ethnischen und kulturellen Eigenarten der Nicht-Österreicher, z. B. der Tschechen, einschnürte. In Deutschland prägten ideologische Widersprüche das öffentliche Klima des sogenannten 'Wilhelminismus' nach dem Regierungsantritt Wilhelms II. (1888). Dem Repräsentationsstil des Kaisers und des Adels eiferte das Geltungsbedürfnis neureicher Bürger nach; Krone und Kapital sahen sich ja gleichermaßen im Besitze einer neuen und starken, aber nicht durch Tradition gestützten Macht. Einerseits rechtfertigte man die ökonomischen und politischen Ansprüche gern mit dem Eintreten für nationale, moralische, menschheitliche oder christliche Werte in einer Welt des Fortschritts; andererseits hielt man die fortschrittlichen Bemühungen der Sozialdemokraten um eine Emanzipation der Arbeiter oder diejenigen der Naturalisten und anderer moderner Kunstrichtungen für suspekt und gefährlich. Die öffentlich geförderte Kultur des 'Wilhelminismus' gab sich idealistisch; tatsächlich trieb sie einen beträchtlichen materiellen Aufwand, der dem Bedürfnis des neuen Staates und der neuen Führungsschichten nach Selbstdarstellung und Legitimation zu dienen hatte. Der Kaiser selbst forderte von den Künsten nationale Begeisterung, sogenannte 'idealistische' Ethik, Fortsetzung der Traditionen und repräsentative Wirkung in einem.

In diesem Sinne ließ z. B. Wilhelm II. im Rahmen städtebaulicher Ausgestaltung der neuen Reichshauptstadt die „Siegesallee' mit marmornen Monumentalskulpturen der Hohenzollern säumen. Auch das Bürgertum liebte die ins Große gesteigerte Nachahmung historischer Stile, sei es in den Fassaden und Inneneinrichtungen großer Villen, sei es in den Straßenfronten der Mietskasernen oder öffentlichen Bauten wie der neuromanischen Kaiser-Wilhelm-Gedächtniskirche (1891–95) oder des Reichstagsgebäudes (1894–99) im Renaissancestil. In den – auch als Folge der Bauspekulation – rasch wachsenden Wohnvierteln der Klein-

bürger, Arbeiter und Arbeitslosen dagegen drängten sich die Massen in Mietskasernen, Hinterhöfen, Kleinwohnungen, fensterlosen 'Berliner Zimmern' und
Schlafstellen zusammen.
In Wien wetteiferten der kaiserliche Hof und das Großbürgertum beim Ausbau
der 'Ringstraßen' mit neuen Hofbauten, Theatern, Museen, Rathaus, Universität
und Parlamentsgebäude – in allen Baustilen von der Gotik bis zum Klassizismus.
Der ganze ‚Ring'-Bereich um die Altstadt, auch mit seinen Wohn- und Geschäfts-
vierteln, demonstrierte den Willen der Epoche zur urbanen Repräsentation in
Politik, Kultur, Wirtschaft und Privatleben der Reichen. Die dahinter liegenden
ehemaligen Vorstadtbezirke reihten wiederum Mietskaserne an Mietskaserne.

Tradition und Trivialität in der bürgerlichen Lesekultur

Die Literatur der Kaiser- und Gründerzeit bietet durchaus kein einheit-
liches Bild. Anfangs produzierten noch die angesehenen Prosaisten und
Lyriker des späten bürgerlichen Realismus, z. B. Theodor Storm (gest.
1888), Gottfried Keller (gest. 1890), Conrad Ferdinand Meyer und
Theodor Fontane (gest. 1898) sowie Wilhelm Raabe (gest. 1910). Ihr
Vorbild wirkte noch weit in das 20. Jahrhundert auf die deutsche Erzählprosa, in unserem Zeitraum z. B. auf Marie von Ebner-Eschenbach
(1830–1916; ‚Schloß- und Dorfgeschichten', 1886, ‚Das Gemeindekind',
Roman, 1887).
Der größte Teil des Lesepublikums hing zweifellos der Tradition an und
interessierte sich wenig für die Neuerer der Moderne. Obwohl etwa
90 % der Bevölkerung in Deutschland inzwischen lesen konnten und
Leihbibliotheken, Familienzeitschriften und Heftchenreihen in
beträchtlichem Maße unterhaltende, poetische und popularwissen-
schaftliche Literatur verbreiteten, war das Lesepublikum nach wie vor
weitgehend bürgerlich. Klassenbewußte oder nach sozialem Aufstieg
strebende Arbeiter lasen zwar auch in zunehmender Zahl, aber – abgesehen von der sozialdemokratischen Arbeiterliteratur – vorwiegend
Lesestoffe des bürgerlichen Geschmacks, denn sie wollten an der Bil-
dung der höheren Stände teilhaben. Dieser Geschmack und diese Lese-
bedürfnisse fanden reichlich Nahrung in massenhaft und preiswert ver-
triebenen Publikationen.

So startete der 1828 in Leipzig gegründete Reclam-Verlag 1867 die bis heute
verbreitete Heftchenreihe ‚Reclam's Universal-Bibliothek' mit Goethes ‚Faust',
einem Klassiker, dem auch weiterhin anerkannte belletristische Literatur, später
auch wissenschaftliche Bücher und Bücher zum praktischen Gebrauch folgten.
Große Volksbildungszeitschriften boten Berichte aus aller Welt und aus allen
Lebensbereichen, verbunden mit Belehrung, Kultur und Unterhaltung – darunter
auch Erzählungen und Gedichte; so z. B. ‚Die Gartenlaube' 1853–1944, die 1875
eine Auflage von 382 000 Exemplaren erreichte, ‚Westermanns Monatshefte' seit
1856 bis heute oder, in Österreich, der ‚Heimgarten', seit 1876 herausgegeben
von Peter Rosegger.

Das im ganzen 19. Jahrhundert rege Bemühen um eine volkstümliche Literatur folgte noch lange der Tradition, die für ein ländliches Publikum der Vergangenheit entstanden war, nicht für das Zeitalter der Industrie und der Großstädte; volkstümliche Literatur blieb deshalb noch lange ländliche Heimatliteratur.

Das Vorbild der Klassiker dieses Genres – Jeremias Gotthelf und Johann Peter Hebel – tradierte von der ersten in die zweite Hälfte des Jahrhunderts vor allem *Berthold Auerbach* (1812–82) mit seinen vielgelesenen Volkserzählungen, z. B. ‚Schwarzwälder Dorfgeschichten‘ (1843–54), ‚Barfüßele‘, Roman (1856), ‚Neue Dorfgeschichten‘ (1876). Den sozialen Problemen der Gegenwart näher stand *Ludwig Anzengruber* (1839–89), sei es im Bauernroman ‚Der Sternsteinhof‘ (1885), sei es im dramatischen Volksstück ‚Der Meineidbauer‘ (1872). Authentische Schilderungen des Landlebens waren die autobiographischen Erzählungen von *Peter Rosegger* (1843–1918) wie ‚Volksleben in der Steiermark‘ (1875), ‚Erdsegen‘ (1900) und ‚Als ich noch der Waldbauernbub war‘ (1902). Heimatliebe und scharfe Naturbeobachtung verband der norddeutsche Journalist und Jäger *Hermann Löns* (1866–1914) in seinen Landschafts- und Tierschilderungen oder Heide-Erzählungen: ‚Mein grünes Buch‘ (1901), ‚Mümmelmann‘ (1909), ‚Der Wehrwolf‘ (1910). Dem Naturalismus nahestehende Autoren wie die Erzähler *Wilhelm von Polenz* und *Clara Viebig* oder die Dramatiker *Max Halbe* und *Hermann Sudermann* (vgl. S. 24f.) verfeinerten die Landvolkgeschichten psychologisch und sozialkritisch.

Andere, kulturpolitisch engagierte Schriftsteller entwickelten aus der Heimatliteratur das Programm der ‘Heimatkunst’-Bewegung mit ihrer eigenen Zeitschrift ‚Heimat‘, die 1904 von Friedrich Lienhard und Adolf Bartels gegründet wurde. Sie bekämpfte die Großstadtkultur, den ‘Modernismus’ und ‘Intellektualismus’ (F. Lienhard: ‚Die Vorherrschaft Berlins‘, 1900; A. Bartels: ‚Heimatkunst‘, 1904), literarisch den Naturalismus und gleichzeitig den ästhetischen Impressionismus. Mit Bartels und seinen Anhängern wurde die Heimatkunstbewegung zunehmend nationalistisch und bereitete so die ‘Blut-und-Boden’-Ideologie der Nationalsozialisten vor.

In der anspruchsvolleren Unterhaltungsliteratur waren Reise- und Abenteuerromane sowie humoristische oder sentimentale Gesellschaftsromane beliebt. Die Tradition des deutschen Auswanderer- und Wildwestromans, für die vor allem *Friedrich Gerstäcker* (1816–72) Beispiele gab (z. B. ‚Die Flußpiraten des Mississippi‘, 1848), setzte etwa *Karl May* (1842-1912) fort; sein dreibändiger Roman ‚Winnetou‘ (1893–1910), aber auch seine übrigen Wildwest-, Afrika- und Asienromane und sentimentalen Gesellschaftsromane wurden bis in die Gegenwart zu Bestsellern der Jugendliteratur. Bestseller der Erwachsenen wurden die Romane zweier Frauen: Die Gesellschaftsromane von *Eugenie Marlitt* (1825–87) erschienen zum Teil in der ‚Gartenlaube‘ (‚Das Haideprinzeßchen‘, 1872); die trivialen und kitschigen Züge sind noch ausgeprägter in den ‘Backfisch’-Romanen der *Nathalie von Eschstruth* (1860–1939), die oft im aristokratischen Milieu spielen (‚Hofluft‘, 1889).

Unterhaltung und Zeitkritik verbanden sich in den satirischen Kleinformen, die von einigen illustrierten Wochenschriften gepflegt wurden, so im ‚Kladderadatsch' (1848–1944) und im ‚Simplicissimus' (1896–1944). Im Unterschied zu diesen Zeitschriften waren die ‚Fliegenden Blätter' (1844–1928) fast unpolitisch. In ihnen erschienen die bis heute so beliebten Bild- und Versgeschichten von *Wilhelm Busch* (1832–1908). Ihr Humor mit pessimistischer Grundstimmung entsprach einer weitverbreiteten Vorliebe des bürgerlichen Publikums und verschleierte Buschs politische Untertöne. Eigentlich wollte er die falsche Selbstzufriedenheit des bürgerlichen Lebens entlarven; seine national-liberale Grundhaltung äußerte sich in antiklerikalen, antisemitischen und nationalen Motiven (‚Max und Moritz', 1865; ‚Die fromme Helene', 1872; ‚Plisch und Plum', 1882; Gedichte: ‚Schein und Sein', 1909).

Das gebildete Publikum schätzte Bücher, die Unterhaltung mit Bildungswissen verbanden und die vorherrschende konservative Gesinnung bestärkten, vor allem historische Romane. Die Werke von *Gustav Freytag* (1816–95) fehlten in kaum einem großbürgerlichen Bücherschrank, z. B. der Roman über die Tüchtigkeit des Kaufmannsstandes: ‚Soll und Haben' (1855), oder die mehrbändige Romanfolge aus den Epochen der deutschen Geschichte: ‚Die Ahnen' (1873–81). Ähnlich erfolgreich war *Felix Dahn* (1834–1912) mit seinem historischen Monumentalroman ‚Ein Kampf um Rom' (1876) und der Gesamtausgabe historischer und nationaler ‚Balladen und Lieder' (1878). Im Bereich anspruchsvoller Stilkunst waren erfolgreicher als die bürgerlichen Realisten Autoren, die klassisch-romantische Traditionen fortsetzten, so z. B. der Lyriker und Übersetzer *Emanuel Geibel* (1815–84) mit seinen Übertragungen spanischer, portugiesischer, französischer und antiker Lyrik. Der vielseitige, vor allem als Novellist und Novellentheoretiker einflußreiche *Paul Heyse* (1830–1914; ‚Der letzte Zentaur', 1870) erhielt sogar 1910 als erster deutscher Autor den Nobelpreis für Literatur. Als prominenter Dichter des 'Wilhelminismus' war der Dramatiker, Epiker, Erzähler und Lyriker *Ernst von Wildenbruch* (1845–1909) auch bei Hofe geschätzt; dem unebenbürtigen Enkel eines Hohenzollernprinzen verzieh man sogar, daß er in seinen historischen Dramen die preußisch-deutsche Tradition gar nicht immer unkritisch verherrlichte (‚Die Quitzows', 1888). Als Erzähler verschloß er sich nicht sozialen Themen und näherte sich in einem späten Drama sogar den Naturalisten (‚Die Haubenlerche', 1891). Zeitkritik in traditionellen Formen war in der bevorzugten Literatur nicht ausgeschlossen. Der angesehenste Romancier und Romantheoretiker der Zeit war *Friedrich Spielhagen* (1829–1911), der auch ‚Westermanns Monatshefte' zeitweise herausgab und mit seiner sozialliberalen Haltung den Sozialdemokraten nicht so fern stand. Er befaßte sich kritisch, wenn auch nicht revolutionär, mit der Industrialisierung, den Klassengegensätzen und der schwindelhaften Gründer-

zeit, z. B. in den Romanen ‚Hammer und Amboß' (1869), ‚Sturmflut'
(1877) und ‚Noblesse oblige' (1888). Daß die Naturalisten ausgerechnet
Spielhagen zu ihrem Buhmann machten, ist nur zu verstehen, wenn man
berücksichtigt, daß jede Literatur, die sich in der Kaiserzeit von der
Tradition absetzen wollte, sich auch gegen die anerkannte und bevorzugte Gegenwartsliteratur ihrer Zeit wenden mußte.

Intellektuelle Opposition

Den Kritikern der herrschenden Kultur erschien die anerkannte Literatur als materialistischer Ausdruck der wirtschaftlichen und politischen
Macht, die sich mit den Überresten einer nicht mehr zeitgemäßen Tradition und mit einem unglaubhaften Idealismus schmückte. Die Opposition artikulierte sich politisch im 'freisinnigen' Liberalismus und im z. T.
sozial engagierten Katholizismus, politisch am wirkungsvollsten jedoch
auf marxistischer Grundlage in der Sozialdemokratie. Die intellektuelle
Opposition fortschrittlich gesonnener Literaten allerdings stützte sich
auf sehr unterschiedliche Vorbilder und Weltanschauungen. Die
Naturalisten knüpften teils an republikanische, teils an sozialdemokratische Ideen an, zugleich aber an denselben Positivismus, der die Fort-
schritte der Naturwissenschaften und der Technik zu bestätigen schien.
Ihre Gegner setzten jedem Materialismus und Positivismus irrationale
Bekenntnisse zum 'Geist' entgegen. Sie schöpften aus der pessimistischen Philosophie Arthur Schopenhauers (1788–1860) oder – moderner
– aus den philosophischen Schriften von Friedrich Nietzsche
(1844–1900). Nietzsche war jedoch eine vieldeutige Quelle; denn seine
beißende Kulturkritik am Bildungs-'Philister', sein radikaler Zweifel an
tradierten Werten und seine Verherrlichung des sich selbst absolut set-
zenden Individuums und des „Willens zur Macht" konnten von den
verschiedensten Ideologien – außer Christentum und Marxismus – in
Anspruch genommen werden, sogar vom neuen Nationalismus oder als
Ideologie des kühnen Unternehmers.
Obwohl also von einer einheitlichen Opposition gegen Staat, Gesellschaft und herrschende Kultur nicht die Rede sein kann, prägte sich der
Gegensatz zwischen öffentlich anerkannter und moderner Kultur bis
zum Weltkrieg mehr und mehr aus. Mangels politischer Wirkungsmöglichkeiten verschrieben moderne Künstler – gleich welcher Kunstrichtung – sich mehr und mehr dem Nonkonformismus: Moderne Kunst ist
anders als die der bürgerlichen und öffentlich geförderten Kultur. So
befaßten sich die Naturalisten ausdrücklich kritisch mit ihrer Gegenwart. Antinaturalistische Dichter behaupteten ihre Distanz zu Staat und
Gesellschaft im Ästhetizismus und Künstlerkult. Nach 1900 artikulierten
viele Avantgardisten ihren Nonkonformismus, indem sie eine Revolution der Kunst betrieben. Im Norden prägten die politischen und ideologischen Gegensätze sich stärker aus als im Süden. Vor allem in Berlin,

wo der historische Wandel sich am dynamischsten vollzog, verstanden
fortschrittliche Künstler und Dichter sich immer wieder als Opposition
zur Kultur des 'Wilhelminismus' und des Großbürgertums. In Österreich traten die Gegensätze am schwächsten in Erscheinung, zum Teil,
weil hier die Intellektuellen sich der jahrhundertealten Tradition verbunden fühlten, zum Teil, weil das Establishment den Künsten und der
Literatur gegenüber toleranter auftrat.

Emanzipation der Künstler
Es gehört zu den Widersprüchen der Epoche, daß die Künstler sich
Selbständigkeit und Nonkonformismus leisten konnten, weil sie von der
Gesellschaft, vor der sie sich distanzierten, lebten. Dank dem Wohl-
stand der oberen Schichten blühten Künste und Kunstgewerbe auf. Die
Künstler konnten mehr und mehr dem 'freien Markt' vertrauen, vor
allem in den großen Städten, und damit die seit dem 18. Jahrhundert
vergeblich angestrebte Autonomie, also die Unabhängigkeit von Staat,
Fürst, Kirche oder adligem Mäzen, in Anspruch nehmen. In den repro-
duzierenden Künsten formierten sich Künstlervereinigungen als ihre
eigenen Unternehmer, z. B. in Theater-, Orchester- oder Chorvereinen,
und sie fanden genug zahlendes Publikum. So konstituierte sich 1882 in
Berlin, in Zusammenarbeit mit einem Konzertagenten, das ‚Philhar-
monische Orchester‘ als eine Art unabhängiger Genossenschaft. Virtuosen
und Starkünstler nutzten ihr außergewöhnliches gesellschaftliches Prestige. Die bildenden Künstler entzogen sich der Gängelung rückständi-
ger Akademien, indem sie in den Kunstmetropolen unabhängige Künstlervereinigungen mit eigenen Ausstellungen gründeten, so die Münchener (1892), die Wiener (1897) und die Berliner (1899) ‚Sezession‘. Die
'sezessionistische' Abspaltung vom etablierten Kulturbetrieb brachte
auch die literarischen Gruppenbildungen der Naturalisten und Expressionisten hervor. Sie konstituierten jedoch nur selten feste Organisatio-
nen und schlossen sich meist in freier Mitarbeit an Verleger, Zeitschriften, private Theater oder Kleinkunstbühnen an.
Die etablierte und die sezessionistische Kultur konnten weitgehend nebeneinander um die Gunst des Publikums und der Rezensenten werben.
Die staatlichen Zensurbestimmungen wurden vielfach großzügig oder gar
nicht angewandt. Es gab allerdings Ausnahmen. Aufführungen naturalistischer Stücke wurden wiederholt verboten, im sogenannten 'Realisten-
prozeß' wurden 1890 einige Autoren wegen Verletzung des Scham- und
Sittlichkeitsgefühls verurteilt. In Österreich verbot 1900 die Zensur aus
gleichen Gründen Arthur Schnitzlers Theaterstück ‚Der Reigen‘.
Nonkonformistische Autoren gerieten durch ihren Anspruch auf Unabhängigkeit leicht ins gesellschaftliche Abseits, sei es, weil das breite
Publikum ihre Werke nicht annahm, sei es, weil sie sich selbst isolierten.

Arno Holz lebte jahrelang einsam in großer Not. Stefan George ließ sich im exklusiven Kreis seiner Jünger feiern, Rainer Maria Rilke wie in alten Zeiten von adligen Mäzenen unterstützen – die Dichtungen beider waren elitär und sollten es sein. Literarische, künstlerische und weltanschauliche Kommunikation außerhalb der übrigen Gesellschaft pflegte man vielfach in Literaten- und Künstlercafés, die Literaten des 'Jungen Wien' zum Beispiel im berühmten Café Griensteidl. Erst Expressionisten versuchten wieder verstärkt, auf die Öffentlichkeit einzuwirken, indem sie sie schockierten – aber bis zum Weltkrieg mit geringem Erfolg.

Die seit dem Naturalismus betriebene Emanzipation der Künste von der etablierten Gesellschaft machte den Nonkonformismus zum Kunstkriterium. In ihm verband sich der Autonomieanspruch der Kunst mit dem Bestreben nach Modernität und antibürgerlicher Haltung, sei es im Gestus des elitären Künstlers, sei es in dem des geistigen und künstlerischen Revolutionärs.

Pluralität der Stile und Periodisierung der Moderne

Das Bild der Epoche zeigt ein vielfältiges Nebeneinander und rasches Nacheinander der Stilrichtungen. Während der literarische Markt noch von den Traditionalisten und – weniger – den bürgerlichen Realisten beherrscht wurde, drängten jüngere Generationen nach neuen Ausdrucksformen. Der erste Schritt zur 'Moderne' war – erklärtermaßen – der Auftritt der *'Naturalisten'* in den achtziger Jahren, mit seinem sensationellen Durchbruch in die Öffentlichkeit durch Gerhart Hauptmanns Drama ‚Vor Sonnenaufgang‘, 1889. Alsbald freilich, nämlich etwa seit 1890, distanzierten sich von den Naturalisten andere moderne Autoren, für die verschiedene Namen gebraucht werden, am häufigsten *'Symbolisten'* oder *'Impressionisten'*, z. B. Stefan George (‚Hymnen‘, 1890), Frank Wedekind (‚Frühlingserwachen‘, 1891) und Hugo von Hofmannsthal (‚Der Tod des Tizian‘, 1892). Es folgte als zweiter aggressiv modernistischer Vorstoß der der *‚Expressionisten‘* seit 1910, etwa mit Franz Werfels ersten Gedichten (‚Der Weltfreund‘, 1911), Reinhard Johannes Sorges Drama ‚Der Bettler‘ (1912) und Gottfried Benns Gedichten ‚Morgue‘ (1912).

Obwohl diese Richtungen jeweils sehr bald von ihren Rivalen für tot erklärt wurden, wirkten sie meist noch längere Zeit, zum Teil über die Zäsur des Weltkrieges hinaus. In der Weimarer Republik, in der zunächst vor allem Symbolisten und Expressionisten weiter das literarische Geschehen beeinflußten, drängten neue, insbesondere politische Konflikte den Vorkriegsstreit der modernen Stilrichtungen bald zurück.

Eine Darstellung der Epoche muß Akzente setzen, auch wenn die Grenzen fließend sind. Diese Darstellung nimmt als gemeinsames Merkmal

der Literatur zwischen Reichsgründung und Weltkrieg das einer Literatur, die sich als 'modern' versteht; denn diese Literatur hat tatsächlich
die Moderne des 20. Jahrhunderts vorbereitet oder eingeleitet. Der
Naturalismus steht dabei zwischen dem 19. und dem 20. Jahrhundert:
Ideell und künstlerisch schöpfte er aus Traditionen des 19. Jahrhunderts, aber er ließ sich auf aktuelle politische und soziale Entwicklungen
ein und wollte ausdrücklich eine 'Literaturrevolution' auslösen. Auch
die fast gleichzeitig einsetzende nichtnaturalistische Literatur des
Impressionismus und Symbolismus knüpfte an geistige und stilistische
Voraussetzungen des 19. Jahrhunderts an, leitete aber mit ihrem Krisen-
gefühl und Kunstbegriff moderne Entwicklungen ein – man könnte sie
'Moderne ohne Revolution' nennen. Im Expressionismus wurde eine
sich revolutionär verstehende Zeit- und Gesellschaftskritik mit einer
avantgardistischen Revolutionierung der Kunst vereint – jedenfalls wollten das viele Expressionisten.
Eine Einheit ist die Epoche zweifellos nicht. Eins allerdings zieht sich
wie eine Leitlinie durch ihre vielfältigen Ausprägungen hindurch: das
Bewußtsein oder das Empfinden einer tiefgreifenden Zeitenwende.

(1) *Käthe Kollwitz (1867–1945): Zyklus ‚Ein Weberaufstand‘, Blatt 6: ‚Ende‘.
Radierung (1897). Bildarchiv Preußischer Kulturbesitz, Berlin. (c) Professor
Dr. Arne Kollwitz, Berlin.*

(2) *Frans Masereel (1889–1972): Illustration zu ,Der Mensch ist gut' von Leonhard Frank (1920).*

(1) Den Anstoß zum ,Weber'-Zyklus gab die Uraufführung von Hauptmanns Drama, ,Die Weber' 1893. Einige Bilder beziehen sich auf bestimmte Dramenszenen, andere allgemein auf ,Not' und ,Tod' der Armen. Dem Naturalismus

Der Kaiser
und die Hexe
von Hugo von
Hofmannsthal
(Geschr. 1897)

(3) *Heinrich Vogeler (1872–1942): Titelblatt zu ‚Der Kaiser und die Hexe‘ von
Hugo von Hofmannsthal. Insel Verlag, Leipzig 1900.*

nahe steht die Darstellung eines Interieurs im Elendsmilieu. Die Stilisierung, das
Pathos und die Reduktion der Darstellung auf den Ausdruck des Wesentlichen
entsprechen eher dem europäischen Symbolismus und lassen den späteren
Expressionismus ahnen. Damit trifft Kollwitz auch das Allgemeinmenschliche,
Unveränderliche und Irrationale bei Hauptmann. **(2)** Der flämische Maler und

(4) *Kurt Schwitters (1887–1948) und El Lissitzky (1890–1941): Ankündigungs-
blatt für MERZ-Matineen (Hannover 1923). Typographie von El Lissitzky.
Foto: Klingspor-Museum, Offenbach.*

Graphiker Masereel nutzt in seinem expressionistischen Stil den Schwarz-Weiß-
Kontrast zu monumentalen und plakativen Wirkungen. Die Buch-Illustration
könnte sich auf die Erzählung ‚Die Kriegswitwe' beziehen. Die Motive des auf-
schreienden Menschen, der Stadt und der Massen werden auf einfache Formen
reduziert und in einem perspektivisch verschobenen, nach hinten sich verengen-
den, nach vorn sich öffnenden Raum ineinander und gegeneinander gesetzt.
(3) Vogeler gehörte der Künstlerkolonie Worpswede an. Hofmannsthals lyri-
sches Drama hat ihn hier zu einem graphischen Ornament im Jugendstil angeregt.
Es gibt keine Abbildung eines gegenständlichen Themas, sondern ein Muster aus
Naturformen, die in geschwungene Linien stilisiert sind. Der märchenhafte Vogel
mit Merkmalen eines Pfaus (Symbol für Schönheit) ist mit den verlängerten
Federn in die ihm entgegenwachsenden Pflanzenformen verschlungen. Die Formen des vegetativ-animalischen Lebens gehen auf im ästhetischen Spiel, das eine
unbestimmte Symbolik andeutet. **(4)** Im Sinne dadaistischer Anti-Kunst vereinen sich hier Graphik und Textproduktion zu einer Plakatmontage, in der Typographie, Text und ironische Zitate aus der Werbung verfremdet werden – ein
'Bild' ist nicht angestrebt. Der Sinnzusammenhang des Plakats mit dem Programm wird vielfach absurd gebrochen. Das ist Formexperiment, Provokation
und doch auch eine elitäre Geheimsprache der Künstler.

Erster Teil: Naturalismus

1 Eine neue literarische Generation

Zeitschriften und Programmatische Schriften:
Freie Bühne für modernes Leben (Wochenschrift, begründet
von Otto Brahm, 1890/91; ab 1894: Neue deutsche Rundschau)
Die Gesellschaft. Realistische Wochenschrift für Literatur,
Kunst und öffentliches Leben. Hrsg. von Michael
Georg Conrad (1885–1901)
Leo Berg:
Der Naturalismus. Zur Psychologie der modernen Kunst (1892)
Karl Bleibtreu: Revolution der Litteratur (1885/86)
Wilhelm Bölsche:
Die naturwissenschaftlichen Grundlagen der Poesie (1887)
Heinrich und **Julius Hart:** Kritische Waffengänge (1882–84)

Lyrik:
Moderne Dichter-Charaktere, Lyrik-Anthologie, hrsg. von
Wilhelm Arent (1885)
Arno Holz: Buch der Zeit. Lieder eines Modernen (1885)
Detlev von Liliencron:
Adjutantenritte und andere Gedichte (1883)

Drama:
Max Halbe: Jugend (Drama. 1893)   Der Strom (Drama. 1903)
Gerhart Hauptmann: Vor Sonnenaufgang. Soziales Drama (1889)
(Weitere Dramen s. u. S. 33 ff.)
Arno Holz/ Johannes Schlaf: Die Familie Selicke (Drama. 1890)
Johannes Schlaf: Meister Ölze (Drama. 1892)
Hermann Sudermann: Frau Ehre (Schauspiel. 1889)   Johannis-
feuer (Schauspiel 1900)   Stein unter Steinen (Schauspiel. 1905)

Erzählung und Roman:
Helene Böhlau: Der Rangierbahnhof (Roman. 1896)
Peter Hille: Die Sozialisten (Roman. 1886)
Max Kretzer: Meister Timpe (Roman. 1888)
John Henry Mackay: Die Anarchisten (Roman. 1891)
Wilhelm von Polenz: Der Büttnerbauer (Roman. 1895)
Gabriele Reuter: Aus guter Familie (Roman. 1895)
Hermann Sudermann: Frau Sorge (Roman. 1887)
Clara Viebig: Kinder der Eifel (Novellen. 1897)
Das Weiberdorf (Roman. 1900)

Kurz vor dem Regierungsantritt Kaiser Wilhelms II., also in den achtziger Jahren, meldete sich – vor allem in Deutschland – eine neue Schriftstellergeneration zu Wort. Ihre Wortführer hielten sich für die Vollstrecker einer „Revolution der Literatur" (Karl Bleibtreu), und spätestens nach dem Skandal der Aufführung von Gerhart Hauptmanns sozialem Drama ‚Vor Sonnenaufgang' argwöhnten Regierung, Behörden und konservative Kreise in ihren Werken tatsächlich eine revolutionäre, nämlich 'sozialdemokratische' Literatur, die mit dem Guten, Wahren und Schönen auch Staat und Gesellschaft in den Dreck zogen. Tatsächlich verbanden die meisten der neuen Autoren in ihrer Haltung bewußter Modernität die Kritik an der anerkannten Literatur, die ihrer Auffassung nach die Wirklichkeit nicht darstellte, wie sie war, sondern verklärte und ästhetisierte, mit der Kritik oder mindestens der schonungslosen Darstellung sozialer und kultureller Verhältnisse.

1.1 Literatur der kritischen Opposition

Zu Beginn des 19. Jahrhunderts war die nationale Einigung Deutschlands das Ziel bürgerlicher Republikaner. Die Reichsgründung von 1871 aber, die dieses Ziel verwirklichte, war das Werk monarchisch-feudaler Obrigkeitsstaaten, in denen Republikanismus und Liberalismus entmachtet waren. Als nun im zweiten Jahrzehnt nach der Reichsgründung kritische Intellektuelle sich national und gesellschaftlich engagierten, schlossen sie damit an die Bestrebungen nach einem aufgeklärten und demokratischen Deutschland vor 1848 an und beanspruchten einen Einfluß, wie ihn damals Heinrich Heine, Ludwig Börne und Karl Gutzkow, Georg Herwegh und Ferdinand Freiligrath ausübten; einige Naturalisten nannten sich gelegentlich „Jüngstdeutsche".

Die neue Haltung äußerte sich zuerst in einer Anzahl literarischer Zeitschriften und Vereine, vor allem in den beiden großstädtischen Zentren Berlin und München. Ein charakteristisches Beispiel dafür war die in München 1885 bis 1901 von Michael Georg Conrad herausgegebene Zeitschrift ‚Die Gesellschaft. Realistische Wochenschrift für Literatur, Kunst und öffentliches Leben'. Sie erklärte sich zur „Antipodin des kulturhemmenden Staates und aller reaktionär verankerten Verlegenheitsgewalten" und befaßte sich mit Themen, die anderswo gern vermieden wurden, wie: Demokratie, Pazifismus, Reform des Grundbesitzes und der Schulen, Frauenemanzipation und moderne Geschlechtsmoral usw. Grundsätzlicher Tenor war – nach dem vielbeachteten Buch von Max Nordau – der Kampf gegen die „konventionellen Lügen der Kulturmenschheit", denen man unbedingten Wahrheitswillen als „obersten Grundsatz der Moral" (Bertha von Suttner) entgegensetzte. Das Prinzip der Wahrheit verband die gesellschaftskritischen Intentionen der

Naturalisten mit ihrem literarischen Programm ungeschminkter Wirklichkeitsdarstellung. Ein Teil der neuen Literatur vertrat allerdings sozialistische oder anarchistische Auffassungen, so die Romane von Peter Hille (1854–1904), Max Kretzer (1854–1941) und John Henry Mackay (1864–1933); Clara Viebig (1860–1952) war aktiv in der Frauenbewegung. Aber die Mehrzahl der Dramen und Romane von Hermann Sudermann (1857–1928), Johannes Schlaf (1862–1941), Max Halbe (1865–1944), Wilhelm von Polenz (1861–1903), Gabriele Reuter (1859–1941) oder Helene Böhlau (1859–1940) waren frei von politischer Agitation; sie stellten lediglich problematische Lebensverhältnisse ihrer Zeit mit sozialem und psychologischem Scharfblick dar.

Ein konsequentes politisches Programm entwickelten diese Literaten nicht, nur wenige wie Max Kretzer nahmen überhaupt parteipolitisch Stellung. Ihr Interesse war sozialkritisch, aber eher im Rahmen einer allgemeinen Zeit- und Kulturkritik:

„[...] Unsere ‚Gesellschaft‘ wird keine Anstrengung scheuen, der herrschenden jammervollen Verflachung und Verwässerung des literarischen, künstlerischen und sozialen Geistes starke, namhafte Leistungen entgegenzusetzen, um die entsittlichende Verlogenheit, die romantische Flunkerei und die entnervende Phantasterei durch das positive Gegenteil wirksam zu bekämpfen. Wir künden Fehde dem Verlegenheits-Idealismus des Philistertums, der Moralitäts-Notlüge der alten Parteien- und Cliquenwirtschaft auf allen Gebieten des modernen Lebens." (Michael Georg Conrad im Einführungsartikel zu Nr. 1 der ‚Gesellschaft‘, 1885)

Literatur der 'sozialen Frage'. Revolutionär war im wesentlichen das bevorzugte Thema der Naturalisten: die Darstellung sozialer Not. Sie schilderten fast alles, was die Sozialgeschichte an Erscheinungen der Proletarisierung am Ende des Jahrhunderts nennt: verarmende Landbewohner; durch die Industrialisierung brotlos werdende Handwerker und Kleinunternehmer; Industriearbeiter, die wegen des Überangebots an Arbeitskräften im Lohn gedrückt und in der Arbeitsleistung überfordert werden; dazu die Verelendung in den Großstädten, wo die Massen der Verarmten Arbeit und Wohnraum suchen. Max Kretzer stellte im erfolgreichsten seiner Sozialisten- und Proletarierromane, ‚Meister Timpe‘ (1888), dar, wie ein Handwerksmeister von der massenhaft produzierenden Industrie ruiniert wird. Hermann Sudermann verwendete den Gegensatz zwischen wohlhabendem Vorderhaus und dem Hinterhaus der armen Leute in der Großstadt als Grundriß seines Dramas ‚Die Ehre‘ (1889); in ‚Stein unter Steinen‘ (1905) befaßte er sich mit der Resozialisation entlassener Strafgefangener. In den Landvolkromanen von Wilhelm von Polenz und Clara Viebig wie in Max Halbes Drama ‚Der Strom‘ (1903) ist das Landleben keine Idylle, sondern soziales Schicksal. Diese und andere sozialkritische Werke erschienen nun in dem Jahrzwölft und danach, als Bismarcks Sozialistengesetz die erstarkende Sozialdemokratie ihrer Publikations- und Versammlungsfreiheit beraubt hatte (1878–90). Die Autoren wurden verdächtigt, Verbündete der proletarischen Klasse und damit der Sozialdemokratie zu sein.

1.2 Gerhart Hauptmanns soziales Drama ‚Vor Sonnenaufgang'

Der exemplarische Fall war der Skandal um Gerhart Hauptmanns soziales Drama ‚Vor Sonnenaufgang' (1889). Die Uraufführung fand in einer geschlossenen Matinee des literarischen Vereins ‚Die freie Bühne' in Berlin statt. Ihn hatten progressive Literaten und Theaterleute, Kritiker und Journalisten wie Maximilian Harden, Theodor Wolff, die Brüder Julius und Heinrich Hart, die Regisseure Otto Brahm und Paul Schlenther sowie der Verleger Samuel Fischer 1889 gegründet, aus Opposition gegen den üblichen staatlichen und kommerziellen Theaterbetrieb, aber auch aus Vorsicht gegenüber der Zensur. Nach seiner ersten Aufführung – es waren Ibsens ‚Gespenster' – stieg die Mitgliederzahl sprunghaft auf 900, und bald wurden weitere Bühnenvereine dieser Art gegründet, die übrigens die Entwicklung der modernen ‚Volksbühnen' eingeleitet haben. Von der zweiten Aufführung des Vereins, ‚Vor Sonnenaufgang', erwartete man einen Skandal, und er trat ein.

Hintergrund ist das schlesische Kohlerevier, wo die Spekulation blüht, während die Bergbauern verelenden. Im Mittelpunkt steht die moralisch verkommene Schicht der Neureichen: Der Bauer Scholz, der durch den Verkauf seiner Felder an Bergwerksgesellschaften zum Millionär geworden ist, verkommt im Suff; seine ungebildete und triebhafte Frau tyrannisiert das Gesinde und betrügt ihren Mann; die sozialbiologische Dekadenz zeigt ihre Folgen in einer Tochter, die ebenfalls Säuferin geworden ist und tote Kinder gebiert; ihr Mann, ein Ingenieur, hat die sozialreformerische Tätigkeit seiner Jugendzeit für die Geldheirat verraten und jagt weiteren Profiten nach. Loth präfiguriert den in naturalistischen Dramen öfter auftretenden intellektuellen Außenseiter; als Sozialreformer und Gesundheitsfanatiker beobachtet und kritisiert er – hierin ein Sprecher für den Autor – die sozial, moralisch und biologisch verderbte Gesellschaft. Aber er versagt im Konflikt zwischen Prinzip und Realität, als er aus Angst vor Erbschäden Helene, die zweite Tochter, verläßt.

Bei der Premiere vor geschlossener Gesellschaft gab es einen Tumult, anschließend vielfache öffentliche Proteste. Nach der zweiten, nunmehr öffentlichen Aufführung, registrierte jedoch Otto Erich Hartleben, ein mit den Naturalisten sympathisierender Rezensent:

„[. . .] es fällt von den zwölfhundert Zuschauern vielleicht zwanzig ein, daß es sich [. . .] um etwas Revolutionäres in der Kunst handelt [. . .]; die übrigen [. . .] nehmen das Stück ganz naiv als gelungene Nachbildung des Lebens."

Hauptmann hatte sich zwar mit Marx, Engels und Karl Kautsky befaßt, aber seinen Dramen schrieb er nie einen politischen Auftrag zu.

2 Europäische Literatur, Positivismus und Naturalismus

Fjodor Michailowitsch Dostojewski: Die Brüder Karamasow
(Roman. 1879/80)
Henrik Ibsen: Samfundets stötter (Die Stützen der Gesellschaft.
Komödie. 1877)   Et dukkehejm (Nora oder ein Puppenheim.
Drama. 1879)   Gengangere (Gespenster. Drama. 1881)
Johan August Strindberg: Fadren (Der Vater. Drama. 1887)
Fröken Julie (Fräulein Julie. Drama. 1888)
Lev Nikolajewitsch Tolstoi: Anna Karenina (Roman. 1873–76)
Die Macht der Finsternis (Drama. 1890)
Émile Zola: Les Rougon-Macquart. Histoire naturelle et sociale
d'une famille sous le second Empire (Romanzyklus in 20 Bänden.
1871–93)   Le roman expérimental (1880)   Les romanciers
naturalistes (1881)   Le naturalisme au théâtre (1881)

Die deutschen Naturalisten haben sich mit ihrer Absicht, „durch die
Größe der Naturwahrheit die ästhetische Wirkung zu erhöhen" (Zehn
Thesen des Berliner Literatenvereins ‚Durch', 1886), weniger auf die
deutschen Realisten des 19. Jahrhunderts bezogen als auf ausländische
Vorbilder. An dem großen russischen Roman von Tolstoi (1828–1910)
und Dostojewski (1821–1881) bewunderten sie die genaue psychologische Analyse gesellschaftlicher Konflikte, die sie auch in den Dramen
der Norweger Ibsen (1828–1906) und Strindberg (1849–1912) erkannten;
diese wurden übrigens oft bald nach den skandinavischen Premieren in
Deutschland aufgeführt. Vor allem Henrik Ibsen, der sich zwischen 1868
und 1891 oft in Deutschland aufhielt, galt mit seinen Entlarvungen privater und öffentlicher 'Lebenslügen' als Vorbild.

2.1 Émile Zola: Naturalismus und Experimentalroman

Die geschlossenste naturalistische Literaturtheorie bot der französische
Romancier Émile Zola (1840–1902).

In den zwanzig Bänden seines Romanzyklus ‚Les Rougon-Macquart' stellt Zola
den biologischen und sozialen Verfall einer Familie an fünf Generationen dar.
Jeder Roman rückt außer einem Teil der Familie ein soziales Milieu in den
Mittelgrund: das Kaufhaus, den Großmarkt von Paris, den Bergbau usw. Um das
Milieu präzise darstellen zu können, untersuchte Zola es zuvor ausgiebig.

Nach Zola ist der 'naturalistische' Schriftsteller derjenige, der wie ein
Naturwissenschaftler arbeitet: Er untersucht und beschreibt empirische

Wirklichkeit. Auf der Grundlage des gesammelten Materials von Fakten und Daten konstruiert er den Roman als 'Experiment', das heißt als Versuchsanordnung, mit der die Richtigkeit und Gesetzmäßigkeit der Fakten demonstriert werden kann. Die Erfindung des Autors besteht nur darin, individuelle Personen in bestimmten geschichtlichen und sozialen Situationen zu wählen, um an ihnen die Romanhandlung zu entwickeln. Zola hat tatsächlich so produziert: mit Dokumenten, Statistiken, Beobachtungen und einer strengen Planung für seine Arbeit am ganzen Romanzyklus. Allerdings räumt er dem Autor einen Anteil schöpferischer Subjektivität ein: das 'Temperament', mit dem er Fakten und Gesetzmäßigkeit der Realität in die fiktionale Wirklichkeit des Romans umsetzt.

In Deutschland ist vor allem *Wilhelm Bölsche* (1861–1939) für den 'Zolaismus' eingetreten, mit seinem Buch ‚Die naturwissenschaftlichen Grundlagen der Poesie‘ (1887). Er fordert darin ausdrücklich „eine Anpassung an die neuen Resultate der Naturforschung" und verallgemeinert Zolas Romantheorie zu der poetologischen These:

„Jede poetische Schöpfung, die sich bemüht, die Linien des Natürlichen und Möglichen nicht zu überschreiten und die Dinge sich logisch entwickeln zu lassen, ist vom Standpunkte der Wissenschaft betrachtet nichts mehr und nichts minder als ein einfaches, in der Phantasie durchgeführtes Experiment [...]."

Als Gesetzmäßigkeiten im Sinne der Wissenschaften wie der Literatur sah Zola die physisch-psychische und die soziale Kausalität an. Physisch und psychisch ist demnach der Mensch determiniert durch die Vererbung, sozial durch das Milieu. Deshalb bezeichnete Zola seinen Romanzyklus als eine „Histoire naturelle et sociale".

2.2 Einfluß des Positivismus

Dem Naturalismus zugrunde liegt die geistesgeschichtliche Wende, die im 19. Jahrhundert die beherrschende, normensetzende Autorität im Geistesleben den Natur- und Sozialwissenschaften einräumte. Begründet hatten diese Wende eine Reihe von Denkern, die man unter dem Begriff 'Positivismus' den Denkern des 'Idealismus' gegenüberstellte.

Im Anschluß an den Empirismus des 18. Jahrhunderts hatte Auguste Comte (1798–1857) von der Wissenschaft gefordert, sie solle Gesetzmäßigkeiten ausschließlich aufgrund beobachtbarer Tatsachen formulieren und auf metaphysische Voraussetzungen verzichten – schon damals eine Konsequenz aus dem Siegeszug der Naturwissenschaften. Die Engländer John Stuart Mill (1806–73) und Herbert Spencer (1820–1903) lehrten, gestützt auf Comte und die Abstammungslehre Charles Darwins, daß sogar moralische Werte einerseits aus ererbten Erfahrungen resultierten, andererseits dem Zweck dienten, das größte Glück der größten Zahl von Menschen, also den gesellschaftlichen Fortschritt zu sichern. Der Franzose Hippolyte Taine (1828–93) zog aus den positivistischen Voraussetzungen Folgerungen für die Geschichtsschreibung und die Kunst und erklärte 'race', 'milieu' und 'temps', das heißt die Rasse bzw. das biologische Erbgut, die soziale Umwelt und die zeitgeschichtliche Situation für die wesentlichen Bedingungen des Menschen, auch in seiner Kultur.

Der Positivismus ist als die weltanschauliche Grundlage des Naturalismus anzusehen. Wirklichkeit ist für ihn die Erfahrungswirklichkeit des Menschen, und der Mensch ist zu verstehen aus den naturgegebenen und gesellschaftlich bestimmten Bedingungen, vor allem aus seinem physischen und psychischen Erbgut sowie aus dem Milieu, in dem er lebt. Dadurch sind Charakter und Schicksal des einzelnen determiniert; das erfährt der Mensch unter anderem in den Konflikten und Katastrophen, wie sie etwa das naturalistische Drama darstellt. Es liegt nahe, die Determiniertheit des Menschen am deutlichsten da zu sehen, wo er am unfreiesten ist, z. B. im Milieu der armen Leute und Proletarier. Und in diesem Wirklichkeitsbereich verbanden sich drei Interessen der Naturalisten zum Thema der 'sozialen Frage': das gesellschaftliche Engagement, das Bemühen um eine lebensnahe und volksnahe Dichtung und die positivistische Erkenntnishaltung.

3 Arno Holz und die naturalistische Schreibweise

Arno Holz: Die Kunst. Ihr Wesen und ihre Gesetze (1890)
Revolution der Lyrik (1899)   Phantasus (Gedichtzyklus, in ver-
schiedenen Fassungen 1898–1925)
Arno Holz und **Johannes Schlaf:** Papa Hamlet (Erzählungen. 1889)
Die Familie Selicke (Drama. 1890)

3.1 Prosa des konsequenten Naturalismus

Arno Holz (1863–1929) setzte die naturalistische Theorie in den naturalistischen Stil um. 1888 zogen Holz und Schlaf (1862–1941) zusammen,
um aus fragmentarischen Romanentwürfen, die beide mitbrachten,
gemeinsam Erzählungen im neuen Stil zu schreiben. Der Theorie Zolas
entsprach es, wenn sie die individuelle Phantasie zugunsten einer methodischen und kooperativen Konstruktion von Erzähltexten zurückstell-
ten. Die Themen ergaben sich aus Erfahrungen mit dem Leben armer
Studenten, Literaten und Künstler und aus ihrem Interesse an der
'sozialen Frage'. Schon 1889 konnte die erste Sammlung veröffentlicht
werden: ‚Papa Hamlet‘, der weitere gemeinsam verfaßte Erzählungen
folgten, bis sich die Autoren 1891 zerstritten.
Diese Prosastücke sind die ersten Beispiele des 'konsequenten Naturalismus', das heißt einer die Wirklichkeit sprachlich rekonstruierenden
Darstellungsweise. Dargestellt werden Ausschnitte aus dem Alltagsleben im Arme-Leute-Milieu.

Ein alter, stellungsloser Schauspieler lebt mit Kleinkind und kranker Frau ärm-
lich in einem Zimmer; am Ende erfriert er betrunken im Hafenviertel, während
die Frau lungenkrank im Bett liegt (‚Papa Hamlet‘). Ein Student, der mit zwei
anderen ein Zimmer teilt, stirbt an einer Duellwunde (‚Ein Tod‘). Studenten
reden über die Liebe; der schüchterne von ihnen kommt über einen zaghaften
Annäherungsversuch an die Wirtstochter nicht hinaus (‚Krumme Windgasse 20‘).
Ein blutarmer Student und zwei andere Untermieter einer Proletarierwitwe
unterhalten sich mit ihr, während sie Kartoffelpuffer backt und ihre Pflegetochter
beaufsichtigt; dabei werden sie Zeugen, wie in der Mietskaserne ein Betrunkener
seine Frau schlägt, bis die Polizei kommt (‚Papierene Passion‘).

Obwohl jede der Erzählungen eine Art Handlungspointe hat – Tod,
erste Liebe, Aufruhr im Haus usw. –, fehlt eine Handlung, die wie in
traditionellen Erzählungen zu einem Ziel führt. Der Tod beendet nur
einen Zustand, die Liebesbegegnung ist eine flüchtige Episode, die Prü-
gelei geschieht außerhalb der geschilderten Situation. Und das Leben
geht danach unverändert weiter: Die Witwe des Schauspielers wird wei-

ter dahinkränkeln, die beiden Freunde des gestorbenen Studenten und
seine Mutter werden ohne ihn weiterleben, und am Alltag der Miets-
hausbewohner ändert sich überhaupt nichts. Um eine Handlung im
Sinne der Novelle geht es gar nicht, und dementsprechend bezeichneten
die Verfasser ihre Texte auch als 'Skizze' oder 'Studie'. Damit ist sowohl
das Unabgeschlossene des Wirklichkeitsausschnitts als auch das beob-
achtend-registrierende Darstellungsverfahren angedeutet. Mit Zola
könnte man sich vorstellen, daß die Autoren Milieu, Situation und Personen verabredeten und dann diesen Lebensausschnitt Satz für Satz
ausfüllten.

Lebensbilder im 'Sekundenstil'. Die Ausführung des Lebensbildes im
Detail war die eigentliche Arbeit; ein Freund der Naturalisten, Adalbert
von Hanstein, hat sie den 'Sekundenstil' genannt:

> „Draußen kamen jetzt leichte Schritte die Treppe herauf. Die Wirtin sprach mit
> jemand.
> Sie sahen sich an.
> ‚Es kommt wer!'
> ‚Ach ... wahrscheinlich – der Arzt!'
> Jens zupfte am untersten Knopf seines Jacketts herum. Sein Atem keuchte leise.
> Unverwandt sahen sie zur Tür hin.
> Jetzt ...
> ‚H... herein ...' [...]" (‚Ein Tod'; Ausschnitt)

Man muß diese Erzählungen einerseits mit dem Stil Storms, Meyers
oder Fontanes, andererseits mit dem moderner Kurzgeschichten vergle-
chen, um zu erkennen, welche Veränderungen in der Erzählprosa die
Naturalisten eingeleitet haben. Aus kleinsten Details setzt sich eine
Situation zusammen, in der der Mensch nicht eigentlich handelt, sondern in der er aufgeht. Man sieht sie wie in einem Film, und man hört sie
wie ein Tondokument wirklicher Alltagsrede, die je nach der Person aus
Dialekt, Umgangssprache oder Gebildetensprache und je nach der
momentanen Situation aus Ausrufen, unbeholfenen Sätzen, hervorge-
stoßenen Satzbrocken, höflichen Floskeln, Atempausen, Nebengeräu-
schen oder Stammeln besteht. Die extrem genaue Wiedergabe des Per-
sonenverhaltens vermittelt mehr vom Milieu als die Schilderung der
Schauplätze, die gar nicht so breit ausgeführt ist.

Dialog und Perspektivität. In zwei ihrer Erzählungen haben Holz und
Schlaf alles, was nicht Personenrede ist, klein drucken lassen; das liest
sich wie ein Dialog mit Regieanweisungen. Holz behauptete später,
Hauptmann habe seinen Dramenstil von ihm gelernt, und Hauptmann
widmete ‚Vor Sonnenaufgang' den Verfassern von ‚Papa Hamlet'.
Diese haben die an den Erzählungen entwickelte naturalistische Technik
selbst im Kleinbürgerdrama ‚Die Familie Selicke' angewandt. Umge-

kehrt sieht sich der Leser der Erzählungen wie im Drama oder eigentlich wie im Film wechselnden Blickrichtungen, nahen und mittelbaren Ansichten sowie verschiedenen Personenperspektiven ausgesetzt – nur Fernsicht und Totale kommen selten vor. Diese perspektivischen Darstellungstechniken sind schon bei Gustave Flaubert (1821–80) und Émile Zola, auch bei Lev Tolstoi zu finden. In Deutschland haben erst die Naturalisten sie so intensiv angewandt und an Impressionisten wie Arthur Schnitzler (1862–1931) oder gar Expressionisten wie Alfred Döblin (1878–1957) weitergegeben.

Vielschichtigkeit. Vordergründig ist der naturalistische Stil genaueste Abbildung einer vorgestellten Realität. Aber die Gesamtwirkung enthält noch mehr. Denn die thematisierten Lebenssituationen sind exemplarisch: Tod, Liebe, Armut, Opfer usw., und die Details der Banalität werden im Zusammenhang symbolischer Ausdruck von Leben überhaupt, von Schicksal, Bedrängnis und Sehnsucht. Die assoziative Verflechtung der Motive deutet vielschichtige Sinnebenen an, manchmal geradezu in einer Montagetechnik, wie sie dann erst wieder bei James Joyce (1882–1941), Döblin und Späteren auffällt; so in der Titelerzählung ‚*Papa Hamlet*' von Holz/Schlaf.

Der alte Schauspieler, Frau, Kind und Nachbarn, das unordentliche Zimmer, die Krankheit, die zerfallende Kleidung usw. – das ist die Milieurealität. Aber der Schauspieler flicht in seine Reden fortwährend – fast zwanghaft – Zitate aus Shakespeares ‚Hamlet' ein: zuerst, weil er den Text zu rekapitulieren scheint, dann als situationsbezogene Anspielung oder aus Gewohnheit; einmal spielt er mit dem Gedanken, wie Hamlet den Wahnsinnigen zu mimen, um der Kündigung des Zimmers zu entgehen; zuletzt scheint er manchmal tatsächlich geistig verwirrt zu sein. Ein Beispiel für die Montage vom Anfang, als die Eltern sich streiten, ob die Frau das Baby selbst stillen soll:
(Sie:) „So! So! Jawoll doch! Gewiß! Bei unserm Leben! Den ganzen Tag lebt man von Kaffee und Butterbrot! Ich möchte wissen, wie das arme Wurm dabei gedeihen sollte!"
(Er:) „Ha! Zu leben im Schweiß und Brodem eines eklen Bettes, gebrüht in Fäulnis, buhlend und sich paarend über dem garst'gen Nest! Nicht wahr? Du willst damit sagen, daß ich an unsrer Lage schuld bin, Amalie!"
Die Wirkung ist zugleich ironisch und tragisch. Ironisiert wird das Pathos des Klassikertheaters durch die banale Realität, das Pathos des unfähigen Mimen durch sein zitierendes Schwatzen. Umgekehrt wird aber auch in die Banalität der Ton der Dichtung eingeblendet, so daß etwas vom tragischen Pathos auf sie übergeht; denn die Hamlet-Zitate passen oft genug auf die Situation.

Die Schreibweise des 'konsequenten Naturalismus' vermag Wirklichkeit, Milieu und Verhalten mit einer bis dahin ungewohnten Präzision darzustellen. Aber die Naturalisten wollten mehr: Sie wollten das Leben in seiner ganzen Wahrheit erfassen, auch in seiner Irrationalität und Vieldeutigkeit.

3.2 Vom Abbild der Natur zum ästhetischen Kunstwerk

Arno Holz erkannte, daß Zolas Theorie noch keine Poetik war. Fast zehn Jahre mühsamer Arbeit verwandte er darauf, zu bestimmen, was eigentlich die unbekannte Größe 'x' sei, die aus der Naturabbildung ein Kunstwerk macht. Zola hatte geschrieben: „Une œuvre d'art est un coin de la nature vu à travers un tempérament"; aber die Kategorie des 'Temperaments' genügte Holz nicht, weil sie den künstlerischen Schaffensprozeß nicht erfaßt. Deshalb veränderte er Zolas Formel:

„Die Kunst hat die Tendenz, wieder die Natur zu sein. Sie wird sie nach Maßgabe ihrer jeweiligen Reproduktionsbedingungen und deren Handhabung." (,Die Kunst, ihr Wesen und ihre Gesetze', 1890)

Damit aber verschob er das Gewicht vom *Was* der Kunst, der methodisch erfaßten Wirklichkeit, zum *Wie,* nämlich den Kunstmitteln und dem Können des Künstlers. Das war ein erster Vorstoß über den dogmatischen Naturalismus hinaus. In den ihn ablösenden Kunstströmungen – Impressionismus, Symbolismus und Expressionismus – wurde die Wirklichkeitsabbildung fortschreitend reduziert und verfremdet, die Ausdrucksmittel und der Schaffensprozeß drängten sich vor.

Von 1898 bis 1925 erarbeitete Holz immer neue Fassungen seines lyrischen Hauptwerks, des Gedichtzyklus ,Phantasus', in dem er Kindheitserinnerungen und Traumvorstellungen, verbunden durch Naturbilder, in wechselnden Stilen, vorwiegend aber impressionistisch formulierte und mit einem symmetrischen Druckbild der freien ungereimten Rhythmen visuell ästhetisierte – ein Dokument des Stilpluralismus um 1900:

Rote Dächer!
Aus den Schornsteinen, hier und da, Rauch;
oben, hoch, in sonniger Luft, ab und zu, Tauben!
Es ist Nachmittag.
Aus Mohdrickers Garten her gackert eine Henne,
die ganze Stadt . . . riecht nach Kaffee.

Daß mir das alles noch so lebendig geblieben ist!

Ich bin ein kleiner, achtjähriger Junge,
liege, das Kinn in beide Fäuste,
platt auf dem Bauch
und kucke durch die Bodenluke. [. . .]
Wie still das ist! [. . .]
Und die . . . Farben . . . die Farben! [. . .]
Ein halbes Leben, ein ganzes Menschenalter verrann!

Ich schließe die Augen. Ich sehe sie . . . noch immer!

4 Gerhart Hauptmann:
Das Drama des menschlichen Lebens

Gerhart Hauptmann:
Bahnwärter Thiel. Novellistische Studie (1888)
Vor Sonnenaufgang. Soziales Drama (1889)
Das Friedensfest. Eine Familienkatastrophe (1890)
Einsame Menschen. Drama (1891)
Die Weber. Schauspiel aus den vierziger Jahren (1892)
Der Biberpelz. Eine Diebskomödie (1893)
Hanneles Himmelfahrt. Traumdichtung (1894/96)
Fuhrmann Henschel. Schauspiel (1899)
Der rote Hahn. Tragikomödie (1901)
Rose Bernd. Schauspiel (1903)
Und Pippa tanzt! Ein Glashüttenmärchen (1906)
Die Ratten. Berliner Tragikomödie (1911)

Gerhart Hauptmann ist mit dem Naturalismus berühmt geworden und
hat ihn berühmt gemacht. Allerdings war er nie nur Naturalist, sondern
hat sich in seinem langen Leben (1862–1946) in verschiedensten Stoffen
und Stilen versucht. Seinen Durchbruch als Schriftsteller fand er freilich
in den Jahren seit 1885, als er meist in oder bei Berlin lebte und dort
Anschluß an progressive Literaten wie die Brüder Hart, Bleibtreu, Böl-
sche und Holz fand, vor allem aber an die beiden Promoter der ‚Freien
Bühne‘, Brahm und Schlenther.
Während die Berliner Naturalisten sich vorwiegend für das großstädti-
sche Proletariat interessierten, galt Hauptmanns Vorliebe den kleinen
Leuten auf dem Lande, in der Kleinstadt oder in der Stadtrand-Kolonie.
Ein bloßer Heimatdichter wollte er nicht sein; aber Heimat, Volk und
Dialekt, das Empfinden und Handeln einfacher Menschen waren der
Stoff seiner besten Werke. Dieses Milieu kannte er aus seiner Kindheit
in Schlesien, und er kannte die sozialen und familiären Konflikte dieser
Menschen, ihre Angst-, Schuld-, Traum- und Phantasieerlebnisse, ihren
Alltag und ihre Sagen, ihre pietistisch-mystische Religiosität und fatali-
stische Schicksalsgläubigkeit. Deshalb gehörte in seinen Frühwerken bei
aller naturalistischen Genauigkeit der Darstellung immer schon das
Irreale zur Realität dazu.

4.1 ‚Bahnwärter Thiel': Zwischen Tradition und Moderne

Das erste, heute noch für gültig gehaltene Werk Hauptmanns ist ‚*Bahnwärter Thiel. Novellistische Studie aus dem märkischen Kiefernforst'* (1888). Schon der Untertitel kennzeichnet die Zwischenstellung dieser Erzählung zwischen der Novellentradition des 19. Jahrhunderts und den naturalistischen 'Studien' von Holz und Schlaf, die kurz darauf erschienen. Traditionell sind die geschlossene Handlung mit ihrem tragischen Höhepunkt, die konzentrierte Personencharakterisierung und die teils raffende, teils schildernde, teils versteckt kommentierende Erzählweise. Modern im Sinne der Naturalisten sind zunächst Handlung und Milieu.

Ein Mann der Unterschicht, ungebildet und triebhaft, ursprünglich fest verwurzelt im Alltagsleben und in seiner regelmäßigen Arbeit, wird durch den Tod seiner ersten Frau, Minna, und durch die Wiederverheiratung mit der ihn erotisch beherrschenden Lene aus dem Gleichgewicht gebracht. Dem gefühlten Verfall seiner Lebensordnung steht er intellektuell hilflos und fast willenlos gegenüber. Er klammert sich an seine fast religiöse Verehrung der ersten Frau und an die Liebe zu deren hinterlassenem Kind Tobias, das von Lene zugunsten des von ihr geborenen Kindes benachteiligt wird. Als Tobias, durch Lenes Achtlosigkeit verschuldet, von einem Zug überfahren wird, bäumt Thiels Gefühl sich bis zur Raserei auf, und er bringt Lene und ihr Kind brutal ums Leben. Als seelisches Wrack wird er abgeführt.

Thiel ist primär ein psychologischer Fall. Er fühlt und handelt triebhaft, ist aber der Vitalität seiner Frau unterlegen. Seine Persönlichkeit zerfällt im Konflikt zwischen geistiger und körperlicher Liebe. Als Ungebildeter, des Denkens Ungewohnter ist er unfähig, die Zusammenhänge seines Lebens zu begreifen. Er kann sie nur dumpf, erregt oder wahnhaft erleben; der fatalen Realität kann er nur Schwärmerei, Wahn und Raserei entgegensetzen. Das erinnert an literarische Vorbilder bei Kleist und vor allem Büchner, den Hauptmann wiederentdecken half und der im ‚Woyzeck' eine ähnliche psychopathologische Entwicklung vor sozialem Hintergrund dargestellt hat.

Die Erzählweise im ‚Thiel' steigert sich an Schlüsselstellen in eine Verschmelzung äußerer Wahrnehmung mit inneren Bildern zu Symbolen des Schicksals. Berühmt geworden ist das äußere Bild des Schnellzuges, der auf schnurgeraden Gleisen aus dem unendlichen Horizont in die 'Waldeinsamkeit' Thiels kommt und rasend wieder im Unendlichen verschwindet. Dieses Bild verbindet die Handlungsphasen, bis es mit inneren Bildern der toten Frau und ihres Kindes zu peinigenden Angstträumen Thiels verschmilzt, die sich im tödlichen Unfall des Tobias bewahrheiten. Es veranschaulicht nicht nur den psychologischen Kausalnexus der Novelle, sondern auch ein allgemeines irrational-fatalistisches Lebensgefühl, dem eine höhere Sinngebung versagt bleibt.

Der Entwicklung zur Moderne entspricht die Spracharmut Thiels. In der ganzen Novelle werden nur fünfzehn wörtliche Reden Thiels mitgeteilt, meistens nur kurze Äußerungen; oft kann er nur stammeln, murmeln oder sich mit Gesten ausdrücken. Zum Dialog unfähig, spricht er dafür manchmal mit sich selbst. Seine längste Rede ist die halb wahnsinnige Zwiesprache mit der verstorbenen Frau kurz vor der Mordtat:

„‚Du, Minna [. . .], du, Minna, hörst du? – gib ihn wieder – ich will . . .!‘ Er tastete in die Luft, wie um jemand festzuhalten. ‚Weibchen – ja – und da will ich sie [. . .] – und da will ich mit dem Beil – siehst du? Küchenbeil – mit dem Küchenbeil will ich sie schlagen, und da wird sie verrecken [. . .]‘. “

Thiels Reden sind nicht nur naturalistisches Protokoll, sondern darüber hinaus die zum Verstummen bestimmte Rede-Ruine des Ohnmächtigen. Hier kündigt sich ein zentrales Thema der Moderne an: die Sprachnot und das Aufhören der Sagbarkeit.

4.2 Bürgerliche und proletarische Problemdramen

In Hauptmanns erstem Bühnenerfolg, ‚Vor Sonnenaufgang‘ (1889, vgl. S. 25), zeichnen sich zwei Möglichkeiten des sozialen Dramas ab, die er bis zum Weltkrieg hauptsächlich verwirklicht hat: das psychologische Problemdrama im meist bürgerlichen Milieu und das sozialpsychologische Kleine-Leute-Drama im proletarischen Milieu. Zur ersten Gruppe gehören Stücke wie ‚Das Friedensfest‘ (1889) und ‚Einsame Menschen‘ (1890), düstere Familientragödien in der Art Ibsens und Strindbergs. Der Zuschauer wird Zeuge scheinbar alltäglicher Situationen, in denen aber, wie in den Tragödien seit der Antike, Schuld und Schicksal die Individuen zerstören. Milieu und Charaktere sind genau dargestellt; im unpoetischen Konversationston der Dialoge entfalten sich unterschwellige Leidenschaften und existentielles Verhängnis.

Mit neuen Stoffen und Stilmitteln setzen diese Stücke eigentlich die Tradition des ernsten bürgerlichen Dramas fort, die mit den englischen bürgerlichen Trauerspielen (George Lillo, 1693–1739) und der französischen Comédie larmoyante (Denis Diderot, 1713–84) im 18. Jahrhundert begann und seit Lessings ‚Emilia Galotti‘ (1772) im deutschen Sturm und Drang und bis Hebbels ‚Maria Magdalene‘ (1844) weitergeführt wurde. Die in dieser Tradition oft den tragischen Konflikt begleitenden oder verschärfenden Klassengegensätze treten in Hauptmanns bürgerlichen Problemdramen eher zurück.

In Hauptmanns Dramen mit proletarischem Milieu dagegen sind die sozialen Verhältnisse, ja oft die Klassengegensätze Grundlage des Geschehens. Die nichtproletarischen oder kleinbürgerlichen Figuren, die auftreten, sind den kleinen Leuten zugeordnet, entweder als deren

Herren, Ausbeuter oder Gegner oder aber als – allerdings meist wirkungslose – Sympathisanten. Die dramatische 'Handlung' geht fast immer von den kleinen Leuten aus: *Die Weber* machen einen Aufstand; *Rose Bernd* will bürgerlich heiraten und deshalb ihre bisherige Liebschaft beenden; Frau Wolff im *,Biberpelz'* stiftet Verwirrung durch Diebstahl und Betrug; Frau John in den *,Ratten'* stiehlt in ihrer sozial bedingten Einsamkeit ein fremdes Kind. Außer im ,Biberpelz' erweisen sich aber die Handelnden bald als die Unterlegenen. Sie scheitern, weil sie im Grunde nicht die Verhältnisse ändern können. Die Übermacht der sozialen Situation läßt eine dramatische Handlung im traditionellen Sinne nur selten aufkommen; das Leben besteht vielmehr aus breit dargestellten Situationen und Zuständen, in denen sich die meist am Ende eintretende Katastrophe wie ein zwangsläufiger Prozeß entwickelt. Der Stil entspricht dem 'konsequenten Naturalismus' mit ausführlichen Regieanweisungen und den Personenreden in Alltagssprache und Dialekt (vgl. S. 29 ff.). Obwohl Hauptmann seine Charaktere psychologisch individualisiert, haben sie alle den Grundzug gemeinsam, daß sie den sozialen Verhältnissen, den psychischen und vitalen Trieben und ihrer Unfähigkeit, ihr Leben als etwas Sinnvolles zu verstehen, ausgeliefert sind:

„Was sein mir? Sie und ich und mir alle zusamm? Mir han uns mußt schinden und schuften durchs Leben, eener so gutt wie der andere dahier."
(Frau Fielitz, verwitwete Wolff, in: ,Der rote Hahn', 4. Akt)

Der tragische Determinismus dieser Dramen macht einerseits alle Menschen gleich, andererseits breitet er sich unerschöpflich in der „wucherischen, unentwirrbaren Vielgestaltigkeit des Lebens" aus, von der Hauptmann einmal spricht. Diese Vielgestaltigkeit des Lebens reproduziert Hauptmann mit der 'Vielstimmigkeit' der zahllosen Figuren in seinen Dramen:

„Es meldeten sich in meinem Innern stets viele Stimmen zu Wort, und ich sah keine andere Möglichkeit, einigermaßen Ordnung zu schaffen, als *vielstimmige Sätze: Dramen* zu schreiben." (,Die Sendung des Dramatikers', Rede, 1905)

4.3 ,Die Weber': Soziales Drama oder „Elend in klassischer Form"?

In den ,Webern' gelang Hauptmann eine besondere Synthese aus naturalistischen Grundsätzen und seinen persönlichen Vorstellungen vom Leben und vom Drama als „vielstimmigem Satz". Die Zeitgenossen erregte daran vor allem die brisante soziale Thematik, wie sich schon an der Geschichte der Verbote und Aufführungen zeigte. Gleich die erste, ganz im Dialekt geschriebene Fassung ,De Waber' (1892) wurde zuerst von der Zensurbehörde zurückgewiesen.

Man kritisierte vor allem „[. . .] die geradezu zum Klassenhaß aufreizende Schilderung des Charakters der Fabrikanten im Gegensatz zu demjenigen der Weber
[. . .], die Deklamation des Weberliedes [. . .], die Plünderung bei Dreißiger [. . .]
und die Schilderung des Aufstandes". Die Zensurbehörde fürchtete, „daß die
kraftvollen Schilderungen des Dramas [. . .] einen Anziehungspunkt für den zu
Demonstrationen geneigten Teil der Bevölkerung Berlins bieten würden".

Bis 1901 wurden ‚Weber'-Aufführungen in 18 Städten Deutschlands verboten, konnten aber meistens gerichtlich ertrotzt werden. In Berlin
wurde die öffentliche Erstaufführung allein im Deutschen Theater bis
1905 fast hundertmal wiederholt.

An sich handelte es sich um ein „Schauspiel aus den vierziger Jahren",
also um einen historischen Stoff. Daß es als sozialkritisches Stück so
sensationell wirkte, ist nur damit zu erklären, daß sich an den dargestellten Mißständen seit dem schlesischen Weberaufstand von 1844 nichts
oder wenig geändert hatte. Hauptmann hat die Vorgänge von 1844 nach
guten Quellen sehr genau wiedergegeben. Zusätzlich bereiste er während der Arbeit an dem Stück die Weberdörfer und war erschüttert von
dem bodenlosen Elend, das er zu sehen bekam – fast 50 Jahre später!
Dabei wehrte er sich immer dagegen, daß man ihm politische Absichten
unterstellte. Und 1938 erklärte er, was ihn eigentlich bewegt habe, so:

„Was sich in diesen Weberhütten enthüllte, war – ich möchte sagen: das Elend in
seiner klassischen Form." (‚Breslauer Neueste Nachrichten', 25. 9. 1938)

Damit wollte er die soziale Not nicht verharmlosen, sondern er sah in ihr
etwas zeitlos Existentielles:

„Aber diese Familiengenossenschaft, welcher der Mangel, der Hunger aus den
Augen glotzt, kämpft mit dem Gleichmut, den man wohl heroisch nennen mag,
ihren Daseinskampf. [. . .] So bietet er (sc. der Weber) sich und die Seinen, um
den Mittelpunkt seiner Arbeit geschart, den Wechselfällen des Schicksals dar, die
eine mehr oder weniger langsame Zerstörung bedeuten, der gegenüber er sozusagen aufrecht standhält, bis alles im Tode erstarrt und nur noch Ruine ist." –
„Klassisch" nannte Hauptmann diesen Anblick, weil er „irgendwo Elend und
Würde vereint" (s. o.).

Von daher wären die ‚Weber' als Tragödie zu deuten. Ihr ‚Held' ist der
Weber bzw. die Gemeinschaft aller Weber. Konsequent ist der Individu-
alheld der Tragödientradition, der große Einzelne, vermieden und dafür
das Kollektiv der Klasse als handelnde und leidende 'dramatis persona'
behandelt. Die Gegenspieler, die Personen des Farikantenmilieus, sind
weniger Charaktere als typische Vertreter sozialer Gruppen. Keine Person tritt in allen Akten auf, fast alle treten hervor und verschwinden
wieder, von anderen abgelöst. Der 5. Akt spielt in einem anderen
Weberdorf mit anderen Personen, und trotzdem empfindet man den
Gesamtzusammenhang des Geschehens. Im Unterschied zu den Mas-

sendramen der Expressionisten, in denen der einzelne bis zur Unkennt-
lichkeit entindividualisiert wird, besteht das Kollektiv der ‚Weber'
jedoch aus Individuen. Jeder Arme ist anders und hat ein persönliches
Schicksal; jeder verhält sich auch in der Revolte anders: Einer begehrt
eher auf als die anderen (Becker), einer wiegelt die anderen auf (Jäger),
einer verurteilt den Aufruhr (Hilse) usw. Vielleicht ist das die besondere
Leistung Hauptmanns: Die Klasse erscheint als Klasse, aber nicht als
amorphe Masse, sondern als Schicksalsgemeinschaft einzelner Personen. Die Weber bilden so zugleich den 'vielstimmigen' Chor der Tragödie; alle erleben dieselbe Not, aber jeder empfindet und handelt anders,
politisch-revolutionär, opportunistisch, fatalistisch oder religiös.
Dieser Kompositionsform entspricht die Gliederung des Stücks in fünf
Akte, deren jeder fast ein Einakter, ein Stück im Stück ist, worin das
Gesamtthema sich wie ein Teilmodell entfaltet. Alle Akte zusammen
stellen den kollektiven Vorgang dar, wie die Armen aus ihrer Lethargie
erwachen, bis zur gewaltsamen Konfrontation mit dem sozialen Gegner
und der Staatsmacht. Durchgehende Motive wie das revolutionäre
Weberlied verbinden die Teile. Der Aufbau traditioneller Tragödien
verbindet sich so mit den Darstellungsmitteln des Naturalismus und
Vorformen des epischen Theaters.
Man kann die ‚Weber' als Modell, mindestens aber als Rechtfertigung
einer sozialen Revolte verstehen. Für diese Deutung bleibt allerdings
der Schluß offen, ja zweideutig: Während außerhalb der Szene die waf-
fenlosen Weber gegen die anrückenden Soldaten stürmen, stirbt an seinem Webstuhl der gottergebene Hilse, der die Revolution verwirft, an
einer verirrten Kugel. Die Revolte erscheint im „vielstimmigen Satz"
durchaus nicht eindeutig als zielbewußte Handlung aus revolutionärem
Bewußtsein, sondern eher als Umschlag der Not in entfesselte Leidenschaft. In der Geschichte ist der Weberaufstand gescheitert. Nie zuvor in
der deutschen Literaturgeschichte wurden das Proletariat und ein sozialer Prozeß so lebenswahr dargestellt, andererseits erscheinen beide als
Ausdruck eines tragischen Lebensprinzips.

4.4 Naturalistisches Volksstück und Tragikomödie

Nach den ‚Webern' schrieb Hauptmann bis etwa zum Ersten Weltkrieg
u. a. noch naturalistische Dramen des bürgerlich-psychologischen und
des volkstümlich-sozialen Typs; danach so gut wie nicht mehr. In den
Kleine-Leute-Stücken wandte er sich teilweise wieder mehr dem individuellen tragischen Charakter zu (‚Fuhrmann Henschel', ‚Rose Bernd'),
teilweise verband er den Naturalismus des Milieus mit Poesie, Traum
und Märchen (‚Hanneles Himmelfahrt', ‚Und Pippa tanzt!'), womit er
sich dem neuromantischen Irrationalismus um die Jahrhundertwende

annäherte. Dabei diente die 'Vielstimmigkeit' des Dramas mehr und mehr dem Ausdruck für die Vieldeutigkeit des Lebens: In den Träumen und Visionen der armen Leute gehen Elend, Lust und Sehnsucht ineinander über; der Mutterwitz des Volkes kann die Schwäche der Menschen belächeln, die List sie ausnutzen. So benutzt in der Komödie ,Der Biberpelz' (1893) die Proletarierin Frau Wolff die Vieldeutigkeit des Lebens und der Sprache, um ihre sozial überlegenen Gegner auszutricksen; der Dichter benutzt sie in der Ironie, mit der er die Hohlheit des Wilhelminischen Staates in der Gestalt des Amtsvorstehers Wehrhahn bloßstellt. Komik ist aber nicht das letzte Wort des Naturalisten. Acht Jahre nach dem ,Biberpelz' läßt Hauptmann in der Tragikomödie ,Der rote Hahn' (1901) dieselbe Frau Wolff am Kampf um den sozialen Aufstieg zugrunde gehen.

4.5 Wirklichkeit und Kunst in der naturalistischen Symbolik der Tragikomödie ,Die Ratten'

,Die Ratten' (1911) sind eigentlich Hauptmanns naturalistisches Schlußwort auf der Bühne. Die Tragödie der Maurersfrau John, die aus Liebebedürfnis ein Kind stiehlt, an einem Totschlag mitschuldig wird und sich das Leben nimmt, als sie sich damit alles zerstört hat, ist hier in ein vielschichtiges Bedeutungsgefüge verflochten. Schon das Leitmotiv der ,Ratten' durchzieht vieldeutig das Stück, als reales Ungeziefer, aber auch als Metapher für das Gesindel der Großstadt, für staatsgefährdende Sozialisten und vor allem für das Unheimliche im Leben überhaupt. Die Berliner Mietskaserne, in der das Stück spielt, ist wie ein Modell der zeitgenössischen Gesellschaft: Hausherr ist der Staat, Hausverwalter ein korrupter Beamter; es hausen darin ein nationalistischer Gesang- und Schlägerverein, eine zur Dirne heruntergekommene Dame mit einer tüchtigen Tochter und einem vernachlässigten Baby, der ordentliche Arbeiter, der auswärts arbeiten geht, und seine Frau, die sich um ein echtes Familienleben betrogen sieht. Auf dem Dachboden verwahrt der zur Zeit arbeitslose Theaterdirektor Hassenreuter seinen Theaterfundus, umfunktioniert zum Kostümverleih. Ein junger Theologe und Pfarrerssohn hat sich vom bürgerlichen Milieu seiner Herkunft losgesagt, schwankt aber, ob er sein Leben den Armen oder der Kunst widmen soll, und nimmt derzeit Schauspielunterricht bei Hassenreuter. Proletarische Wirklichkeit, verunsichertes Bürgertum und eine funktionslos gewordene Kunst sind unter ein Dach geraten. Parallel zur Tragödie der Proletarier spielt sich nun eine Komödie der Bürger und Künstler ab; denn diese geraten in die turbulenten Verwicklungen heimlicher Rendezvous und unerwarteter Begegnungen. Die Verwicklungen beider Seiten, der tragischen und der komischen, greifen ineinander,

wodurch die proletarische Tragik einen unheimlich-grotesken Zug
erhält, die Komik der Bürger und Künstler aber gleichsam erstarrt. Das
Verwirrspiel offenbart die Vieldeutigkeit des Lebens, das tragisch und
komisch zugleich sein kann. Zudem kommentiert die Hassenreuter-
Komödie ständig die John-Tragödie, umgekehrt aber stellt die proletarische Wirklichkeit die traditionelle, lebensfremd gewordene Kunstidee
des Theaterdirektors in Frage. Zwischen Hassenreuter und dem Theolo-
giekandidaten Spitta entwickelt sich ein Disput über die wahre Kunst,
für den Frau John das Exempel abgibt. Hassenreuter plädiert für die
tradierte idealistische Moral und Ästhetik, die in diesem Milieu als
bloße Phrase erscheint, und für eine höhere 'Weltordnung', die es für
die Johns nicht mehr gibt. Während für den Theatraliker eine Arbeiter-
frau wie die John „zur tragischen Heldin ungeeignet" ist, plädiert Spitta
für eine lebenswahre Kunst und erklärt: „Vor der Kunst wie vor dem
Gesetz sind alle Menschen gleich." Das wirkliche Schicksal der Frau
John widerlegt Hassenreuter und gibt Spitta recht, der am Ende fragen
kann: „Finden Sie nicht, daß hier ein wahrhaft tragisches Verhängnis
wirksam gewesen ist?"

So hat Hauptmann in seinem letzten naturalistischen Volksstück noch
einmal die Motive dieser Gattung vereint: das proletarische Milieu, die
Klassengegensätze im Wilhelminischen Staat, die Tragik der kleinen
Leute, die vergeblich ihr Leben zu ändern versuchen, und die Ironie der
Vieldeutigkeit des Lebens. Offensichtlicher noch als im frühen Natura-
lismus wird die präzise Wirklichkeitsdarstellung durchsetzt von den
Zügen des Komischen, des Grotesken, des Hintergründigen, Unheimli-
chen und Symbolischen.

5 Naturalismus und moderne Literatur

Seit ihrem Auftreten hat man den Naturalisten vorgehalten, daß sie ihren Anspruch einer 'Literatur-Revolution' nicht eingelöst hätten. 1971 charakterisierte der Dramatiker John Osborne ihre Zwischenstellung.

„Der deutsche Naturalismus ist ein Kompromiß zwischen dem verinnerlichten deutschen Konservativismus und dem nach außen gerichteten europäischen Radikalismus." (‚The Naturalist Drama in Germany', 1971)

Jedoch haben die Naturalisten die moderne Diskussion der Kunst und die Problematisierung der Tradition mit eingeleitet und neue Möglichkeiten der Literatur eröffnet. Sie haben die verschütteten Traditionen der Jungdeutschen, des Sturm und Drang und des bürgerlichen Trauerspiels aufgedeckt und weitergeführt, nun aber in entschiedener Zuwendung zur modernen Gesellschaft und insbesondere der proletarischen Klasse. So haben z. B. die Expressionisten die Themen Großstadt, Sklaverei der Arbeit, Anonymität der Masse, Milieu der Verkommenheit, Konflikte der Generationen und Geschlechter in sozialen Kontexten zwar anders behandelt als die Naturalisten, aber eigentlich von ihnen übernommen.

Die scharfe Kritik vieler Antinaturalisten am Stil der minutiösen Wirklichkeitsschilderung beruht zum Teil auf einem Mißverständnis naturalistischer Werke, zum Teil auf einer Überschätzung der programmatischen Äußerungen zum 'konsequenten Naturalismus'. Mindestens Holz und Hauptmann haben Entwicklungen der modernen Literatur angebahnt, die gerade auch von ihren Gegnern fortgesetzt wurden. So haben sie begonnen, das Unbewußte zu artikulieren – allerdings ohne Kenntnis Freuds. Sie haben nur scheinbar den monistischen Realitätsbegriff des Positivismus übernommen, in Wahrheit aber die Realität in Bruchstücke jeweils erlebter Erfahrung zerlegt und damit auch relativiert bis hin zum Zweifel am Verstehen der Wirklichkeit. Die von Holz oder Hauptmann dargestellte Wirklichkeit ist hintergründig und verweist auf die Vieldeutigkeit des Lebens. Damit spüren Naturalisten auch die Vieldeutigkeit der Sprache selbst auf, die Spätere als Kunstmittel benutzt haben.

Dies alles wird im Naturalismus freilich noch mimetisch, also mit konkreten Abbildern wirklicher Menschen, Situationen, Umstände und Milieus dargestellt. Zu auflösenden Sprach- und Formexperimenten, zur ästhetisch-artistischen Verfremdung oder gar zur formalen Abstraktion gelangten die Naturalisten nicht. Andererseits ist proletarische Literatur in der zweiten Hälfte des 20. Jahrhunderts als 'Literatur der Arbeitswelt' wieder aufgelebt. Autoren wie Kroetz und Sperr schufen seit 1970 neonaturalistische Dramen, in England Harold Pinter schon seit 1960. Und seit Mitte der siebziger Jahre wenden sich Lyrik und Prosa der 'Neuen Subjektivität' wieder den 'Alltags'-Erfahrungen zu.

Zweiter Teil: Gegenpositionen zum Naturalismus

Aspekte der Epoche

Der Zeitraum von der Reichsgründung bis zum Ersten Weltkrieg
brachte eine Vielfalt von literarischen Stilrichtungen hervor, die einander oft bekämpften und dennoch zum Teil auf gemeinsame Grundlagen
zurückgehen. Um 1890, gleichzeitig mit den Ideen und Werken der
Naturalisten, entstanden auch die ersten Werke antinaturalistischer
Autoren. Hermann Bahr, der selbst anfangs zur naturalistischen Bewegung gehört hatte, verkündete bereits 1891 in einem Essay: „Die Herrschaft des Naturalismus ist vorbei" (‚Die Überwindung des Naturalismus'). Fast gleichzeitig mit den Dramen von Gerhart Hauptmann und
Arno Holz/Johannes Schlaf erschienen die ersten Veröffentlichungen
von *Stefan George, Hugo von Hofmannsthal, Arthur Schnitzler* und
Frank Wedekind, nur wenig später die von *Rainer Maria Rilke.*
Die meisten Antinaturalisten lebten in der Donaumonarchie und bildeten in kulturgeographischer Hinsicht einen Gegenpol zu Berlin, dem
Zentrum sowohl des Wilhelminismus wie des Naturalismus. In München
trafen die beiden literarischen Richtungen zusammen. Wie die Naturalisten gehörten die Autoren der Gegenströmungen größtenteils dem mittleren und gehobenen Bürgertum an, und wie diese verurteilten sie den
gewöhnlichen bürgerlichen Lebensstil. Mehr aber noch als die Naturalisten stilisierten die Autoren der Gegenströmungen ihre eigene Lebens-
weise zu einem bewußt zur Schau getragenen Künstlerdasein (Hofmannsthal in Wien, George in München).
Als letzte Kunstrichtung vertritt der Naturalismus einen auf objektive
Gesetze gegründeten Wahrheitsbegriff. Dieser wird nun naturwissenschaftlich begründet. Der naturalistische Künstler versteht seine Arbeit
als ein Verfahren, das von wissenschaftlichen Grundsätzen bestimmt ist,
als Nachahmung der Wirklichkeit: Mimesis. In den Gegenströmungen
kommen dagegen ältere Vorstellungen wieder zur Geltung. Vor allem
George und Hofmannsthal, später auch Rilke, schöpfen aus ihrer
Kenntnis der europäischen Kultur seit der Antike, gewinnen aus den
großen Kunstepochen ihre Maßstäbe für das Kunstwerk und verwenden
überlieferte Bilder des Lebens und der Weltordnung.
Damit stellen sie sich nicht nur in Gegensatz zu den künstlerischen
Zielen des Naturalismus, sondern auch zu den Erscheinungen und Tendenzen der geschichtlichen Wirklichkeit im ganzen: zu der fortschreiten-
den Technisierung und Industrialisierung, der wirtschaftlichen und politischen Expansion, der wachsenden Verstädterung und Vermassung.
Dem Fortschrittsoptimismus des Industriezeitalters setzen sie im ganzen

einen entschiedenen Kulturpessimismus entgegen; sie drücken den subjektiven Weltschmerz einer Endzeitstimmung aus ('Fin de siècle'), wie
der junge Hofmannsthal, oder analysieren, wie Schnitzler, psychologisch die Dekadenz der späten Wiener Aristokratie und Bourgeoisie.
Rilke huldigt zeitweise einer Innerlichkeit, wie sie ihn an der ortho-
doxen Religiosität Rußlands beeindruckte. George wiederum stellt den
egalitären Tendenzen seiner Zeit den Typus des herrscherlichen Menschen gegenüber und schafft sich, nach dem Vorbild des mittelalterlichen Gildenwesens, selbst einen engen Kreis von Schülern. Der spätere
Hofmannsthal greift seinerseits in seiner Auffassung von Mensch und
Welt auf die christliche Religiosität des Mittelalters und des Barocks
zurück.
Zu Traditionsgebundenheit und Kulturpessimismus tritt ein drittes
Merkmal, das der Abbildtheorie der Naturalisten vollkommen entge-
gensteht: der Zweifel an der Fähigkeit, überhaupt Wirklichkeit zu
erkennen und sprachlich darzustellen. Dieser Zweifel liegt zum einen in
der Kritik an der Einseitigkeit des naturwissenschaftlichen Wahrheitsbe-
griffs begründet. Für die Antinaturalisten kann Wahrheit nicht durch die
experimentelle und objektivierende Untersuchung der Tatsachenwirk-
lichkeit ermittelt, sondern nur durch eine innere Erfahrung erfühlt werden, in der der hinter den Dingen liegende Sinnzusammenhang sichtbar
wird. Zum anderen ist den Autoren der Gegenströmungen die traditionelle Funktion der Sprache, über die Einzeldinge und ihren Zusammenhang allgemeingültige, wahre Aussagen zu machen, fragwürdig geworden. Sie stehen vor dem Problem, wie einer individuellen Erfahrung
allein durch die künstlerische Sprachformung Wahrheitscharakter ver-
liehen werden kann. In ihrer sprach- und rationalitätskritischen Haltung, die mit einer tiefen Verunsicherung des Selbstbewußtseins verbunden ist, erweisen sich diese Autoren als Wegbereiter der Literatur des
20. Jahrhunderts. Die Gruppe um Hermann Bahr, Hofmannsthal und
Schnitzler faßt man deshalb auch unter dem Begriff der 'Wiener
Moderne' zusammen.
Aus seiner Intention heraus, den Bewußtseinszustand der Wiener
Gesellschaft analytisch zu durchdringen und zu entlarven, entwickelt
Schnitzler in seiner Prosa neue sprachliche Verfahren wie den inneren
Monolog, um den Leser unmittelbar an dem Bewußtseinsprozeß einer
Person teilnehmen zu lassen. Er stellt dem Erfolgs- und Machtmenschen
seiner Zeit den Typus des 'gebrochenen Menschen' gegenüber, der sich
melancholisch den Reizen der Daseinsempfindungen hingibt, hierin ver-
gleichbar mit Oscar Wilde, dem exponiertesten Vertreter eines dekadenten Subjektivismus („Das Bildnis des Dorian Gray', 1890/91).
Andere Antinaturalisten wie George und Rilke erheben jedoch, gerade
weil die religiöse Überlieferung und ihre Sprache fragwürdig geworden
ist, den Anspruch, nun allein durch die poetische Sprache eine höhere,

über die Subjektivität des Menschen hinausreichende Wahrheit auszu-
drücken. Gestützt auf die pessimistische Lebensphilosophie Arthur
Schopenhauers (‚Die Welt als Wille und Vorstellung‘, 1819) und den
Irrationalismus Nietzsches, angeregt durch die Symbolisten vor allem
Frankreichs (Charles Baudelaire, Paul Verlaine, Stéphane Mallarmé,
Arthur Rimbaud), entwerfen George, Hofmannsthal und Rilke – besonders in der Lyrik – eine Dichtung, in der irrationale oder imaginäre
Erfahrungen durch die Vollkommenheit des künstlerischen Ausdrucks
zu Symbolen der Lebenszusammenhänge werden sollen. Im Gegensatz
zum Symbolbegriff etwa der Weimarer Klassik kann die Bedeutung dieser Symbole jedoch nicht mehr klar erfaßt, sondern nur intuitiv, emotio-
nal und assoziativ erahnt werden.
Die Wirkung und Glaubhaftigkeit des Kunstwerks kann deshalb weder
auf der empirischen Evidenz noch auf der Schlüssigkeit der Gedanken
beruhen, sondern nur auf der unmittelbaren Wirkung der poetischen
Sprachformung selbst. Die Skepsis der Autoren richtet sich deshalb
gegen die Sprache des Alltags, der Wissenschaften und der Zwecke.
Diese Sprache kann der Dichter allenfalls dazu verwenden, die Leere
und Beziehungslosigkeit des gewöhnlichen Lebens darzustellen. Die
poetische Wahrheit bedarf einer eigenen, einer poetischen Sprache. Im
Dichterwort entsteht überhaupt erst diese Wahrheit. Im Sprachkunst-
werk redet der Dichter nicht über Wirkliches, Gedachtes oder Vorge-
stelltes, sondern er läßt die Mystik des Lebens überhaupt erst zur
Erscheinung kommen. Damit beansprucht der Dichter die Rolle des
Lebensdeuters, und damit kann er die Entfremdung der Kunst von der
gewöhnlichen Wirklichkeit, die Isolation des Künstlers von der Gesellschaft positiv interpretieren. Wie problematisch dieser Anspruch ist,
läßt sich daran erkennen, daß die Dichter, die ihn vertreten, ihn und die
Rolle des Dichters immer wieder reflektieren, ja daß die Rechtfertigung
des Dichterischen immer wieder zum Thema der Dichtung wird.
Anders als George, Hofmannsthal und Rilke, die der Kunst solch eine
gleichsam religiöse, die äußere Welt transzendierende Aufgabe zuer-
kennen, knüpft Wedekind in seinen irrationalen Tendenzen an vitalisti-
sche Strömungen der Jahrhundertwende an, indem er ein natürliches,
von bürgerlichen Zwängen befreites Leben seelisch-körperlicher Einheit
verkündet. Auch formal bemüht er sich deshalb nicht um eine geho-
bene, alltagsferne Dichtersprache, sondern verwendet Kunstformen wie
Chanson, Moritat oder sogar Ausdrucksweisen des Zirkus, die in der
offiziellen Kunstauffassung als trivial galten.

1 Der Schriftsteller und die Rolle der Kunst.
Die Lyrik Hofmannsthals, Georges und Rilkes

Während die Schriftsteller im Umkreis des Naturalismus überwiegend eine kritische Haltung zum bestehenden System einnehmen, ist für die Antinaturalisten die Abwendung von der Zeitgeschichte kennzeichnend. Sie entziehen sich der Realität des modernen Lebens und schaffen eine Gegenwelt der Kunst. Die unauflösbaren Gegensätze der Wirklichkeit suchen sie nicht zu analysieren, sondern sie entwerfen an ihrer Stelle in der Dichtung mystische Erlebnisse der Einheit alles Seins und der Vereinigung von Ich und Welt. Die so im Kunstwerk beschworene Transzendenz der äußeren Wirklichkeit entsteht aber nur durch das Kunstwerk und in ihm. Der Dichter übernimmt die Aufgabe eines Sehers, ja eines Priesters im Dienste der Kunst.

1.1 Lebensmystik und Sprachmagie bei Hofmannsthal

Hugo von Hofmannsthal: Der Tod des Tizian (1892)   Der Thor und der Tod (1894)   Das Märchen der 672. Nacht (1895)
Ausgewählte Gedichte (1903)   Der Dichter und diese Zeit (1906)
Spätere Werke:
Jedermann (1911)   Die Frau ohne Schatten (1919)
Das Salzburger große Welttheater (1922)   Der Turm (1925)
Das Schrifttum als geistiger Raum der Nation (Rede) (1926)
(Siehe auch unten 3.3.)

Ästhetizismus. Der junge Hofmannsthal teilt mit George und Rilke die Auffassung vom Leben als einem Mysterium, das sich dem Menschen allein in der Hingabe an den Augenblick und nur in der ästhetischen Wahrnehmung erschließt. Dieser Augenblick wird zugleich in seiner Flüchtigkeit schmerzhaft erfahren, bildet er doch, indem er Vergangenheit mit Zukunft verbindet, den jeweils einzig faßbaren gegenwärtigen Moment im allgemeinen Lebensstrom. Diese mystische Erfahrung wird nun vom Dichter durch seine poetische Sprache auch dem Leser vergegenwärtigt.
Die Werke des jungen Loris – so das von Hofmannsthal selbst gewählte Pseudonym – behandeln durchweg die Problematik solchen Ästhetentums, dessen Schuld darin liegt, sich dem gesellschaftlichen Leben zu versagen und sich jeder echten menschlichen Beziehung zu verweigern (so der Edelmann Claudio in dem frühen lyrischen Drama ‚Der Thor und der Tod‘). Diese Kritik am Ästhetizismus als einer sterilen Lebens-

form wird jedoch in hoher Ästhetisierung, in einer kunstvollen Sprache, in der Schilderung erlesener Stimmungen, in der Wiedergabe feiner Zwischentöne aufgefangen.

Das ‚Weltgeheimnis‘: Die Bildersprache Hofmannsthals. Die Gedichte des jungen Hofmannsthal scheinen zu bezeugen, daß ihr Autor das Paradox der ästhetisierend formulierten Kritik am Ästhetizismus erkennt. Nach einer Schaffenskrise sind deshalb von 1899 an überhaupt keine Gedichte mehr entstanden.

Ein bekanntes Gedicht der Sammlung ‚Ausgewählte Gedichte‘ von 1903, die ‚*Ballade vom äußeren Leben*‘, vereint die genannten Probleme:

Und Kinder wachsen auf mit tiefen Augen,
Die von nichts wissen, wachsen auf und sterben,
Und alle Menschen gehen ihre Wege.

Und süße Früchte werden aus den herben
Und fallen nachts wie tote Vögel nieder
Und liegen wenig Tage und verderben.

Und immer weht der Wind, und immer wieder
Vernehmen wir und reden viele Worte
Und spüren Lust und Müdigkeit der Glieder.

Und Straßen laufen durch das Gras, und Orte
Sind da und dort, voll Fackeln, Bäumen, Teichen,
Und drohende, und totenhaft verdorrte ...

Wozu sind diese aufgebaut? und gleichen
Einander nie? und sind unzählig viele?
Was wechselt Lachen, Weinen und Erbleichen?

Was frommt das alles uns und diese Spiele,
Die wir doch groß und ewig einsam sind
Und wandernd nimmer suchen irgend Ziele?

Was frommts, dergleichen viel gesehen haben?
Und dennoch sagt der viel, der „Abend“ sagt,
Ein Wort, daraus Tiefsinn und Trauer rinnt

Wie schwerer Honig aus den hohlen Waben.

Das Gedicht erfaßt in den ersten vier Strophen das ‘Äußere’ einer Welt, die von dem allgemeinen Kreislauf des Werdens und Vergehens geprägt ist. An diesem Prozeß hat auch der Mensch („wir“, Strophe 3) Anteil, wie er es in „Lust und Müdigkeit“ spürt. Die einzelnen Strophen enden dabei jeweils in der Darstellung des Todes, so daß sich dem Leser im ganzen der Eindruck des Niedergangs, der Dekadenz als des bestimmenden Lebensgesetzes aufdrängt (s. a. die letzte Zeile der 5. Strophe). Ein weiterreichender allgemeiner Zweck („wozu“, Strophe 5), der die

Einzelerscheinungen und ihren Werdegang verbände, kann nicht ange-
geben werden, auch nicht ein besonderer Sinn („was frommt uns", Strophe 6) für den Menschen in seiner ewigen Einsamkeit und ziellosen
Wanderschaft. Auch die gewöhnliche Sprache gibt keinen Aufschluß
über die Ordnung des Lebens insgesamt, gehört vielmehr in den Verge-
hensprozeß des Lebens selbst hinein (siehe Strophe 3). Aber die Reflexion des Dichters führt über die reine Darstellung des „äußeren Lebens"
und die Feststellung der Vergeblichkeit aller Sinn- und Zweckfragen
hinaus: „Und dennoch sagt der viel, der ‚Abend' sagt." Denn die sich
diesem Wort assoziierende Bedeutung – „Tiefsinn und Trauer" –, sein
Empfindungswert, entspricht der Empfindung, die auch die Dinge und
Entwicklungen des ‚äußeren Lebens' vermitteln. So erschließt sich auch
die Bedeutung des Schlußvergleichs: Das Sprachsystem als ganzes
erscheint als leeres Gerüst („hohle Wabe"). Allein der poetische
Gebrauch der Worte erschließt ihren inneren Gehalt („schwerer
Honig") und kann das innere Sein der Welt empfinden lassen – zwar
nicht objektiv beschreiben oder in einen begrifflichen Zusammenhang
bringen, aber ästhetisch erfahren lassen.

In der Betonung der Vergänglichkeit allen Lebens liegt die Entsprechung zum Gedankengut der christlichen Tradition. Diese ist aber ihrer
religiösen Verbindlichkeit beraubt. Formal zeigt sich diese Beziehung in
der Verwendung der Terzinenform, die im Spätmittelalter Dante zur
Darstellung seines christlichen Kosmos bevorzugt hat.

Der Traum der Vergangenheit. Schon im Frühwerk Hofmannsthals wird
die Überzeugung von der hohen Aufgabe des Dichters von einem leisen
Zweifel an der Gültigkeit der Darstellungsformen begleitet. In der Folgezeit versucht Hofmannsthal in zahlreichen Schriften zum Zeitgesche-
hen und zu kulturellen Fragen, den eher pessimistischen Ästhetizismus
durch ein konstruktives Engagement für aktuelle Probleme zu überwinden. In Reden und Aufsätzen (‚Der Dichter und diese Zeit', ‚Das
Schrifttum als geistiger Raum der Nation') behandelt er das Problem
einer Erneuerung der Gegenwart aus dem Geist der Vergangenheit. Die
entscheidende Rolle übernehme dabei das Erbe der deutschen Kultur,
zu der er die österreichische rechnet. Im Kampf gegen die Zer-
splitterung des modernen Zeitalters könne Österreich Vorbild sein und
dem „deutschen Volke das Produktive seiner großen Vergangenheit"
entgegenhalten. Dem Dichter falle dabei die Aufgabe zu, die „Welt der
Bezüge" herzustellen. Wie einem Magier würden ihm Zukunft und Vergangenheit zu einer „einzigen Gegenwart" (‚Der Dichter und diese
Zeit').

Vor allem seit dem Ausbruch des Ersten Weltkriegs stellt Hofmannsthal
sich immer wieder die Frage, wie das Chaos der Gegenwart mit Hilfe der
Tradition zu bewältigen sei. Er selbst fühlt sich durch die Vergangenheit

vorgeprägt („Präexistenz") und lebt im Bewußtsein, einer Spätzeit anzu-
gehören. Mit seiner Rückbesinnung auf die Kulturtradition redet Hofmannsthal keineswegs einem epigonalen Dichtertum das Wort. Vielmehr fordert er einen Autor, der wie Jakob Michael Reinhold Lenz,
Hölderlin oder Goethe in „produktiver Anarchie" arbeite. Dieser könne
die Gegenwart vor der Verantwortungslosigkeit retten:

> „Der Prozeß, von dem ich rede, ist nichts anderes als eine konservative Revolu-
> tion – von einem Umfange, wie die europäische Geschichte ihn nicht kennt. Ihr
> Ziel ist Form, eine neue deutsche Wirklichkeit, an der die ganze Nation teilneh-
> men könnte." (‚Das Schrifttum als geistiger Raum der Nation')

Die Formel der „konservativen Revolution" rückt Hofmannsthal in die
Nähe von konservativen, ja reaktionären Kräften der Weimarer Republik, etwa von Arthur Moeller van den Bruck, der mit seinem Buch ‚Das
dritte Reich' (1923) zum Wortführer der antidemokratischen Bewegung
geworden war.
Noch das Spätwerk Hofmannsthals ist, nunmehr im Zeichen der dramatischen Gattung, vom Traum der Vergangenheit geprägt: Zum einen
sucht er das literarische Erbe durch Anthologien bekanntzumachen;
zum anderen bemüht er sich um ein am Barocktheater orientiertes tota-
les Bühnenspiel, in dem das ewig Beharrende der Menschheitsge-
schichte dargestellt werden soll (‚Salzburger großes Welttheater',
‚Jedermann'). In den letzten Dichtungen bekunden sich jedoch vielfach
Zweifel an den traditionellen Werten (s. ‚Der Schwierige', S. 72 ff.).

1.2 Entwurf einer Gegenwelt: „Kunst für die Kunst" bei George

> **Stefan George:** Algabal (1892)   Die Bücher der Hirten und
> Preisgedichte der Sagen und Sänge der hängenden Gärten (1895)
> Der Teppich des Lebens und die Lieder von Traum und Tod (1900)
> Der siebente Ring (1907)   Der Stern des Bundes (1914)
> Das neue Reich (1928)

Schönheits- und Todeskult. Wie Hofmannsthal begann George kurz
nach 1890 Gedichte zu veröffentlichen, die dem Ästhetizismus der Epoche Ausdruck verleihen. Dabei rückt George jeweils ein Sinnbild in den
Mittelpunkt des Gedichts. Dieses beschränkt sich auf eine anschauliche
Beschreibung und verzichtet auf jegliche gedanklich abstrakte Reflexion. Die Frage nach dem Sinn wird also nicht mehr, wie bei Hofmannsthal, als solche gestellt. Die Mystik Georges bezieht sich durchweg auf
die vom Gedicht geschaffene eigene Wirklichkeit; eine Transzendenz
außerhalb der Kunst gibt es nicht.

Am reinsten verwirklicht der frühe George sein Kunstideal im Zyklus ,Algabal' (1892), in dem die Gestalt des dekadenten römischen Kaisers Heliogabal gleichzeitig einem Schönheits- und Todeskult huldigt:

> Mein garten bedarf nicht luft und nicht wärme.
> Der garten den ich mir selber erbaut
> Und seiner vögel leblose schwärme
> Haben noch nie einen frühling geschaut.
>
> Von kohle die stämme von kohle die äste
> Und düstere felder am düsteren rain
> Der früchte nimmer gebrochene läste
> Glänzen wie lava im pinien-hain.
>
> Ein grauer schein aus verborgener höhle
> Verrät nicht wann morgen wann abend naht
> Und staubige dünste der mandel-öle
> Schweben auf beeten und anger und saat.
>
> Wie zeug ich dich aber im heiligtume
> – So fragt ich wenn ich es sinnend durchmass
> In kühnen gespinsten der sorge vergass –
> Dunkle grosse schwarze blume?

Nicht liebliche Natur erzeugt hier Schönheit, sondern die leblosen, vom Künstler arrangierten Gegenstände, in denen alles Natürliche erstorben ist. So gleicht die Kunstwelt Heliogabals mehr einem Totenreich als einem Garten. Der artifizielle Bereich, von Algabal selbst erschaffen, wird nun als „heiligtum" verehrt, abgeschirmt gegen das äußere Leben. Krönung und Ziel dieser Kunst ist die Erzeugung der „schwarze[n] blume". In dieser Welt gelten ethische Werte nichts; höchstes Ziel ist die Isolation der Kunst, der Kult der Schönheit und des Todes.

Georges Vorbilder sind die französischen Symbolisten, vor allem Baudelaire. Anders als diese lehnt George jedoch die Wiedergabe des Alltäglichen, des Häßlichen, ja der Phänomene des modernen Zeitalters insgesamt ab. Seine Kunstwirklichkeit, aus kostbaren Gegenständen geschaffen, schließt sich von der Realität hermetisch ab. Für seine Dichtungen hat George eine eigene Druckschrift entworfen; er verwendet konsequent die Kleinschreibung und eine individuelle Interpunktion.

Synästhesie. Die kostbaren Bilder verweisen auf eine höhere Wirklichkeit, die jedoch nur in der Kunst selbst entsteht. Diese Kunstreligion läßt sich mit dem 'L'art pour l'art'-Prinzip der französischen Symbolisten vergleichen. George übernimmt von ihnen die konsequente Verwirklichung eines 'Synästhetismus': Das Dichtwerk zeigt Entsprechungen innerhalb der verschiedenen Bereiche der Sinnenwelt und verknüpft verschiedenartige Empfindungen („gelle striche", „in der weissen sonnen scharfem glühn"). Dadurch unterscheidet er sich deutlich von der um Eindeutigkeit des Sinns bemühten traditionellen Lyrik und nähert sich der für die moderne Lyrik typischen Chiffrensprache (s. u. S. 96f.). Ästhetische Distanz sowie eine Vorliebe für Motive, die Formstrenge und schwingende Bewegungen vereinen, zeigen auch Gemeinsamkeiten mit dem Jugendstil der bildenden Kunst. Wie der Jugendstil wendet George sich gegen die traditionelle Kunstauffassung des Bürgertums. Er strebt ein Prinzip ästhetischer Totalität an, das alle Bereiche, auch die Gestaltung des Buchs, ja die Lebensform des Künstlers selbst umfaßt.

Sendung des Dichters. Aus dem Totalitätsanspruch seiner Kunst heraus versteht George sich auch als Vorbild und Lehrer. Seit 1891 sucht er deshalb in der Zeitschrift ‚Blätter für die Kunst‘ sittliche Werte zu verbreiten, die freilich einem kleinen Kreis von Schülern vorbehalten bleiben. Zu dem George-Kreis gehören der Philosoph Ludwig Klages und die Dichter Karl Wolfskehl, Paul Gérardy und Max Dauthendey. Seine Ideen wurden von seinen Schülern, besonders von Friedrich Gundolf und Max Kommerell, verbreitet. Die dem Massengeschmack angepaßte Kunst wird abgelehnt und eine Einheit von Kunst und Kunsthandwerk angestrebt wie im mittelalterlichen Gildewesen. Nicht der Gebrauchswert der Kunst, allein die „form" ist entscheidend, die als „tief erregendes in maass und klang" aufgefaßt wird (‚Blätter für die Kunst‘, ‚Über Dichtung‘). Das Gedicht wird als ein Bildwerk, „gebilde", begriffen. Der „meister", der die Form beherrscht, hat teil an einem „höheren leben". Ihm fällt eine Führerrolle zu. Für George steht die Dichtung über dem Leben, dessen Ordnung sie erst herstellt: „kein ding sei wo das wort gebricht."

In dem Bemühen, durch die Kunst erzieherisch zu wirken, treten in den Dichtungen nach 1900 die erlesenen Bilder zurück, und die poetische Gegenwelt wird in einer Konzentration auf schlichte Aussageformen, ja auf knappe Abstraktion entworfen. Die Sammlung ‚Der Stern des Bundes‘ (1914) besteht im allgemeinen aus lehrhaften Leitsätzen. Mit dieser Entwicklung der lyrischen Sprache hängt ein wachsendes Sendungsbewußtsein zusammen:

> Ich liess mich von den schulen krönen
> Sie hielten wert mich ihrer würden ...
> Die zeit der einfalt ist nicht mehr.
> Dann kam der anfang echter lehre:
> In kenntnis kennen dass sie feil –
> Ein weiser ist nur wer vom gott aus weiss.
> Durchs heilige feld komm ich geschritten
> Mit dir dem heiligen ziele zu ...
> Im einklang fühl ich keim und welke
> Mein leben seh ich als ein glück. (‚Der Stern des Bundes‘)

Im letzten Gedichtband, ‚Das neue Reich', zeigen Gefolgschaftsdenken und Prophetentum, in welch gefährliche Nähe zum Faschismus George sich begeben hat. Er selbst warnte jedoch vor dem Geist des Nationalsozialismus und lehnte ein Angebot der Nationalsozialisten ab, Präsident der ‚Deutschen Akademie für Dichtung' zu werden. Die Ideen Georges waren viel zu elitär, um mit den Zielen der nationalsozialistischen Gewaltpolitik in Einklang gebracht zu werden.

1.3 Rilke: Fühlen – Zeigen – Verschlüsseln

Rainer Maria Rilke: Das Buch der Bilder (1902/06)
Das Stundenbuch (1905)   Neue Gedichte (1907/08)
Duineser Elegien (1923)   Sonette an Orpheus (1923)

Das Dinggedicht. Rilke, 1875 als Sohn eines Beamten in unbedeutender Stellung und einer ehrgeizigen Mutter geboren, versuchte zeitlebens, unglückliche Kindheitserlebnisse (Besuch der Militärschule, Streit der Eltern) in der Dichtung zu bewältigen. Sein Schaffen ist deshalb stärker als das Georges mit persönlichen Problemen verbunden.

Auch die Dichtungen Rilkes beziehen sich auf einen transzendenten Bereich, der zum Teil noch christliche Züge trägt, sich aber im ganzen einer traditionellen religiösen Festlegung entzieht. Bestimmend ist in den frühen Gedichten bis zum ‚Stundenbuch' der Ausdruck des Fühlens, des Ergriffenseins von der Ahnung eines „unter aller Oberfläche" liegenden göttlichen „Lebensgrundes", der zwar in „Gebeten" mit „Du" angeredet werden kann, aber namenlos bleibt und als „der große Unscheinbare" und „Unbekannte" erscheint. Seit dem Aufenthalt in der Worpsweder Künstlerkolonie (1900/01 vor allem bei der Malerin Paula Modersohn-Becker) und durch die Tätigkeit als Sekretär des Bildhauers Auguste Rodin in Paris gewinnt Rilke jedoch allmählich ein neues Verhältnis zu den Dingen. Sie sind ihm nicht mehr nur Anlaß zur Verwandlung in subjektive innere 'Bilder', sondern sie erhalten einen Eigenwert und eigene symbolische Bedeutung. An die Stelle des Fühlens tritt mehr das Schauen und Zeigen.

Noch entschiedener als Georges Gedichte, in denen durch die Beschreibung anschaulicher Einzelheiten ein Geflecht von Sinnbezügen entsteht wie in einem „Teppich" (so der Name eines Gedichts), rücken Rilkes Dinggedichte einen einzelnen Gegenstand in den Mittelpunkt. So wird in dem Sonett ‚Blaue Hortensie' aus dem Zyklus der ‚Neuen Gedichte' eine bescheidene Pflanze in ihrer Existenz als beseeltes Lebewesen beschrieben:

So wie das letzte Grün in Farbentiegeln
sind diese Blätter, trocken, stumpf und rauh,
hinter den Blütendolden, die ein Blau
nicht auf sich tragen, nur von ferne spiegeln.

Sie spiegeln es verweint und ungenau,
als wollten sie es wiederum verlieren,
und wie in alten blauen Briefpapieren
ist Gelb in ihnen, Violett und Grau;

Verwaschnes wie an einer Kinderschürze,
Nichtmehrgetragnes, dem nichts mehr geschieht:
wie fühlt man eines kleinen Lebens Kürze.

Doch plötzlich scheint das Blau sich zu verneuen
in einer von den Dolden, und man sieht
ein rührend Blaues sich vor Grünem freuen.

Die Blume weist in zweierlei Hinsicht über sich hinaus: einerseits verkörpert sie den allgemeinen Lebensrhythmus, der durch Vergehen
(Strophe 1–3) und Werden (Strophe 4) bestimmt ist.
Durch Vergleiche und Metaphern („Kinderschürze", „Briefpapier",
„verweint", „freuen") wird die Pflanze überdies dem menschlichen
Leben zugeordnet. Die Vielfalt der Farbnuancen symbolisiert im ganzen
die Nähe des Todes. Andererseits ist jedoch die Vergänglichkeit durch
ein plötzliches 'Sich-Erneuern' im Blick des Dichters aufgehoben, eines
überzeitlichen Betrachters, der den äußeren Eindruck zum 'Sinn-Bild'
gestaltet. So scheinen die Dinge ihrer zeitlichen Präsenz entrückt und
einer überzeitlichen Realität zugeordnet, die im Spätwerk Rilkes immer
bedeutsamer wird.

„Weltinnenraum". Vom Zeitpunkt der ‚Neuen Gedichte' an entfernt
Rilke sich vom beschreibenden Symbolismus. Sein Interesse gilt nun
dem Schaffensprozeß des Dichtens. Wie George und Hofmannsthal
denkt er an eine Gegenwelt, in der kein Wort mit dem „gleichlautenden
Gebrauchs- und Konversationswort" identisch ist. Doch Dichten bedeutet für ihn weniger die meisterhafte Beherrschung der Form als vielmehr
eine visionäre Begabung. Sein 'inneres Gesicht' verändert die äußere
zur seelischen Landschaft. Der Dichter ist also in einem überpersönli-
chen geistigen Bereich beheimatet; Rilke vergleicht ihn mit einem
Engel. Anders als George bezieht Rilke das Niedrige, Kranke und
Abartige ein (‚Die Irren'), wenn er auch insgesamt die Abneigung Georges gegenüber der gesellschaftlichen Wirklichkeit teilt. Er betont den
alle Einzelschicksale umfassenden Lebenszusammenhang:

Durch alle Wesen reicht der *eine* Raum:
Weltinnenraum. Die Vögel fliegen still
durch uns hindurch. O, der ich wachsen will,
ich seh hinaus, und in mir wächst der Baum.
(‚Es winkt zu Fühlung fast aus allen Dingen . . .', 1914)

Durch seine künstlerische Tätigkeit verbindet der Dichter die äußerlich getrennten Dinge zu einer Gesamtheit. Diese Gesamtheit kann aber nicht begrifflich abstrakt erfaßt und dargestellt, den Dingen gleichsam von außen zugeschrieben werden, sondern sie ist nur durch die Versenkung des Künstlers in die ästhetische Wahrnehmung der äußeren Wirklichkeit einerseits und in die Empfindung der eigenen inneren Welt andererseits erfahrbar. Der „Weltinnenraum" ist keine höhere Wirklichkeit philosophischer oder traditionell religiöser Prägung, sondern er bezeichnet das vom Dichter in Sprache gebrachte, in allen Dingen wirkende innere Lebensgesetz. Das Gedicht macht die äußere Realität, z. B. konkrete Schauplätze wie die Stadt Toledo oder das Rhône-Tal, auf ihre innere Wirklichkeit hin durchsichtig. Auch die Dimension der Zeit, die Grenze zwischen Leben und Tod, wird aufgehoben. Unterschiede zwischen Arm und Reich verlieren ihre Bedeutung; ja den Armen wird gar in verklärender Weise ein besonderer Bezug zu diesen inneren Lebensgesetzen zugesprochen.

Dieses Bemühen um Durchsichtigkeit wird von 1907 an durch den Einfluß der Bilder und der Ästhetik des Malers Paul Cézanne gefördert. Der Gegenstand büßt seine anschauliche Fülle ein und wird, aus der einmaligen Erfahrung des Dichters, auf seine wesenhafte Bedeutung hin reduziert.

,Duineser Elegien'. In dem Spätwerk ,Duineser Elegien' (begonnen 1912, vollendet 1923) findet diese neue Ästhetik ihren Höhepunkt. Die quälende Erfahrung des Zerfalls und der Isolation, wie sie im ,Malte' zum Ausdruck kommt (s. S. 65 ff.), sucht Rilke im Streben nach einer höheren Ordnung zu bewältigen. Es handelt sich um zehn Elegien, deren zum Teil freie Rhythmen den musikalischen Charakter der lyrischen Sprache unterstreichen. Ähnlich wie bei Hofmannsthal stehen hinter der Kulissenwelt der äußeren Wirklichkeit („Puppenbühne") die ewigen „Ordnungen der Engel", die vom Dichter erschaut werden können. Er vermag deshalb das Flüchtige der äußeren Erscheinung in Dauer zu verwandeln; seine schöpferische Tätigkeit löst die paradoxe Aufgabe, das „Unsägliche" sagbar zu machen. In dieser Bewegung hinter die Grenzen der Erscheinungswelt wird der Dichter seiner Existenz inne („siehe ich lebe") und kann so auch schmerzliche Erfahrungen überwinden, die mit dieser Grenzüberschreitung verbunden sind, wie das Bewußtsein der Einsamkeit und der Todesnähe.

Wie der späte George wendet Rilke sich von einer Sprache in anschaulichen Bildern ab („Tun ohne Bild. Tun unter Krusten"). Die Tendenz zu höherer Abstraktion und Verschlüsselung der Bedeutung nimmt, im Dienste der Vergeistigung alles Konkreten, zu.

Wie George steht auch Rilke am Ende einer in die Romantik zurückreichenden Traditionslinie der Lyrik; beide unternehmen noch einmal den

Versuch, im hohen Stil und in mythischer Rede eine aufs Transzendente gerichtete Lebenserfahrung darzustellen. Eine eher spielerische Variante dieses Themas entsteht innerhalb kurzer Zeit im selben Jahr 1923 in dem Zyklus ‚Sonette an Orpheus‘, in dem der rühmende Gesang der mythischen Figur das „Dasein" der Welt, das heißt ihre sinnstiftende Einheit, schafft.

Während die revolutionären Richtungen nach 1900, etwa der Expressionismus, traditionelle Inhalte und Formen zertrümmern, versucht Rilke, seine Absichten innerhalb der Grenzen einer traditionellen, schönen Sprache zu verwirklichen. Auch seine Motive des sozialen Elends sind im Rahmen seiner ganzheitlichen Kunst- und Lebensauffassung zu verstehen. Seine geschichtsferne Lebensauffassung und seine Ablehnung rationalen Denkens verführten Rilke in seiner letzten Lebenszeit dazu, das Aufkommen des italienischen Faschismus, der sich der irrationalen Strömungen seiner Zeit zu bedienen wußte, in einigen Briefen zu begrüßen. Trotz der Modernität ihrer sprachlichen Kunst stehen so der späte Hofmannsthal, George und Rilke von ihrem Zeitbewußtsein her beispielhaft für eine betont antimoderne Haltung, das heißt für eine Auffassung, die sowohl der Industrialisierung als auch den demokratischen Entwicklungen der Zeit nach 1918 feindlich gesonnen war.

In den existentialistischen Richtung nach dem Zweiten Weltkrieg fand das Spätwerk Rilkes neue Beachtung, und in letzter Zeit scheint Rilkes Dichtung den Tendenzen einer neuen 'Innerlichkeit', einer 'neuen Sensibilität' entgegenzukommen.

2 Desillusionierung und Provokation.
Die Dramen Schnitzlers und Wedekinds

2.1 Empiriokritizismus

Ernst Mach: Erkenntnis und Irrtum (1905)
Arthur Schnitzler: Anatol (1893)   Liebelei (1895)   Reigen
(1900)   Das weite Land (1911)   Professor Bernhardi (1912)

Wegbereiter einer Kunstrichtung, die von der Literaturwissenschaft in
Analogie zur bildenden Kunst als Impressionismus bezeichnet wird, sind
der naturwissenschaftlich orientierte Philosoph Ernst Mach (1838–1916)
und der Dichter Hermann Bahr (1863–1934), der, zunächst selbst ein
Anhänger des Berliner Naturalismus, 1891 in einem Essay den Tod des
Naturalismus verkündete.

Im Impressionismus zeigt sich eine konsequente Weiterführung des
naturalistischen Programms, wie am Sekundenstil von Arno Holz deutlich wird (s. S. 29 ff.). Ernst Mach (,Erkenntnis und Irrtum', 1905) geht
von einer Krise der positivistischen Naturwissenschaften aus, die das
empirische Faktum absolut setzen. Er zieht die radikale Konsequenz
eines 'Empiriokritizismus', dem zufolge jeder Sachverhalt nur als subjektive, vereinzelte Sinnesempfindung wahrgenommen wird, über dessen Gesetzmäßigkeit keine Aussage möglich ist. Diese Scheu vor einer
Verallgemeinerung kann letzten Endes zu einem Relativismus führen,
der nur mehr die Existenz von jeweils wahrgenommenen Erscheinungen
anerkennt und auch ideelle Werte der Gesellschaft in Frage stellt.

Beeinflußt von Mach und dem französischen Impressionismus der Malerei, entwirft nun Hermann Bahr eine dieser Erkenntnistheorie entspre-
chende Ästhetik: Der Künstler soll die Natur unbelastet von Vorkennt-
nissen wiedergeben, so wie sie seine Sinne in bestimmten Augenblicken
wahrnehmen. Wirklichkeit wird so in dreifacher Weise subjektiv: Die
Außenwelt erscheint im jeweils erlebten Augenblick; das Kunstwerk
spiegelt den Augenblick durch Wiedergabe feinster Nuancen; der
Künstler lenkt sein Augenmerk auf die Wiedergabe seiner Stimmung.
Diese Vermischung von Außen- und Innenwelt zeigt, wie die Übertra-
gung naturwissenschaftlicher Anschauungen in das Gegenteil eines
extremen Subjektivismus umschlagen kann.

Die Auffächerung der Welt in assoziativ aneinandergereihte Einzel-
wahrnehmungen scheint zu einem Identitätsverlust des wahrnehmenden
Ichs zu führen. Diesen 'Ichwechsel' hat Bahr selbst in bezug zur Dekadenz gesetzt, einer gesamteuropäischen Bewegung um 1900, die durch

den Kult des Stimmungshaften, besonders auch des Untergangs und des
Krankhaften eine gesteigerte Reizbarkeit des Künstlers fordert.
Mit dem französischen Symbolismus verbindet die Autoren des Impressionismus die Annahme eines allgemeinen Lebenszusammenhangs, der
durch geschichtslose Archetypen des Lebens, durch Symbole, auszudrücken sei. Auch durch diesen Einfluß entfernte sich der Impressionismus, trotz gemeinsamer wissenschaftlicher Grundlagen, von dem positivistischen und auf die gesellschaftliche Wirklichkeit bezogenen Denken
der Naturalisten.

2.2 Desillusionierung in Dramen Schnitzlers: ‚Anatol‘. ‚Reigen‘

Als Hauptvertreter des literarischen Impressionismus gilt Arthur
Schnitzler (1862–1931), der sich jedoch selbst nicht als Impressionist
bezeichnet hat. Seine frühen Skizzen, Einakter, Szenenfolgen machen
ihn, neben Hofmannsthal, zum Hauptvertreter des Wiener Ästhetizismus. Sie zeigen aber auch Gemeinsamkeiten mit der traditionellen Wiener Volkskomödie. Grundlegend neue Ausdrucksformen hat Schnitzler
erst später in die Erzählkunst eingeführt (s. S. 70ff.); doch schon die
frühen Dramen verraten durch ihre Stimmungs- und Charakterschilde-
rung ihre Nähe zur Epik.

‚Anatol‘. Diese dramatische Skizze Schnitzlers verknüpft sieben knappe
Episoden durch die gemeinsame Hauptfigur. Sie erinnert an einen Pro-
totyp des ‘fin de siècle’, den englischen ‘Dandy’, der narzißtischen
Schönheitskult mit amoralisch-provokativer Haltung gegen bürgerliche
Konventionen verbindet, aber damit auch das Leiden an der eigenen
inneren Leere überspielt (vgl. Oscar Wilde: ‚Das Bildnis des Dorian
Gray‘, Roman, 1891). Anatol ist ein für Schnitzlers Menschenbild typischer Held, der widersprüchliche Eigenschaften in sich vereinigt: ein
Salonlöwe, elegant und zynisch – doch andererseits von der Sehnsucht
nach dem im Wechsel des Erlebens Beständigen gequält und durch das
Nichtige aller erotischen Abenteuer zu fortwährenden Enttäuschungen
verdammt, ein „Skeptiker mit romantischer Seele", eine Figur mit diffu-
sen Umrissen, die schon auf den „eigenschaftslosen Menschen" in der
Literatur des 20. Jahrhunderts hinweist. Anatols Unfähigkeit zu
menschlichen Bindungen, seine Entfremdung von anderen, die trotz der
erotischen Grundstimmung und trotz des zwanglosen Konversationsstils
im Umgang mit dem Freund Max offenbar werden, liegen allen vorge-
führten Situationen zugrunde: einem Flirt mit einer verheirateten Frau
(‚Weihnachtseinkäufe‘), einem ‚Abschiedssouper‘, der Befragung einer
Frau mittels hypnotischer Suggestion (‚Die Frage an das Schicksal‘).
Der Titel ‚Episode‘, den eine der Szenen trägt, könnte für viele gelten:

unverbindliche Erlebnisse, die einen Moment währen und die Leere eines beziehungslosen Daseins hinterlassen. Das Kompositionsprinzip der losen Reihung ist demnach formaler Ausdruck eines stetigen Desillusionierungs- und Demaskierungsprozesses, hinter dem der weltanschauliche Skeptizismus des Autors steht.

,Reigen'. Während Hofmannsthal stets nur eine verhaltene Melancholie über den Verlust der traditionellen Werte ausdrückt, zieht Schnitzler in dieser Szenenfolge die Konsequenz einer radikalen Illusionslosigkeit. Die Beziehungen zwischen Mann und Frau sind hier rein sexueller Natur, man gibt sich kaum mehr die Mühe, Liebe zu heucheln. In zehn Dialogen begegnen sich verschiedene Liebespaare. Vor Beginn der jeweils nächsten Szene wird ein Partner ausgetauscht, bis sich der Reigen schließt, der von einer Dirne eingeleitet und beendet wird. In jeder Szene fallen die Personen nach dem Höhepunkt der sexuellen Erfüllung in einen lethargischen Zustand der Gleichgültigkeit zurück. Allen Figuren gemeinsam ist ihr Verlangen nach einer Entgrenzung. Doch gibt Schnitzler zu erkennen, daß sie letzten Endes stets auf sich selbst verwiesen sind, auf ihre Einsamkeit. Darin, daß jede Vereinigung das Gefühl der Enttäuschung und Einsamkeit hinterläßt, zeigt sich der Pessimismus des Autors. Dem Verlust an Persönlichkeit entspricht die Typisierung der Charaktere, die der Kunst der psychologischen und sprachlichen Nuancierung keineswegs zu widersprechen braucht: Nicht Individuen nehmen an dem Reigenspiel teil, sondern namenlose Wesen wie „der Soldat", „das süße Mädel", „der junge Herr". Am Schluß des Stücks wird die Idee des Glücks in einem Bedingungssatz angedeutet: „Es wär doch schön gewesen, wenn ich sie nur auf die Augen geküßt hätt. Das wäre beinahe ein Abenteuer gewesen... Es war mir halt nicht bestimmt." Dies äußert „der Graf", bevor er die Dirne bezahlt: „Da haben S'."

Es liegt nahe, in Schnitzlers Desillusionierungstechnik eine Verbindung zu den Naturalisten zu sehen, die die Motive menschlichen Handelns ebenfalls schonungslos aufdecken. Doch fehlt Schnitzler die Überzeugung von der determinierenden Bedeutung der Standesunterschiede, auch die Perspektive gesellschaftlicher Zusammenhänge. Alle verhalten sich gleich; gesellschaftliche Unterschiede werden durch den allgemeingültigen Mechanismus von äußerer Zuwendung und innerer Entfremdung eingeebnet. Unterschiede des Sprachniveaus verbergen kaum die Gemeinsamkeiten, die zwischen Personen verschiedenen Standes bestehen. Ihr Mangel an Individualität legt alle Personen auf eine Art Rolle fest.

Während die Naturalisten unmittelbar Kritik an der Wirklichkeit üben, kritisiert Schnitzler die Gesellschaft seiner Zeit mittelbar durch psychologische Demaskierung: Er legt die Scheinhaftigkeit und Verlogenheit menschlichen Verhaltens offen. Weil es Schnitzler darum geht, den Zustand der Gesellschaft im Innenleben der Personen zu spiegeln, nicht aber soziale Mißstände direkt anzuprangern, wirkt seine Kritik an der doppelten Moral der Aristokratie und des Bürgertums nicht einseitig. Er zerstört traditionelle, aber fragwürdig gewordene Sicherheiten und rüttelt an überkommenen, aber sinnleeren Normen.

Darin ist wohl eine Ursache für die anstößige Wirkung zu suchen, die der ‚Reigen‘ beim Publikum auslöste: Auf die Angriffe der nationalistischen und katholischen Gruppen gegen die scheinbar zersetzende Wirkung der Schriften des Juden Schnitzler folgte ein Gerichtsverfahren, das weitere Aufführungen des Stücks untersagte. Erst 1920 wurde es vollständig aufgeführt. Konservative Kreise feindeten die Werke Schnitzlers weiterhin an, und im Dritten Reich fielen sie der Bücherverbrennung zum Opfer.

2.3 Vitalismus in den Dramen Wedekinds:
‚Der Marquis von Keith‘. ‚Frühlingserwachen‘. ‚Erdgeist‘.
‚Die Büchse der Pandora‘

Frank Wedekind: Frühlingserwachen (1891)   Erdgeist –
Die Büchse der Pandora (1895/1904)   Der Marquis von
Keith (1900)   König Nicolo oder So ist das Leben (1902)

„v. Keith: Ich bin Bastard. Mein Vater war ein geistig sehr hochstehender Mensch, besonders was Mathematik und so exakte Dinge betrifft, und meine Mutter war Zigeunerin.

Anna: Wenn ich nur wenigstens deine Geschicklichkeit hätte, den Menschen ihre Geheimnisse vom Gesicht abzulesen! Dann wollte ich ihnen mit der Fußspitze die Nase in die Erde drücken.

v. Keith: Solche Fertigkeiten erwecken mehr Mißtrauen, als sie einem nützen. Deshalb hegt auch die bürgerliche Gesellschaft, seit ich auf dieser Welt bin, ein geheimes Grauen vor mir. Aber diese bürgerliche Gesellschaft macht, ohne es zu wollen, mein Glück durch ihre Zurückhaltung. Je höher ich gelange, desto vertrauensvoller kommt man mir entgegen. Ich warte auch tatsächlich nur noch auf diejenige Region, in der die Kreuzung von Philosoph und Pferdedieb ihrem vollen Wert entsprechend gewürdigt wird.“

Außenseitertum. Diese zynischen Äußerungen des Marquis von Keith sind typisch für die Mentalität der Außenseiter und Abenteurer, die meist im Mittelpunkt der Dramen Wedekinds stehen und oft an den Kabarettisten Wedekind selbst erinnern. Die schockierende Wirkung ergibt sich bei Wedekind nicht indirekt aus einer impressionistischen

Desillusionierungskunst, sondern wird vom Autor durch den Einsatz greller Effekte erzielt, als höhnische Kritik des Außenseiters, der sich als Clown und Scharlatan auf dem Jahrmarkt oder in der Manege präsentiert und dort dem Bürger einen Zerrspiegel vorhält.

Anders als die gebrochenen Menschentypen Schnitzlers und Hofmannsthals zeichnen sich die Abenteurernaturen Wedekinds durch kraftvolle Vitalität aus. Wedekind übt in plakativer Aggressivität radikale Gesellschaftskritik. Er proklamiert das Recht des Individuums auf seine freie Entfaltung und zeigt die unheilvolle Wirkung der gesellschaftlichen Zwänge und der offiziellen Moral, die aus der Unterdrückung der Sexualität eine tödliche Waffe entwickeln und alles Natürliche im Keim ersticken. Während die Figuren Schnitzlers sich kaum mehr gegen ihre Umgebung auflehnen und nur halbbewußt und halbherzig das Spiel mit der doppelten Moral weitertreiben, kommt es in den ungleich dynamischer wirkenden Dramen Wedekinds zum offenen Kampf. Wedekinds frühe Dramen stehen zugleich zwischen Naturalismus und Expressionismus. Die gesellschaftlichen Probleme werden in konkreten Milieus und Handlungen gezeigt – wie in den Stücken Ibsens, Strindbergs oder Hauptmanns. Aber diese Probleme, Milieu und Handlung sowie die Dialogsprache erscheinen plakativ, symbolisch oder grotesk zugespitzt – wie z. B. in den Dramen Sternheims oder Kaisers.

Im Generationenkonflikt der frühen ‚Kindertragödie‘ (so der Untertitel) ‚Frühlingserwachen‘ (1891) und im Kampf der Geschlechter des Zyklus ‚Erdgeist‘ (1895) (die spätere fünfaktige Fassung ‚Lulu‘, 1903, wurde von Alban Berg 1929–1935 vertont) äußert sich in allen Gewalttätigkeiten eine ungebrochene, sich in Mensch und Natur behauptende und vom Dichter voll bejahte vitale Kraft. In dem Maße, wie diese im ständigen Konflikt mit gesellschaftlichen Zwängen steht, führt sie die Menschen in Zerstörung und Untergang.

‚Frühlingserwachen‘. Das Stück behandelt die Probleme Melchiors, eines Jugendlichen, der trotz einer von ihm verfaßten Aufklärungsschrift seinem Schulfreund Moritz in dessen sexuellen Nöten nicht beizustehen vermag; Moritz begeht Selbstmord. Wendla, die von Melchior ein Kind erwartet, wird ebenfalls in den Tod getrieben, einmal durch die Prüderie der wohlmeinenden Mutter, die eine Aufklärung der Tochter ängstlich vermieden hat, dann durch einen mißglückten Abtreibungsversuch, den die Mutter schließlich veranlaßt, um das gesellschaftliche Ansehen der Tochter zu retten. Melchior möchte darüber verzweifeln, wird aber in der Kirchhofsszene am Schluß des Dramas vom Vermummten Herrn – den Wedekind selbst spielte – in die Möglichkeit einer freien Lebensführung eingeweiht, deren Verwirklichung freilich ungewiß bleibt.

Die Erwachsenenwelt erscheint als eine Gruppe von verständnislosen

Narren, in denen alles natürliche Empfinden verkümmert ist und die
ihre sittlichen Normen, in deren Auftrag sie zu handeln vorgeben, in
tödliche Waffen verwandelt haben. Das Lehrerkollegium, das in einer
grotesk-satirischen Szene den Ausschluß Melchiors wegen seiner aufklärerischen Schrift beschließt, ist eine Versammlung von Schwachköpfen.
Wedekinds Annahme einer irrationalen Lebenskraft verweist auf Nietzsches Philosophie und steht im Zusammenhang mit der geistigen Strömung des 'Vitalismus'. Dieser setzt eine für den biologischen Bereich
spezifische Lebenskraft voraus, die grundsätzlich von physikalischen
und chemischen Prozessen geschieden sei (hier gibt es Parallelen zum
'élan vital' des französischen Philosophen der Jahrhundertwende, Henri
Bergson).
Diese Lebenskraft erscheint am Ende von ‚Frühlingserwachen' personi-
fiziert in einem „Vermummten Herrn", der das Evangelium des ungebrochenen Lebens verkündet:

„Ich führe dich unter Menschen. Ich gebe dir Gelegenheit, deinen Horizont in
der fabelhaftesten Weise zu erweitern. Ich mache dich ausnahmslos mit allem
bekannt, was die Welt Interessantes bietet."

‚Erdgeist'. ‚Die Büchse der Pandora'. Die Konzentration des Ausdrucks
wird in den späteren Dramen vorangetrieben. Sie verleiht der „Monster-
tragödie" über Lulu – in der landläufigen Rezeption Sinnbild des zerstö-
risch Weiblichen – eine besondere Eindringlichkeit. Lulu ist in Wahrheit als eine Projektion vielfältiger Wünsche ihrer männlichen Gegenspieler anzusehen. Sie selbst versucht, in der bürgerlichen Gesellschaft
ihre eigenen Sehnsüchte zu erfüllen. Dies wird jedoch durch verschiedene Ehemänner und Liebhaber vereitelt, die alle aus einem Bereich
zwischen Bürgertum und Asozialen- oder Halbwelt stammen. Diese
Männer scheinen zwar Lulu absolut hörig zu sein. Da sie jedoch nur
ihren Wünschen dienen soll, wird sie selbst zum Objekt degradiert. So
entsteht ein seltsames Zusammenspiel wechselseitiger Abhängigkeiten
in einer Welt von Egozentrikern, die sich fortwährend selbst be-
trügen.
Im ersten Teil (‚Erdgeist') finden sich drei Parallelsituationen, in denen
Lulu ihren jeweiligen Ehemann, Direktor Dr. Goll, den Maler Schwarz
und schließlich Dr. Schön, zugrunde richtet. An letzterem ist sie wirklich interessiert. Dennoch erschießt sie ihn am Ende, weil sie seiner
Eifersucht nicht mehr Herr werden kann.
Im zweiten Teil (‚Die Büchse der Pandora') führt ein Schauplatzwechsel
(Berlin–Paris–London) den Niedergang der aus dem Zuchthaus befrei-
ten Lulu vor Augen. Die aus skrupellosen Verbrechern bestehende
Gesellschaft zeigt immer deutlicher ihr wahres Gesicht: Eine Gruppe
von Spekulanten verhandelt gleichermaßen über Börsenkurse wie über
den Marktwert Lulus, die an ein Bordell in Kairo verkauft werden soll.

Für die Menschen, die ihr zugetan sind, für die Gräfin Geschwitz und für Alwa, den Sohn Dr. Schöns, bringt Lulu nur Verachtung auf. Im letzten Akt wird sie, die nun zur Straßenprostituierten abgesunken ist, von Jack the Ripper erstochen.

Wedekind proklamiert einerseits eine „Moral des Egoismus". Da aber soziale Aspekte völlig außer acht bleiben, herrscht ein entschiedener Immoralismus, der sich mit Zugeständnissen, wie die Figuren Schnitzlers sie der Gesellschaft anbieten, nicht mehr zufriedengibt. Andererseits führt gerade dieser Egoismus die Personen Wedekinds in den Untergang, da die Gesellschaft, wie sie jeweils durch die anderen repräsentiert wird, Vergeltung übt.

In dieser Welt gibt es freilich auch das Humane, das sich in der aufrichtigen Liebe der lesbischen Gräfin Geschwitz verkörpert. Sie wird im Vorwort als die eigentlich „tragische Figur" bezeichnet. Denn jedes aufrichtige Gefühl mutet in dieser Welt von Schein und Betrug wie eine Perversion an. Aber Wedekind vermischt diese Tragik durchweg mit dem Farcenhaften, das sich aus der satirischen Darstellung der Gesellschaft ergibt. In der Dialogführung äußern sich die unterschiedlichen Interessen in einem Chaos hektischer Äußerungen, die Selbstgesprächen zu entstammen scheinen und eine echte Kommunikation verhindern.

Ästhetik der Provokation. In jeder Hinsicht sucht Wedekind eine Ästhetik des Unvereinbaren und Widersprüchlichen zu verwirklichen, um den Zuschauer zu einer Einstellungsänderung zu provozieren. Wedekind fordert eine „Kultur ohne Unterdrückung". Zwar bleibt die Antinomie von natürlichem Lebensdrang, Vitalität einerseits und gesellschaftlich notwendiger Moralität andererseits im Kern ungelöst. Aber im Bestreben, die Gegensätze zu überwinden, bereichert Wedekind das Drama mit neuen Formen. Anders als Schnitzler in seiner Beschreibungskunst ist er um eine neue Dramaturgie engagierter Kunst bemüht.

Zu diesem Zweck verwendet Wedekind triviale und kolportagenhafte Elemente und auch Verfremdungseffekte, die Vergleiche mit Brecht zulassen (der junge Brecht hat sich ausdrücklich zu Wedekind bekannt und nach seinem Tod einen Nachruf veröffentlicht): Im Prolog zum ‚Erdgeist' wird die Welt im Bild einer Raubtierarena dargestellt, in der ein Tierbändiger das „süße Tier" Lulu verführt. Diese inhumane Situation benutzt Wedekind („Mein Leben setz' ich gegen einen Witz") zur Provokation des Publikums.

Dies rief die Zensurbehörden auf den Plan. Wedekind selbst hat keine öffentliche Aufführung des Stücks erlebt. Die bürgerliche Gesellschaft sah in ihm offenbar einen gefährlichen Widersacher, dessen emanzipatorische Tendenzen auch die späteren Stücke (‚Der Marquis von Keith', 1900; ‚König Nicolo oder So ist das Leben', 1902) bestimmen. Wedekind galt den Zeitgenossen als Antipode der Naturalisten. Er selbst grenzte seine Ästhetik deutlich von deren Grundsätzen und ihrem Mitleidsbegriff ab. Während die Naturalisten nach einer egalitären Gesellschaftsordnung strebten, verkündete Wedekind ein individualistisches Lebensideal, das den Emanzipationsbegriff des Naturalismus als bürgerlich ablehnt. Wedekinds Werke zeigen anarchistische Züge: Durch seine aggressive Schärfe erschienen sie der Öffentlichkeit noch gefährlicher als die Dramen Schnitzlers, der das Bürgertum nur demaskierte.

2.4 Chansons und Balladen Wedekinds

Noch unmittelbarer als in den Dramen formuliert Wedekind in seinen Vortragsgedichten den Protest gegen gesellschaftliche Zwänge. Seine Lyrik bildet einen schroffen Gegensatz zu sämtlichen Stilrichtungen um 1900. Allerdings bestehen Beziehungen zur Zeitschrift ‚Die Jugend‘ (1896–1940), die in München mit einem lebensreformerischen Ideal die geistigen Grundlagen des ‘Jugendstils’ legte.

Von 1896 an schrieb Wedekind Satiren für die Zeitschrift ‚Simplicissimus‘, öffentliche Angriffe auf Mißstände der Wilhelminischen Gesellschaft. In dem Münchner Kabarett ‚Die elf Scharfrichter‘ trug er eigene Couplets vor – das bürgerliche Publikum wohnte sozusagen seiner eigenen ‘Hinrichtung’ bei.

„Maulkorb, Maulkorb über alles!“ protestierte Wedekind in einem Gedicht (‚Reaktion‘) gegen die bestehende Ordnung. Der Obrigkeitsstaat reagierte mit einem Verkaufsverbot der Zeitschrift ‚Simplicissimus‘ auf Berliner Bahnhöfen. 1899 wurde Wedekind wegen „Majestätsbeleidigung“ zu einem Jahr Festungshaft verurteilt. Auch in der Folgezeit hatte er immer wieder mit der Zensur zu kämpfen.

Erotik und Maskerade. Wedekinds Lyrik zeigt eine Vielfalt von Formen. Vor allem aber verhöhnt er in zynischen Rollengedichten bürgerliche Tabus, indem er die ihnen zugrunde liegende unmenschliche Gesinnung aufzeigt, so etwa die Profitgier in dem Gedicht ‚Der Tantenmörder‘:

Ich hab’ meine Tante geschlachtet,
Meine Tante war alt und schwach;
Ich hatte bei ihr übernachtet
Und grub in den Kisten-Kasten nach. [. . .]

Was nutzt, daß sie sich noch härme –
Nacht war es rings um mich her –
Ich stieß ihr den Dolch in die Därme,
Die Tante schnaufte nicht mehr. [. . .]

Wedekind fühlte sich zeitlebens im Kampf mit dem Bürgertum unterlegen, auch der ökonomischen Zwänge wegen, denen er als Journalist oder als Werbechef der Firma Maggi ausgesetzt war. Seine Hinwendung zur Welt des Zirkus (er wirkte unter anderem als Zirkussekretär), zum Pariser Artistenmilieu (z. B. zum Kabarett ‚Chat Noir‘) erfolgte aber in erster Linie deshalb, weil dort das Lebensideal des von Konventionen unverfälschten natürlichen Lebens eher verwirklichbar schien.

3 Sprachkrise – Bewußtseinskrise – Gesellschaftskrise

Um 1900 mehren sich in der Literatur Anzeichen einer Kritik an der traditionellen Dichtung und an ihrer klassischen Auffassung einer Einheit von Dichter, Gegenstand und Sprache. Schon im französischen Symbolismus der Jahrhundertmitte hat sich die Sprache der Dichtung immer mehr von der Gebrauchssprache entfernt. Sie hebt sich nun auch immer deutlicher von der Sprache der öffentlich geförderten Dichtung ab, welche die Gebrauchssprache zu dekorativen Zwecken überhöht.

Die antinaturalistischen Dichter sind gleichzeitig Opfer und Protagonisten einer Krise: Da sie die Banalität der Umgangssprache und die Hohlheit der epigonalen Dichtersprache gleichermaßen ablehnen, erleiden sie eine Schaffenskrise, in der sich freilich schon die Aussicht auf eine neue Darstellungskunst eröffnet: Hofmannsthal beschreibt die Ahnung einer neuen Dichtersprache als das Ergebnis einer Bewußtseinskrise. Rilke legt in den ‚Aufzeichnungen des Malte Laurids Brigge‘ Zeugnis von neuartigen Erfahrungen ab. Musil unternimmt in seinem Frühwerk Versuche, dem Leser das Bewußtsein eines nur schwer in Worte zu fassenden „schweigenden Lebens" zu vermitteln. Die Beschreibung ihrer neuen, radikal subjektiven Erfahrungen verurteilte diese Dichter zum Außenseitertum: Ihr Bemühen um die Erkenntnis tieferer Schichten des Seins wurde von der auf Prestige und materielle Sicherheit ausgerichteten Gesellschaft als geistige Krankheit abgetan.

Die Entfremdung von der gesellschaftlichen Realität bewirkte auch eine Selbstentfremdung. Das zeigt sich in einem neuen Darstellungsstil. In den Jahren vor dem Ersten Weltkrieg finden sich Elemente davon etwa gleichzeitig bei Hofmannsthal, Rilke und Musil. Die Geschlossenheit der Erzählformen wird aufgegeben, das kompositorische Prinzip der Andeutung und Assoziation verdunkelt die Darstellungsabsicht, die Struktur des Werks nimmt fragmentarische Züge an. Weitergeführt und konsequent verwirklicht wird dieser neue Darstellungsstil von den Dichtern nach 1910: von Kafka und den Expressionisten.

In der Musik entsteht eine neue Tonsprache, ausgehend von der Zwölftonmusik der Wiener Schule um Arnold Schönberg. Vom Wiener Kulturkreis aus erhält das Phänomen dieser 'Moderne' auch wissenschaftliche Anregungen durch die Veröffentlichungen des Psychiaters Sigmund Freud seit der Jahrhundertwende. Dessen Entdeckung des Unbewußten eröffnet den Schriftstellern neue Dimensionen für ihre Menschendarstellung.

3.1 Krise der Erfahrung und der Sprache: Hofmannsthal: ‚Ein Brief'

Hugo von Hofmannsthal: Ein Brief (‚Chandos-Brief') (1902)

Hofmannsthal beschreibt die Erfahrung seiner eigenen Schaffenskrise in dem Prosatext ‚Ein Brief' (1902), dem fiktiven Brief eines Lord Chandos, gerichtet im Jahr 1603 an den Staatsmann, Philosophen und Naturwissenschaftler Francis Bacon (1561–1626). Dieser Text stellt eine wichtige Zäsur in der Geschichte der deutschen Literatur dar und erklärt das Versiegen der lyrischen Produktion Hofmannsthals.

Chandos entschuldigt sich in diesem Brief bei Bacon für den Verzicht auf jegliche weitere literarische Betätigung. Er begründet ihn mit einer neuartigen existentiellen Erfahrung, die ihn seinem früheren Zustand entrissen habe, in dem ihm das ganze Dasein (Bewußtsein, Außenwelt und Sprache) als Einheit erschienen war: „Mein Fall ist, in Kürze, dieser: Es ist mir völlig die Fähigkeit abhanden gekommen, über irgend etwas zusammenhängend zu denken oder zu sprechen."

Für diese Krankheit, die seine gewohnte Umwelt in Frage stelle, gebe es Symptome in seiner ganzen Existenz, besonders in dem Unbehagen, abstrakte Begriffe wie ‘Geist' und ‘Körper' auszusprechen. Neuartige Erlebnisse und merkwürdige Empfindungen, die von sonst unbeachteten Gegenständen wie einer Gießkanne oder einer auf dem Feld verlassenen Egge ausgehen, hätten aber bewirkt, daß das Ich plötzlich in die Dinge eintauche und Unbelebtes zum Leben erwecke: „Es ist mir dann, als bestünde mein Körper aus lauter Chiffren, die mir alles aufschließen."

Diese mystischen Erlebnisse seien so unverwechselbar und in solchem Maße individuell, daß sie für andere nur rätselhaft und unverständlich wirken könnten. Eine neue Sprache müsse für sie gefunden werden. Hier zeigt sich Hofmannsthals Einsicht in die Eigenart der Chiffre als des dichterischen Bildes, das die moderne Lyrik beherrschen sollte: Die eindeutige Beziehung zwischen dem Ding und seiner üblichen Benennung ist für den Dichter fragwürdig geworden. Die Außenwelt vermittelt dem Künstler ganz eigene Erfahrungen, die den Rahmen der herkömmlichen Sprache sprengen; in gleichem Maße beginnt auch die Sprache als eigenes, von den Gegenständen losgelöstes Gebilde lebendig zu werden. Sie kann, nach der Intention des Autors, neu geformt und in neue Kombinationen gebracht werden. An die Stelle des klassischen Symbols tritt die Chiffre als vieldeutiges Bild, das nur mehr von der Kenntnis der Erfahrungswelt des Dichters aus zu entschlüsseln ist. Seine Sprache erhält eine Eigenbedeutung, die über die bloße Mitteilungsfunktion weit hinausreicht.

Hier kündigt sich für den deutschen Sprachraum eine Form moderner
Lyrik an: die Lyrik einer monologischen und hermetischen Sprache, in
der ein Dichter seine individuellen, dunklen und verschlüsselten Bilder
entwirft (vgl. unten S. 96 f.).
Dies hat für die Stellung des Dichters in der Gesellschaft weitreichende
Konsequenzen. Denken und Empfinden des Dichters werden dem Lesepublikum unverständlich, und das trägt zu einer Außenseiterstellung des
Schriftstellers bei. Weniger die Thematik der Dichtung ist neuartig als
vielmehr die rätselhafte Sprache, die von dem individuellen Bewußtsein
Zeugnis ablegt. Während in der älteren Lyrik Gebrauchs- und Dichtersprache im wesentlichen durch die Stilebene, die auf soziale Unterschiede verweist, unterschieden waren, handelt es sich jetzt um katego-
risch voneinander geschiedene Formen der Kommunikation. Der Dichter der 'hermetischen' Lyrik schafft innerhalb seines Werks eine neue
Realität mit eigenen Gesetzen. Deshalb wächst die Bedeutung der Form
gegenüber dem Sinn: Die spezifische Sicht des Dichters von den Dingen
macht den neuen Inhalt aus und ist nicht mehr vom Gegenstand zu
trennen. Dies gilt auch für die Prosa (vgl. 3.2).

3.2 Krise und Erneuerung des Erzählens

Sigmund Freud: Traumdeutung (1900)   Das Ich und
das Es (1923)   Das Unbehagen an der Kultur (1930)
Hugo von Hofmannsthal: Reitergeschichte (1899)
Elektra (1903)
Robert Musil: Die Verwirrungen des Zöglings Törleß (1906)
Der Mann ohne Eigenschaften (1931–52)
Rainer Maria Rilke: Die Aufzeichnungen des Malte Laurids Brigge
(1904–10)
Arthur Schnitzler: Lieutenant Gustl (1900)   Fräulein Else (1924)
Traumnovelle (1926)

3.2.1 Der Roman als Tagebuch bei Rilke:
‚Die Aufzeichnungen des Malte Laurids Brigge'
Parallelen zu Hofmannsthals ‚Brief' finden sich in Rilkes Tagebuchro-
man, der freilich schon eine sprachliche Bewältigung der neuartigen
Erfahrungen versucht. Rilke begann 1904, unter dem Eindruck eines
ersten Paris-Aufenthalts, in konsequenter Abkehr vom realistischen
Roman des 19. Jahrhunderts, diesen Roman, in dem er seine eigenen,
mit denen des Lords Chandos vergleichbaren Erlebnisse in den

Bekenntnissen eines Ich-Erzählers spiegelt. Das Tagebuch setzt ein mit der Ankunft des Ich-Erzählers, des letzten Sprosses einer dänischen Adelsfamilie, in Paris, wo er eine Künstlerexistenz zu führen hofft. Doch grauenvolle, häßliche Bilder des menschlichen Leidens in Hospitälern und Elendsvierteln der Großstadt rufen in ihm panische Ängste hervor. Diese sucht Malte durch die Erfahrung des hinter der Oberfläche der Dinge verborgenen Sinns zu verstehen ("sehen lernen"). Eine neue Sensibilität muß die Grenzen zwischen Innen- und Außenwelt durchbrechen. Dabei droht das Ich seine Identität zu verlieren, wenn es in überfeinerter Sensibilität zuviel fühlt:

"Die Existenz des Entsetzlichen in jedem Bestandteil der Luft. Du atmest es ein mit Durchsichtigem; in dir aber schlägt es sich nieder, wird hart, nimmt spitze, geometrische Formen an zwischen den Organen; denn alles, was sich an Qual und Grauen begeben hat auf den Richtplätzen, in den Folterstuben, den Tollhäusern, den Operationssälen, unter den Brückenbögen im Nachherbst: alles das besteht auf sich und hängt, eifersüchtig auf alles Seiende, an seiner schrecklichen Wirklichkeit. [. . .] Nur eine geringste Wendung, und schon wieder steht der Blick über Bekanntes und Freundliches hinaus, und der eben noch so tröstliche Kontur wird deutlicher als ein Rand von Grauen."

Der äußere Zeitablauf des Lebens wird unwesentlich. So entdeckt Malte beim Anblick der Mauer eines Hauses, vor dem ein anderes abgerissen wurde, Zeichen eines vergangenen Lebens: Tapeten, Rohre, Farben. Zu dieser 'Innenseite' des Lebens hat allein der Dichter Zugang; denn er erkennt nicht nur äußere Spuren der Vergangenheit, sondern ihm vergegenwärtigen sich die Lebensvorgänge, ja die Gefühle der früheren Bewohner. Seine Fähigkeit, die Dinge neu zu sehen, führt den Ich-Erzähler zur Erfahrung einer zeitlosen Gegenwart aller Lebensvorgänge. Dies betrifft auch die Geschichte seines eigenen Lebens: Die Angsterfahrungen der Großstadt rufen in ihm die Erinnerung an Schreckenserlebnisse seiner Kindheit wach (z. B. eine rätselhafte Hand unter einem Tisch). Er stellt sich deshalb die Aufgabe, die unbewältigte Kindheit in den alten Schlössern Dänemarks neu zu durchleben und daraus die Kraft zum Bestehen auch der Großstadtwirklichkeit zu gewinnen.

Gegen Ende der Aufzeichnungen dienen auch 'Evokationen', erzählte Vorstellungen von Gestalten der allgemeinen Geschichte (Karl der Kühne, Karl VI. u. a.) dazu, Maltes eigene Grenzerfahrung zu reflektieren. Die Einsamen der Geschichte, so scheint es, konnten sich aus dem äußeren Lebensschicksal lösen und sich auf den Weg zur Erfahrung eines dahinter liegenden Göttlichen machen. Allerdings bleibt offen, ob dieses Göttliche über die Leid- und Isolationserfahrung hinaus positiv bestimmt und dargestellt werden kann. Notwendig erscheint freilich die Haltung der Stille, die Wendung nach innen. In der Erinnerung an die unbedingte Kraft der Liebe in einigen großen Frauengestalten der Geschichte (Sappho) und in Maltes eigener Familie (Abelone) zeigt sich Malte eine Möglichkeit, mit Gott in Beziehung zu treten. Auch das abschließend erzählte Gleichnis vom verlorenen Sohn variiert, in neuer Deutung und mit offenem Schluß, dieses Gegenthema zur Angst und Einsamkeit: Hier erscheint der 'verlorene Sohn' als ein Mensch, der sich der Familie entzieht, die ihm die Verlogenheiten einer vermeintlich gesicherten Existenz auferlegen will („das ungefähre Leben nachlügen"). Erst nach allen Welterfahrungen, in der entsagungsvollen Existenz eines Hirten, deutet sich die Möglichkeit einer neuen Zwiesprache mit Gott an. Dies gibt ihm auch die Kraft, ins Familienleben zurückzukehren:

„Was wußten sie, wer er war. Er war jetzt furchtbar schwer zu lieben, und er fühlte, daß nur Einer dazu imstande sei. Der aber wollte noch nicht."

Die Aufzeichnungen enden auf dem Scheitelpunkt der Entwicklung des verlorenen Sohnes und auch Maltes: Gewonnen ist die Ferne zum sinnleeren Alltagsleben, ungewiß aber bleibt, ob der Horizont einer neuen Sinnfülle (unter dem Namen Gottes) erreicht wird.

Diese Zwischenstellung zeigt sich auch im Formalen: Auf der einen Seite steht für Malte die Erkenntnis: „Daß man erzählte, wirklich erzählte, das muß vor meiner Zeit gewesen sein." Auf der anderen Seite steht die Hoffnung auf eine neue dichterische Sprache: „Die Zeit der anderen Auslegung wird anbrechen, und es wird kein Wort auf dem anderen bleiben." Malte selbst hat die neue Sprache noch nicht gewonnen. Ausdruck seiner Suche sind die Reflexionen, welche die Erscheinungen durchsichtig machen sollen, so daß sich zum Sehen das Denken des Wesentlichen, der 'Sinn', gesellt. So gelangt Rilke im ganzen zu einer modernen Form, einem aphoristischen Tagebuchstil, der auf einen linearen Handlungsverlauf verzichtet. Diese Epik steht mit ihrer subjektiv reflektierenden und oft lyrischen Sprache dem Prosagedicht näher als dem Roman.

Durch diese neuartigen Erfahrungen unterscheidet sich der Dichter von anderen Menschen: Während der Alltagsmensch in einer entzauberten, von der Technik beherrschten Realität lebt, führt der Dichter eine Ausnahmeexistenz. Rilke selbst zeigte dies, indem er seinem eigenen Leben ein aristokratisches Gepräge verlieh. Zwar fühlte er sich durch seine Erlebnisse in Paris, die sich in Maltes ‚Aufzeichnungen' spiegeln, als Leidensgenosse aller Außenseiter der Gesellschaft, auch der Bettler, der Trinker, der Kranken. Aber dieses Mitleid liegt jenseits allen konkreten mitmenschlichen Engagements. Das Bewußtsein der gesellschaftlichen Krise führte Rilke nicht, wie die Naturalisten, in die gesellschaftliche Wirklichkeit hinein, sondern aus ihr heraus, zur Suche nach „Gott", wie sie in der Gestaltung des fiktionalen „Weltinnenraums" der Lyrik zum Ausdruck kommt (s. S. 52f.).

3.2.2 Absage an den Entwicklungsroman bei Musil: ‚Die Verwirrungen des Zöglings Törleß'

Auch für den jungen Robert Musil bildeten vermutlich eigene Erlebnisse die Grundlage zur Darstellung einer Entfremdung von der Gesellschaft: Wie Rilke wurde Musil von den Eltern zu einer Militärlaufbahn bestimmt, wie jener brach er seine Ausbildung ab. Musil schildert in seiner Erzählung von 1906 die Leiden eines Kadettenschülers in einer k. u. k. österreichischen Militärerziehungsanstalt, in der Drill und Gehorsam zur bedingungslosen Unterwerfung der Schüler unter Gesetze des gesellschaftlichen Konformismus führen sollen. Doch das von der Obrigkeit Verdrängte erscheint in der geheimen Gegenwelt der „roten Kammer", einem stickigen Dachboden, auf dem zwei Zöglinge den Mitschüler Basini, wie sie vorgeben, wegen einer Verfehlung, in Wahrheit jedoch aus sadistischen Motiven foltern und ihn schließlich der Lynchjustiz durch die Gemeinschaft überlassen. In die Darstellung der Gemeinschaft der Kadetten gehen Vorahnungen einer faschistischen Gesellschaft ein, in der die Berufung auf das Kollektiv dazu dient, verdrängte Triebe auszuleben. Auch Törleß quält Basini, allerdings nicht aus purem Sadismus, sondern aus Neugier gegenüber den dunklen Seiten der eigenen Existenz. Diese verweisen ihn auf eine tiefere Dimension des Lebens, die ihn ratlos macht und zugleich fasziniert. Das strikte Reglement der Anstalt aber ist für Törleß Sinnbild der leeren Konventionen der Gesellschaft.

Die Handlung um Basini stellt für Törleß nur einen Teilaspekt seiner Suche nach einer anderen, wahreren Wirklichkeit dar. Es geht ihm überhaupt darum, „zum dunklen Boden des Innersten" vorzustoßen. Schon die rein sexuelle Begegnung mit der Dorfhure Bozena scheint dem Alltagsleben eine neue Dimension zu geben. Aber auch die rein geistige Beschäftigung mit den imaginären Zahlen der Mathematik oder das Erlebnis, das Rieseln in einer Mauer zu vernehmen, verweisen Törleß auf ein „zweites, geheimes, unbeachtetes Leben der Dinge". Hinter den Begriffen und Regeln der äußeren Welt steht eine zweite Wirklichkeit, der gegenüber Worte „versagen"; erfahrbar ist sie nur in einem „halben Bewußtsein". So entzieht sich ein Teil der Wirklichkeit den Erkenntnissen Törleß', als ob die „Dinge eine Sprache" für sich hätten:

„Ich bin in der Aufregung eines Menschen, der einem Gelähmten die Worte von den Verzerrungen des Mundes ablesen soll und es nicht zuwege bringt. So, als ob ich einen Sinn mehr hätte als die anderen, aber einen nicht fertig entwickelten, einen Sinn, der da ist, der sich bemerkbar macht, aber nicht funktioniert. Die Welt ist für mich voll lautloser Stimmen: bin ich daher ein Seher oder ein Halluzinierter?"

Sein Bewußtsein aber hat sich erweitert, er weiß nun, „daß es feine, leicht verlöschbare Grenzen rings um den Menschen gibt, daß fiebernde

Träume um die Seele schleichen, die festen Mauern zernagen und unheimliche Gassen aufreißen". Und: „Er konnte nicht viel davon erklären. Aber diese Wortlosigkeit fühlte sich köstlich an."

Wie bei Lord Chandos führt die neue Erfahrung der Entfremdung von den Dingen und der Sprachohnmacht zu einer endgültigen Störung der Kommunikation: In einem Verhör durch das Lehrerkollegium über die Vorfälle in der Schule kann Törleß seine Gedanken nicht mehr verständlich äußern; folgerichtig wird er wegen seines „subjektiven Faktors", d. h. seines gemeinschaftsschädlichen Bemühens um die abseitigen Aspekte der Wirklichkeit, aus der Anstalt verwiesen.

Die Erzählung hält sich an das traditionelle Schema des Entwicklungsromans, den Weg eines jungen Menschen in der Auseinandersetzung mit der Umwelt und mit sich selbst darzustellen. Hier aber steht am Ende, anders als in der Tradition, nicht die Integration des Helden in die Gesellschaft, sondern seine endgültige Trennung von ihr. In dieser Umkehrung zeigt sich sowohl die Kritik Musils an den herkömmlichen Denk- und Verhaltensmustern der österreichischen Gesellschaft als auch seine neue Sicht der menschlichen Subjektivität, die sich jeglicher Anpassung an das äußere Leben entzieht. Musil entwickelt in dieser Erzählung eine neuartige Analyse der menschlichen Psyche, wie sie etwa zur selben Zeit und mit anderen Voraussetzungen auch Freud unternimmt.

3.2.3 Sigmund Freud und die Entdeckung des Unbewußten

1900 erschien Freuds ,Traumdeutung'. Obwohl Freud als Psychiater in erster Linie therapeutische Zwecke verfolgte, wurde sein neues psychologisches Denken als Angriff auf die herrschende Moral und Ordnung verstanden.

Vor der Jahrhundertwende war auf dem Gebiet der Psychologie und Medizin, aber auch der Ästhetik und Philosophie, die Auffassung vom Menschen als einer einheitlichen Persönlichkeit ins Wanken geraten: Phänomene wie Suggestion, Hypnose, Somnambulismus beschäftigten Künstler wie Wissenschaftler und wurden von der Psychiatrie zur Therapie psychischer Erkrankungen, etwa der Hysterie, eingesetzt.

Das Interesse der Künstler richtete sich nunmehr auf den Bereich des Unbewußten, das in Freuds späterem Schichtenmodell des Menschen eine große Rolle spielt: Freud unterscheidet darin ein Es (das große Reservoir der unbewußten Triebe), ein Über-Ich (Gewissen, Gebote, Moral) und ein Ich als Vermittlungsinstanz zwischen beiden. Aus dem Konflikt zwischen Über-Ich und Es entstehen, nach Freud, Neurosen. Um sie zu verstehen und zu heilen, entwickelte er die Methode der Psychoanalyse. Nach Experimenten mit der Hypnose führte er in das analytische Verfahren eine neue Technik des therapeutischen Gesprächs ein und bediente sich der Traumdeutung: Im Traum artikulieren sich die oft unbewußt verlaufenden Konflikte zwischen den verschiedenen Instanzen in verschlüsselter Form, in bildhaften Symbolen, die vom Therapeuten dechiffriert, bewußtgemacht werden.

Das Interesse der Künstler um 1900 an Vorgängen des Unbewußten ist freilich weniger durch eine direkte Beeinflussung durch Freud erklärbar als vielmehr durch eine allgemeine Ausrichtung der Zeitgenossen auf psychopathologische Phänomene. Wie Hofmannsthals ,Brief‘, Rilkes ,Malte‘ und Musils ,Törleß‘ zeigen, hängen die Verstörungen des Individuums nicht nur mit der Wirkung des Unbewußten, sondern auch mit einer Krise der Wirklichkeitserfahrung und der Sprache zusammen, in der die Trennung von Außenwelt und innerem Erleben fragwürdig geworden ist. Zudem wirkte der Einfluß der Dekadenz mit ihrer Vorliebe für das Abartige, Triebhafte (z. B. ,Salome‘ von Oscar Wilde, 1899; als Oper von Richard Strauss, 1905); jedoch nicht, wie im Naturalismus, als Ausdruck schonungsloser Wirklichkeitsdarstellung, sondern als ästhetischer Nervenkitzel und Steigerung ekstatischer Seelenzustände.

3.2.4 Der innere Monolog bei Schnitzler: ,Fräulein Else‘

In den achtziger Jahren arbeiteten Schnitzler, Nervenarzt und Kehlkopfspezialist, und Freud zusammen in der psychiatrischen Klinik des Gehirnanatomen Meynert. Trotz dieser Zusammenarbeit blieben die Beziehungen zwischen Freud und Schnitzler nach dessen Hinwendung zur Literatur flüchtig. Dennoch stellte Freud viele Parallelen zwischen seinen Theorien und Schnitzlers Werken fest.

Schnitzlers Erzählung ,Fräulein Else‘ (1924) wirkte revolutionär durch den neuen Erzählstil, in dem ausschließlich die Wahrnehmungen und Gefühle der Heldin wiedergegeben werden. Sie schockierte durch das Thema, das, wie Freuds ,Unbehagen an der Kultur‘, neue Zusammenhänge zwischen dem erotischen Verlangen des Individuums und der gesellschaftlichen Moral herstellt. Das Thema entnahm Schnitzler der Schlagzeile einer Zeitung: „Geheimnisvoller Selbstmord einer jungen Dame der Wiener Gesellschaft".

Else, die 19jährige Tochter eines Wiener Advokaten, verbringt in einem Kurort in den Dolomiten einige Ferientage. Dem Leser wird der Bewußtseinsstrom Elses lückenlos mitgeteilt, auch ihr geheimes Verlangen, sich der Gesellschaft nackt zur Schau zu stellen. Das auslösende Moment der sich immer mehr verwirrenden Gedanken Elses bildet ein Bittbrief ihres Vaters, der vor dem Bankrott steht: Else soll von dem Kunsthändler von Dorsday eine hohe Geldsumme erbitten. Dorsday knüpft jedoch an die Erfüllung ihrer Bitte die Bedingung, „eine Viertelstunde in Andacht ihrer Schönheit, die nur von Sternenlicht bekleidet sei", verharren zu dürfen. Nachdem ein weiterer Brief des Vaters eine noch höhere Summe erbittet, irrt Else auf der Suche nach Dorsday, nur mit ihrem Mantel bekleidet, durch das Hotel. Im Konzertsaal angelangt, in dem auch Dorsdays und Elses Bekannte anwesend sind, entblößt sie sich vor der entsetzten Gesellschaft und erleidet einen Nervenzusammenbruch. Auf ihrem Zimmer nimmt sie eine Überdosis Veronal und stirbt, während die Umstehenden hektisch auf sie einreden.

Der Handlungsverlauf ist vom Leser nur mit Mühe zu erschließen. Die Technik des 'inneren Monologs', die sich auf die Wiedergabe der subjektiven Sicht der Hauptfigur beschränkt, stellt den Zusammenhang der äußeren Wirklichkeit in Frage. In dieser extremen Ausprägung der personalen Erzählhaltung erscheint Wirklichkeit grundsätzlich in der subjektiven Brechung durch die Wahrnehmung einer Person. Der Zusammenhalt der einzelnen Eindrücke – sogar Musiknoten werden in den Text eingerückt – ist aufgelöst. Ständige Umbrüche und Schauplatzwechsel offenbaren das Getriebensein der Hauptfigur, deren Identität sich aufzulösen droht. Eine gewisse Kontinuität entsteht jedoch durch eine Technik der Vorausdeutungen (Vorahnungen) und Assoziationen. Bestimmte wiederkehrende Motive (etwa der Spiegel, in dem Else sich betrachtet) verdichten sich gelegentlich zu einer symbolhaften Darstellung.

Sprachlich äußert sich die Wiedergabe des fließenden, sich der rationalen Kontrolle entziehenden Bewußtseins in der parataktischen Reihung oft unvollständiger, nur durch Konjunktionen wie „und", „aber" verbundener Sätze sowie in der rhythmischen Kurzatmigkeit des Erzählstils. Wortfetzen der Dialogpartner werden im Kursivdruck eingestreut:

„Hörst du mich, Else?" – *„Du siehst doch, Mama, daß sie ohnmächtig ist."* – *„Wir müssen sie auf ihr Zimmer bringen."* – *„Was ist denn da geschehen? Um Gottes willen!"* ... *„Hände, Hände unter mir. Was wollen sie denn? Wie schwer bin ich. Pauls Hände. Fort, fort."*

Beim Tod Elses bricht die Erzählung mitten im Wort ab (*„El..."* – *„Ich fliege ... ich träume... ich schlafe ... ich träu.. träu- ich flie..."*). Dies veranschaulicht das ästhetische Prinzip Schnitzlers, die Darstellung der Außenwelt vollkommen an die Wahrnehmungen eines individuellen Bewußtseins zu binden.

Der innere Monolog wird so auch formaler Ausdruck der grenzenlosen Einsamkeit der Heldin; er spiegelt ihre Isolation in einer äußerlich konventionellen, innerlich aber korrupten Gesellschaft wider, die einerseits individuelle Lebensbedürfnisse wie die Sexualität tabuisiert und sie andererseits an versteckter Stelle und mit zerstörerischer Wirkung hervortreten läßt. Indem Schamlosigkeit durch Geld käuflich wird, geht die menschliche Würde des einzelnen zugrunde und damit der einzelne selbst, wenn er sich nicht verraten will.

Der nur wenige Stunden registrierende Bewußtseinsstrom zeigt den Weg einer vollständigen Desillusionierung. Denn im Verlauf der Handlung muß Else erkennen, daß die wohlangesehenen Bürger ihres

Lebenskreises eine Fassade aufgebaut haben, um dahinter die Wirklichkeit ihrer Korruption zu verbergen.
Elses Skandal zeigt auf, was in der Novelle von Anfang an strukturell
angelegt ist, nämlich den Bruch zwischen Individuum und Gesellschaft.
Der künstlerische Rang der Novelle beruht unter anderem darauf, daß
über psychologische Vorgänge hinaus soziale Zusammenhänge erscheinen, daß also, trotz der subjektiven Perspektive, Gesellschaftskritik
möglich wird. Schnitzler hat die Technik des inneren Monologs zum
erstenmal in der deutschen Literatur in der Erzählung ‚Lieutenant
Gustl‘ (1900) angewandt. Hier kündigen sich neue Erzähltechniken der
Weltliteratur an, wie sie in Döblins ‚Berlin Alexanderplatz‘ (1929) oder
dem ‚Ulysses‘ (1922) von James Joyce ausgearbeitet sind.

3.3 Krise der menschlichen Beziehungen und der Verständigung. Hofmannsthal: ‚Der Schwierige‘

> **Hugo von Hofmannsthal:** Der Rosenkavalier (1911)
> Der Schwierige (1921)
> **Fritz Mauthner:** Beiträge zu einer Kritik der Sprache (1901/02)

Die Beziehungslosigkeit der Menschen untereinander, wie sie aus Elses
extrem subjektiver Perspektive an der gewöhnlichen Konversation der
Menschen deutlich wird, spielt auch in Hofmannsthals Drama ‚Der
Schwierige‘ eine entscheidende Rolle. Dieses Stück kann als ein später
Versuch Hofmannsthals bezeichnet werden, das moderne Bewußtsein
der Sprachkrise in Verbindung mit einem traditionellen Kulturbewußt-
sein für die gesellschaftliche Entwicklung des 20. Jahrhunderts fruchtbar
zu machen.
In seinem Lustspiel ‚Der Schwierige‘ (1921) behandelt Hofmannsthal
das Thema der Sprachohnmacht, die sich hinter dem zwanglosen Kon-
versationsstil der Wiener Gesellschaft verbirgt. Baron von Bühl, „Kari“
genannt, wird durch eine Einladung zu einer Soiree aus seiner selbst-
gewählten Einsamkeit gerissen. Im Verlauf des Abends erkennt er in
dem Kreis der oberflächlichen Mitmenschen aus der Wiener Gesellschaft seine innere Wesensverwandtschaft mit Helene von Altenbühl.
Er unternimmt schließlich noch einen Versuch, in der Ehe mit ihr zu
einem menschlich erfüllten Leben zu finden.
Hofmannsthal setzt hier die Tradition der volkstümlichen Wiener
Komödie (Johann Nestroy) fort. Und wie schon vorher im Libretto zur
Strauss-Oper ‚Der Rosenkavalier‘ dient das Medium der banalen
Umgangssprache, der Dialekt der gehobenen Wiener Kreise, zur Dar-
stellung feinster Regungen in den menschlichen Beziehungen.

Die Themen, die Hofmannsthal seit seiner frühen Lyrik beschäftigen, prägen auch dieses Drama: der Untergang der Kultur, der aristokratischen Welt, das Identitätsproblem, das Selbstverständnis des Dichters. Nun aber erscheinen sie in 'anspruchsloser' gesellschaftlicher Plauderei. Gerade diese Konversation zugleich oberflächlicher und egozentrischer Figuren zeigt, wie wenig von dieser Gesellschaft aus eine produktive, die Zukunft gestaltende Kraft ausgeht. Allein Baron von Bühl, in dem Hofmannsthal wohl sich selbst gestaltet hat, begreift in tieferer Weise die Not seiner Zeit, ihre Sinnleere und Oberflächlichkeit. Er verzichtet deshalb auf alle Teilnahme an den Gesprächen der anderen, er ist ein „Mann ohne Absichten" (so der ursprüngliche Titel der Komödie), den seine Distanz zur Gesellschaft zum Verstummen geführt hat. Sein Verhalten wird von den anderen als „Konfusion" verstanden. Allein Helene von A., die ebenfalls die Sprachklischees und Denkmuster ihrer Kreise hinter sich gelassen hat, versteht „Kari" und kann mit ihm eine tiefere menschliche Beziehung eingehen. Während die übrigen Personen sich der veränderten Zeitlage anpassen, lebt Bühl in einer 'magisch'-überzeitlichen Sphäre: Er weiß seit dem Kriegserlebnis des 'Verschüttetwerdens', das ihn an den Rand des Todes und zu einer neuen Sicht seines Lebens geführt hat, daß er und Helene füreinander bestimmt sind. Das Liebesgeständnis Helenes am Ende ermöglicht beiden, ihre Bestimmung zu erfüllen und ein gemeinsames Leben der Wahrhaftigkeit zu führen.

Hier breitet sich als moderner Zug in einer traditionsverhafteten Dichtung eine Sprachskepsis aus, nach der nur mehr das Schweigen Wahrhaftigkeit ermöglicht, während die Umgangssprache längst der Scheinhaftigkeit verfallen ist:

„Hans Karl: Ich soll aufstehen und eine Rede halten, über Völkerversöhnung und über das Zusammenleben der Nationen – ich, ein Mensch, der durchdrungen ist von einer Sache auf der Welt: daß es unmöglich ist, den Mund aufzumachen, ohne die heillosesten Konfusionen anzurichten! Aber lieber leg' ich doch die erbliche Mitgliedschaft nieder und verkriech' mich zeitlebens in eine Uhuhütte. Ich sollte einen Schwall von Worten in den Mund nehmen, von denen mir jedes einzelne geradezu indezent erscheint! [...] Aber alles, was man ausspricht, ist idezent. Das simple Faktum, daß man etwas ausspricht, ist indezent."

Der ‚Brief' des Lords Chandos handelt dieses Problem theoretisch und monologisch ab, ‚Der Schwierige' entfaltet es nun, 20 Jahre später, im gesellschaftlichen Raum Österreichs nach dem Ersten Weltkrieg. Hierin zeigt sich die Entwicklung Hofmannsthals von einem Dichter des egozentrischen Subjektivismus zu einem Autor, der sich der geschichtlichen Situation seiner Zeit öffnet.

‚Der Schwierige' verrät die tiefe Enttäuschung des Dichters über den Untergang der Habsburgermonarchie. Zwar kritisiert er die oberflächliche, scheinhafte Existenz, in der die Angehörigen der gesellschaftlichen

Oberschicht leben – doch wird auch deutlich, daß die Lebensform, die Hofmannsthal sich ersehnt, nur innerhalb dieser österreichischen Aristokratie zu suchen ist. Er hält an dem Gedanken der Unersetzlichkeit der habsburgischen Kulturtradition fest, obwohl er, wie auch die Essays beweisen, durchaus die Gewißheit hat, daß deren Blütezeit vorüber ist. Hofmannsthals Werk zeigt im ganzen, daß die Wiener Moderne aus einer starken Verhaftung mit der Tradition erwuchs, jedoch vom Bewußtsein ihrer Überlebtheit begleitet wurde. Die Sprachkrise erweist sich als Zeichen der Gesellschaftskrise, die Hoffnung auf eine neue Sprache als Hoffnung auf eine neue Gestaltung des gesellschaftlichen Lebens. Das dichterische Bemühen um die Darstellung einer überzeitlichen 'magischen' Existenz des Menschen aber zeigt, wie sich das Bewußtsein der geschichtlichen Krise mit der Wendung ins Außergeschichtliche zu helfen versucht. Damit bleibt Hofmannsthal der kulturellen und religiösen Tradition des Habsburgerösterreichs verhaftet. Die Erkenntnis der Überlebtheit dieser Tradition einerseits und die Versuche zu ihrer Verlebendigung andererseits sind im Widerspruch miteinander verbunden.

Dritter Teil: Avantgarde und Expressionismus

1 Protest und Veränderung – die Kunst der europäischen Avantgarde

Im Jahr 1913 hieß es in der Ankündigung einer neuen Buchreihe moderner Autoren: „Der neue Dichter wird unbedingt sein, von vorn anfangen, für ihn gibt es keine Reminiszenz ..." (Prospekt des Kurt-Wolff-Verlages, Leipzig, zur Reihe ‚Der jüngste Tag'). Mit diesem radikalen Anspruch des Traditionsbruchs und Neuanfangs trat in Deutschland etwa zwischen 1910 und 1925 eine Generation von Künstlern und Schriftstellern auf, die das – wie sie meinten – von den Naturalisten nicht eingelöste Versprechen einer kulturellen Revolution verwirklichen wollten. Nicht alle von ihnen waren erklärte Expressionisten, aber unter diesem Namen wurden sie etwa seit dem Weltkrieg begrüßt und angefeindet. Unter dem Nationalsozialismus aus der Öffentlichkeit Deutschlands verbannt, erfuhren sie nach 1945 eine Wiederentdeckung, mit der ihre starke Wirkung auf die Moderne sich fortsetzte. Diese deutsche Avantgarde war jedoch nicht isoliert aufgetreten, sondern im Zusammenhang mit europäischen Entwicklungen.

1.1 Voraussetzungen der europäischen Avantgarde

Avantgardistisch werden Künstler oder Schriftsteller genannt, die nicht nur modern im Sinne von ‘zeitgemäß’ sind, sondern ihrer Zeit voraus sind oder sein wollen, indem sie Neues, künftig Wirksames schaffen. Sie stehen damit geradezu im Gegensatz zum herrschenden Zeitgeschmack, der sie entweder nicht beachtet oder über sie empört ist. Die Moderne des 20. Jahrhunderts ist durch immer neue Schübe solcher Avantgarden gekennzeichnet, deren erste und für die weitere Entwicklung besonders wichtige um und nach 1900 zu beobachten ist. Das Zukunftsweisende dieser Avantgarde läßt sich dabei in verschiedenen Ausprägungen feststellen: im gesellschaftlichen Selbstbewußtsein der Künstler, in der Ästhetik ihres Schaffens oder in der gewollten oder tatsächlichen Wirkung auf das Publikum.

Schon am Ende des 19. Jahrhunderts, also in der Zeit der Naturalisten, mischten sich Literaten in vielen europäischen Ländern selbstbewußt in die Auseinandersetzungen zwischen konservativen und fortschrittlichen Kräften der Gesellschaft ein, gerade auch zugunsten des Fortschritts. In Frankreich z. B., von wo wichtige Anregungen auf die spätere Avantgarde in Deutschland ausgingen, erwies sich während der skandalösen

'Dreyfus-Affäre' die Literatur als wichtiger Faktor öffentlicher Auseinandersetzung, als der angesehene Romancier Émile Zola in dem berühmt gewordenen offenen Brief „J'accuse' (1898) Justiz, Regierung und herrschende Kreise kritisierte und sich für den Anspruch der Wahrheit und Moral auch in der Politik einsetzte. Sein Beispiel als engagierter Literat stand im Gegensatz zum Prinzip des 'l'art pour l'art' (Victor Cousin, 1836), dem etwa die Symbolisten anhingen, und wirkte bis in die Gegenwart als Vorbild einer 'litterature engagée' (Jean-Paul Sartre). In der deutschen Avantgarde vor dem Ersten Weltkrieg vertraten gesellschaftskritisches Engagement vor allem die Autoren, die der Zeitschrift „Die Aktion' (vgl. S. 80 f.) nahestanden.

Während engagierte Künstler sich auch traditioneller Kunstformen bedienten, begannen um die Jahrhundertwende die Künste, sich selbst, das heißt ihre Gegenstände, ihre Ausdrucksmittel und ihr Material zu 'revolutionieren'. Das international wirksamste Beispiel gab zunächst – wiederum in Frankreich – die Malerei, als die Gruppe der 'Fauves' (Matisse, Derain, Vlaminck, Dufy, Braque u. a. m.) etwa seit 1905 im Gegensatz zur Tradition, aber auch zu den Impressionisten, ungemischte, intensive, ja aggressive Farben verwendete, die nicht dem natürlichen Eindruck entsprachen, und die 'Kubisten' (seit 1907 Braque und Picasso, später Gris, Léger, Delaunay u. a. m.) natürliche Gegenstände deformierten und in geometrische Formen zerlegten, in 'Collagen' sogar das traditionelle Verhältnis zwischen Bild und Material ganz aufgaben. Schon diese Malerei wurde gelegentlich 'expressionistisch' genannt und beeinflußte die expressionistischen Maler in Deutschland (Kandinsky, Marc und Macke; Kirchner, Heckel, Schmidt-Rottluff u. a. m.). Hier schien eine jahrhundertealte Auffassung von Kunst und vom Schönen radikal geleugnet zu sein, ja das Häßliche, Disharmonische und Deformierte Inhalt und Ausdruck der Kunst zu werden. Kunst bildete nicht ab, idealisierte nicht und gab nicht visuelle Eindrücke wieder, sondern schuf eine ganz neue Art ästhetischer Wahrnehmung. Der avantgardistische Künstler und Dichter *Guillaume Apollinaire* (1880–1918) faßte dies in einem Gedicht so:

[...] Il ya là des feux nouveaux des couleurs jamais vues
Mille phantasmes impondérables
Auxquels il faut donner la réalité.

[...] Es gibt da neue Feuer nie zuvor gesehener Farben / Tausend unwägbare Phantasmen / Denen man Wirklichkeit geben muß. („La jolie rosse'. In: „Caligrammes', 1918; übersetzt von G. Henninger)

Auch die Literatur der Avantgarde 'revolutionierte' ihre Ästhetik, indem sie ihr Material – Sprache und Vers – umformte und ganz unvertraute Erfahrungen und Vorstellungen auszudrücken versuchte; letzteres rechtfertigte in Deutschland die Bezeichnung 'expressionistisch'.

Vom Künstler gewollt oder nicht gewollt, in der Wirkung auf das Publikum vereinten sich sehr oft ästhetische Innovation und gesellschaftliche Provokation: avantgardistische Kunst schockiert. Der Franzose *Alfred Jarry* (1873–1907) löste im Jahr 1896 mit seiner Farce ‚Ubu Roi' in Paris einen Theaterskandal aus und gilt heute als wichtiger Anreger des modernen Theaters. Das Stück stellt mit derben, grotesken und surrealistischen Mitteln dar, wie ein Kleinbürger zum monströsen Tyrannen wird, und verhöhnt die gesamte bürgerliche Kunst, Lebensführung und Moral als Absurdität. Auch die avantgardistischen Künstler des 20. Jahrhunderts traten überwiegend antibürgerlich auf oder wirkten so. Bei politischem Engagement standen sie deshalb eher auf der Seite der Linken als der Rechten, auch wenn sie sich parteipolitisch nicht festlegten; Kommunisten wurden z. B. Louis Aragon, Pablo Picasso und Vladimir Majakowski oder der deutsche Expressionist Johannes R. Becher, eine kleinere Gruppe wandte sich später dem Faschismus zu, z. B. Filippo Tommaso Marinetti, Ezra Pound, Arnolt Bronnen, Hanns Johst und zeitweise Gottfried Benn. In jedem Falle war das Motiv, daß die geistige wie die gesellschaftliche Welt nicht so bleiben sollte, wie sie war.

1.2 Futurismus – ein Programm der Avantgarde

Wirksamster Propagandist der europäischen Avantgarde im 20. Jahrhundert war der Italiener *Filippo Tommaso Marinetti* (1876–1944). In fast allen europäischen Kulturzentren verbreitete er mit seinen Freunden die Schocks der Avantgarde, hauptsächlich mit drei Methoden, die seither das moderne Kulturleben kennzeichnen: mit öffentlichen Deklarationen und Programmen, mit Wanderausstellungen und mit öffentlichen Demonstrationen, die man als Prototypen der späteren 'Happenings' ansehen kann. In seinen ‚Manifesten' von 1909, 1912 und danach verkündete Marinetti das Programm des 'Futurismus', einer neuen Kunst als Ausdruck eines neuen Lebensgefühls. Eine von Marinetti organisierte Ausstellung reiste 1912 von Paris nach London, Brüssel, Den Haag, Amsterdam und München; in Berlin zeigte sie der einflußreiche Förderer moderner Kunst, Herwarth Walden, in seiner Galerie ‚Sturm', mit starker Wirkung auf die Expressionisten, und in Dresden sah sie 1913 der Mitbegründer des späteren dadaistischen ‚Cabaret Voltaire' (Zürich), Hugo Ball. Ein wahrer Werbefeldzug durch halb Europa, der bis Rußland und in die USA ausstrahlte! Der deutsche Expressionist Kasimir Edschmid hat nach dem Zweiten Weltkrieg geschildert, wie die Futuristen auf ihn und andere wirkten:

„[. . .] Mittlerweile hatten die Maler des 'futurismo' noch einige weitere 'pronunciamenti' herausgebracht. Gegen den guten Geschmack. Gegen den Begriff Har-

monie. Gegen die Akademie. Gegen das Nackte, weil es durch die Akademie
ekelhaft und langweilig geworden war. Und für das Närrische. Der Maler Boc-
cioni schrieb, das Wort 'verrückt' müsse ein Ehrentitel werden. [...] Als ich die
Bilder dann in Paris sah, sprengten sie zuerst mein Weltgefühl in radikaler Weise
auseinander. [...] Kein Wunder, daß diese Leute, die solche Manifeste unter-
schrieben, Literaten wie Maler, keineswegs nur das *Kunst*klima ändern wollten,
sondern die *Welt*. Ihnen war alles widerlich, was es seither gab, außer Aeropla-
nen, raschen Maschinen, Krieg und Revolution. [...]"
(Kasimir Edschmid: ,Lebendiger Expressionismus ...', 1964)

Der Futurismus wollte eine antibürgerliche Kulturrevolution sein, ihm
fehlte aber eine klare kulturelle oder gesellschaftliche Theorie. An
Nietzsche und Bergson erinnert seine Verherrlichung der Dynamik, der
'Schnelligkeit' und der 'Bewegung'; fortschrittlich erscheint die Begeisterung für Technik, reaktionär die für Patriotismus, Militarismus und
Krieg sowie die 'Verachtung des Weibes'. Politisch war das ein verhäng-
nisvolles Programm, wie Marinettis spätere Zuwendung zum Faschismus bewies. Der Kunst und Literatur dagegen gaben die Futuristen
wirksame Impulse. Ihnen war Kunst – gemessen an der Tradition –
eigentlich Anti-Kunst, und dieses Prinzip haben – ohne die futuristische
Ideologie – dann die Dadaisten verwirklicht. Das vielleicht wirksamste
Beispiel gab Marcel Duchamp (1887–1968) mit seinen 'Ready Mades'
(Fertigprodukten): 1913 stellte er ein Rad eines Fahrrads auf ein Podest,
signierte es und machte es damit, wie er erklärte, zum Kunstwerk – ein
Erfinder der modernen 'Object Art'!

Futuristischer Literaturbegriff. Von der Literatur forderte Marinetti vor
allem die Zerstörung der traditionellen Gebrauchs- und Dichtersprache:

„Distruzione della sintassi, Imaginazione senza fili, Parole in libertà (Destruktion
der Syntax, Drahtlose Imagination, Befreiung des Wortes)."

Er meinte damit, die Grammatik oder eigentlich die Sprachkonventio-
nen überhaupt seien eine Fesselung der Kreativität; in völlig freier Verwendung der Wörter könne der Dichter unmittelbar (drahtlos) die
Gegenstände und Vorstellungen zum poetischen Bild verbinden. Damit
haben die Futuristen fast alle Methoden der poetischen Avantgarde bis
heute im voraus verkündet: Wortmontagen, Wortneubildungen und
Lautgedichte; die Sprache des Stammelns, der Wortspiele und der freien
Assoziation; die willkürliche oder dunkle Semantik der 'Chiffren'-Dich-
tung; Sprachexperiment, Sprachkonstruktion und konkrete Poesie. Im
Gefolge des Futurismus schrieben Kubisten und Dadaisten Wörter oder
Textbruchstücke in Bilder hinein (z. B. Kurt Schwitters), montierten
Bilder aus Textfetzen, z. B. aus Zeitungsschnipseln, oder schrieben
Texte als ästhetisch-graphische Gebilde (vgl. Apollinaires ,Caligram-
mes' und die visuelle Poesie).

Für die Lyrik und Epik der Moderne symptomatisch war Marinettis Forderung, der sich persönlich aussprechende Dichter solle aus dem Gedicht verschwinden: „morte dell 'io letterario" (Tod des literarischen Ichs), und zwar zugunsten eines nicht individualpsychologischen Realitätsbewußtseins – hier kündigen sich moderne Formen des unbeteiligt registrierenden und reflektierenden Schreibens an (vgl. den Roman Nouveau). Da den Futuristen die etablierten Theater verschlossen blieben, wollten sie ein neues 'Theater der Verblüffung' aus dem Varieté entwickeln und gaben damit Anstöße für das groteske Theater sowie für die Verwendung schaubudenartiger, kabarettistischer und verfremdender Theaterformen bis in die Gegenwart.

Die Bilderstürmerei der Futuristen stellte somit alles in Frage, was bisher in Kunst und Literatur galt. Aus ihrer Kunst der 'distruzione' ergaben sich jedoch neue Formen und Ausdrucksmöglichkeiten, die für die Kunst und Literatur des 20. Jahrhunderts sich als wesentlich erwiesen.

2 Die expressionistische Avantgarde in Deutschland

Zeitschriften:
Der Sturm. Hrsg. von Herwarth Walden (Berlin 1910–32)
Die Aktion. Hrsg. von Franz Pfemfert (Berlin 1911–32)
Die weißen Blätter. Hrsg. von René Schickele (Leipzig,
z. T. Zürich, 1913–21)

Essays und Bekenntnisse:
Hugo Ball: Die Kunst unserer Tage (Vortrag 1916)
Käthe Brodnitz: Die futuristische Geistesrichtung in Deutschland
(Vortrag 1914)
Theodor Däubler: Expressionismus. In: Die neue Rundschau
(Zeitschrift. 1916)
Kasimir Edschmid: Über den dichterischen Expressionismus.
In: Die neue Rundschau (Zeitschrift. 1918)
Yvan Goll: Der Expressionismus stirbt. In: Zenit
(Zeitschrift. 1921)
Paul Hatvani: Versuch über den Expressionismus. In: Die Aktion
(Zeitschrift. 1917)
Kurt Hiller: Die Jüngst-Berliner. In: Literatur und Wissenschaft.
Monatliche Beilage der Heidelberger Zeitung (1911)
Friedrich Markus Huebner: Europas neue Kunst und Dichtung
(Berlin 1920)
Heinrich Mann: Geist und Tat. In: Das Ziel (Zeitschrift. 1910)
Ludwig Rubiner: Der Dichter greift in die Politik. In: Die Aktion
(Zeitschrift. 1912)
René Schickele: Wie verhält es sich mit dem Expressionismus?
In: Die weißen Blätter (Zeitschrift. 1920)
Stefan Zweig: Das neue Pathos. In: Das literarische Echo
(Zeitschrift. 1909)

2.1 Expressionismus – Mode, Stil oder Weltanschauung?

In den Jahren vor dem Weltkrieg kündigte sich die deutsche Avantgarde
zuerst einmal in einer großen Zahl neuer Zeitschriften an, und noch in
den zwanziger Jahren erklärten viele ihrer Gegner sie für eine bloße
Tagesmode. Tatsächlich wurde sehr viel *über* die neue Kunst geredet
und geschrieben, ehe sie mit größeren Werken in Erscheinung trat;
wahrscheinlich aber muß man darin den notwendigen Prozeß intellektu-
eller Auseinandersetzung sehen, ohne den die moderne Literatur nicht
entstehen konnte.

Als der Name 'Expressionismus' 1911 von Kurt Hiller erstmals von der modernen Malerei auf die Literatur übertragen wurde, diente er zur Abgrenzung der Avantgarde gegen den Impressionismus, des weiteren auch gegen Naturalismus, Realismus und Tradition. Eine Übersetzung mit 'Ausdruckskunst' (gegen 'Eindruckskunst' und 'Abbildungskunst') wäre allerdings viel zu eng; denn jede Kunst drückt etwas aus, und den Expressionisten ging es nicht nur um einen neuen Stil, nicht einmal nur um eine neue Kunst:

„Der Impressionismus ist eine Stillehre, der Expressionismus eine Norm des Erlebens, des Handelns, umfassend also der Weltanschauung."
(Friedrich Markus Huebner)

Deshalb waren den Expressionisten die neuen Kunstformen notwendig zur Äußerung eines neuen Lebensgefühls, das die Avantgarde verband; so sahen es die Veteranen des Expressionismus noch nach dem Zweiten Weltkrieg:

„Es ist schwierig, der heutigen literarischen Jugend [. . .] deutlich zu machen, daß in jenen Jahren 1910–1922 die jungen Autoren in Prag, Berlin, München, Wien, Leipzig, über alle deutschsprechenden Länder, ja über ganz Europa hin, trotz vieler individueller Unterschiede in Gesinnung, Wollen und Ausdrucksform sich als eine Einheit, eine Gemeinschaft, eine Gemeinsamkeit fühlten – im Kampf gegen faulig absterbende Vergangenheit und zukunftshindernde Tradition, für neue Bewußtseinsinhalte, neue Ideen und Formen. [. . .]"
(Kurt Pinthus: ‚Nach 40 Jahren'. Vorwort zur Neuauflage der Anthologie ‚Menschheitsdämmerung', 1959)

Dieser 'Kampf' der expressionistischen Avantgarde richtete sich auch gegen die herrschenden gesellschaftlich-politischen Mächte:

„[. . .] sie waren gegen den Krieg, gegen den deutschen Militarismus, gegen die Verflechtung von Generalstab und Schwerindustrie, und für eine europäische Verständigung vom Herzen her [. . .]."
(Karl Otten: ‚Die expressionistische Generation'. Vorwort zu: ‚Ahnung und Aufbruch. Expressionistische Prosa'. 1957)

Zugleich aber empfanden die Expressionisten ihre Auseinandersetzung mit der Zeit als Auseinandersetzung mit einer existentiellen Krise des Geistes und der Erfahrung, der sie auf den Grund kommen wollten. Diesen Vorgang bezeichnete Gottfried Benn im Rückblick als „Wirklichkeitszertrümmerung, als rücksichtsloses An-die-Wurzel-der-Dinge-Gehen" (1955).

2.2 Diaspora der Avantgarde

Im Gegensatz zum Glauben an eine avantgardistische „Gemeinschaft"
der Expressionisten (Pinthus) hat es eine einheitliche expressionistische
Gruppe nie gegeben. Bedeutende Dichter wie Georg Heym, Georg
Trakl oder Gottfried Benn waren eher Einzelgänger. Im kulturellen
Leben der Nation waren die Neuerer eine Minderheit, die sich bis zum
Weltkrieg fast nur in Zeitschriften und kleinen Veröffentlichungen
äußern konnten und sich in örtlichen Gruppen um fortschrittliche Her-
ausgeber und Verleger wie Herwarth Walden, Franz Pfemfert, Ernst
Rowohlt und Kurt Wolff scharten. In diesem Rahmen allerdings ergoß
sich etwa seit 1910 eine ganze Flut von Essays, Gedichten und litera-
rischen Experimenten auf den Markt der Broschüren, ergänzt durch
Matineen, Klubs und Kleinbühnen.

Von den über hundert – allerdings meist kurzlebigen – Neugründungen avantgar-
distischer Zeitschriften verband Herwarth Waldens ,Der Sturm' die Förderung
der modernen Kunst mit der der modernen Literatur. ,Die weißen Blätter' konnte
ihr Herausgeber René Schickele im Weltkrieg von Zürich aus redigieren und so –
trotz der Zensur in Deutschland – die Kontinuität dieses europäischen Forums
der neuen deutschen Literatur wahren. Während diese beiden Zeitschriften vor
allem ästhetisch-literarisch orientiert waren, vertrat Franz Pfemferts Blatt ,Die
Aktion' den politisch engagierten Expressionismus ('Aktionismus') und trat „für
die Idee der Großen Deutschen Linken ein". Bis 1918 druckte Pfemfert – auch in
seiner Reihe der ,Aktions-Bücher' – Hunderte von neuen Autoren, darunter
viele Expressionisten, nicht nur 'Linke', aber von den 'Linken' fast alle. Im
Weltkrieg wurde ,Die Aktion' zum Zentrum der Antikriegsdichtung. Mit der
Novemberrevolution von 1918 wandte Pfemfert sich von der Poesie ab und ver-
schrieb sich dem Kampf für einen trotzkistischen Kommunismus. Der Name der
,Aktion' steht für die politisch engagierte Strömung des Expressionismus, die
Literatur als gesellschaftliches Handeln verstand.
Da die großen Theater sich lange den Neuerern verschlossen, warben Autoren
und Verlage für diese mit Vortragsveranstaltungen, literarischen Klubs und
Kabaretts; so in München das ,Überbrettl' und ,Die elf Scharfrichter'. Starke
Wirkungen hatte das ,Neopathetische Cabaret' des ,Neuen Clubs' in Berlin und
das ,Cabaret Voltaire' der Dadaisten in Zürich.
Wie in Frankreich ergab sich an manchen Orten eine fruchtbare Zusammenarbeit
zwischen verschiedenen Künsten, so in Berlin (um Herwarth Walden und seinen
,Sturm') und in München. Der von Wassily Kandinsky und Franz Marc 1912 in
München herausgegebene Almanach ,Der blaue Reiter' verkündete eine „neue
Offenbarung des Geistes" nicht nur in der bildenden Kunst, sondern auch in der
Musik (Schönberg, Webern, Berg); Maler schrieben Essays oder Theaterstücke
im expressionistischen Stil (z. B. Macke, Kandinsky, Kokoschka). Arp, Barlach
und Kokoschka waren ohnehin bildende Künstler und Dichter zugleich. Eine
Synthese der Künste strebte man auch in der Buchgestaltung an, z. B., als Ernst
Ludwig Kirchner Georg Heyms Gedichte ,Umbra vitae' – Text und Illustratio-
nen – in Holz schnitt.

2.3 Das Selbstverständnis der expressionistischen Generation

Die Expressionisten sind ein Teil der Generation, die zwischen 1875 und 1895 geboren wurde – also in der Ära der Kaiserreiche. Nach der Jahrhundertwende war die gesellschaftliche und kulturelle Situation immer noch der ähnlich, die schon die Naturalisten kritisiert hatten. Woher kam also die neue Bewegung?

2.3.1 Entfremdung vom Zeitgeist

Gerade daß sich so lange nichts geändert hatte und daß auch die einst so avantgardistisch erscheinenden Naturalisten nichts wesentlich Neues zu sagen wußten, mag die Heftigkeit der neuen Bewegung erklären. Es mag aber auch erklären, warum sie sich weniger gegen konkrete Mißstände wandte als gegen die Unbeweglichkeit und Unproduktivität des Denkens und Handelns allgemein. Viele Expressionisten übten auch nicht eigentlich Kritik, sondern äußerten ihr Leiden an der Wirklichkeit und ihre Sehnsucht nach einer anderen – darin vergleichbar der wenig älteren Jugendbewegung des 'Wandervogels'. Die relative Stabilität der Verhältnisse empfanden sie als Sinnleere und Beziehungslosigkeit. Ihre Entfremdung vom Zeitgeist war eine existentielle Krise, die zur Selbstreflexion, ja zur Selbstquälerei zwang; Vater-Sohn-Konflikte, Identitätsprobleme, Vereinsamung und Außenseitertum oder der Konflikt zwischen Enthusiasmus und Anpassung waren bevorzugte Themen dieser Generation, sicherlich auch deshalb, weil sie selbst dem Bürgertum entstammten, in dem sie sich fremd fühlten. Fast die Hälfte der jungen Schriftsteller hatte zu Eltern wohlhabende Kaufleute, Fabrikanten, Bankiers, die übrigen meistens Beamte oder Akademiker. Sie selbst waren Gebildete, oft Studierte, und empfanden die geistige Unbeweglichkeit der Zeit als Krise des Intellektuellen bzw. des Künstlers und Dichters. Ihre Proteste und ihre Rufe nach Veränderung verlangten deshalb, daß Geist und Kunst die Wirklichkeit verändern sollten.

2.3.2 Dichter und Gesellschaft

Der Wiener Romancier und Essayist *Stefan Zweig* (1881–1942), der mit den avantgardistischen Literaten sympathisierte, stellte 1909 in einem Aufsatz ,*Das neue Pathos*' dem Dichter die Aufgabe, das auszusprechen, was alle bewegt, und damit die geistigen und seelischen Kräfte der Menschen zu aktivieren. Man müsse die moderne Welt der Städte und der Massen akzeptieren als eine Möglichkeit zu neuen Gemeinschaften; aber auf die Gewalt der Umwelt müsse die Gewalt des Gefühls antworten. Der Dichter solle dabei der „Entfacher des heiligen Feuers" sein, wenn nicht sogar der „geistige Führer der Zeit". Und er rechtfertigte das Pathos in der Dichtung als Ausdruck der Lebensenergie. Damit sprach

Zweig den Dichtern genau die Rolle und den Auftrag zu, die viele Expressionisten dann in Anspruch nahmen.

Andererseits hat man der expressionistischen Generation wiederholt und vor allem im nachhinein ihre wirklichkeitsfremde Einstellung zur Politik vorgeworfen; der Marxist Georg Lukács tadelte z. B. 1934 ihre „abstrakte Antibürgerlichkeit". Seine Kritik trifft auf viele Expressionisten zu. Einer aus dem Aktionskreis, *Ludwig Rubiner* (1881–1920), gab zwar einem berühmt gewordenen Artikel den Titel ‚*Der Dichter greift in die Politik*' (1912), aber er meinte damit nur eine allgemeine Zivilisationskritik, mit der letzten Endes „der Geist" freigesetzt werden sollte: „Die Zivilisation ist eine sehr partielle Angelegenheit der Welt. Im übrigen gibt es den Geist, den Geist, den Geist." Zweifellos war die Polarität zwischen Zivilisation, Gesellschaft, Wirklichkeit einerseits und Geist andererseits ein zentrales Thema der Expressionisten, die Überwindung des Gegensatzes oft beteuerter Wunsch. Aber die meisten von ihnen nahmen die Haltung ein, die der radikaldemokratische Schriftsteller *Heinrich Mann* (1871–1950) in seinem Essay ‚*Geist und Tat*' (1910) so darstellte: Die politische Aufgabe des Schriftstellers sei nicht, Macht auszuüben, sondern der Macht den Geist entgegenzustellen, dem Volk zu zeigen, was Wahrheit und Gerechtigkeit ist, und ihm so das für die politische Mündigkeit erforderliche Selbstvertrauen zu geben. Mit dieser aufklärerischen Bestimmung der politischen Funktion der Intellektuellen in der Gesellschaft war jedoch das Problem nicht gelöst, wie der „Geist" real die Politik beeinflussen oder gar verändern konnte. Seine Ohnmacht erwies sich mit dem Ausbruch des Ersten Weltkrieges, den die Expressionisten nicht nur als politische Katastrophe erlebten, sondern als Zusammenbruch der Humanität überhaupt. Für viele war die Konsequenz aus diesem Erlebnis ein radikaler Pazifismus, für einige nach seinem Ende das aktive Engagement für die Revolution. Im politischen und kulturellen Pluralismus der Weimarer Republik jedoch drifteten die expressionistischen Gruppen nach links und rechts auseinander, ihre Ideen und ihre künstlerischen Neuerungen wurden von anderen übernommen und weiterentwickelt, aber zum Teil auch nicht mehr als neu und zeitgemäß anerkannt. Und schon 1921 stellte der leidenschaftliche Expressionist Yvan Goll bitter fest: „Der Expressionismus stirbt."

2.3.3 Krise und Kreativität

Das Pathos des Geistes war im Grunde idealistisches, aufklärerisches, ja klassisches Erbe; in der modernen Realität erschien es vielen Intellektuellen und Künstlern brüchig. Der Dramatiker, Erzähler und Essayist *Hugo Ball* (1886–1927) faßte dies 1916 in einem Vortrag – anknüpfend an Nietzsche – in drei lapidaren Sätzen zusammen:

„Gott ist tot. Eine Welt brach zusammen. Ich bin Dynamit."

Ball erklärte diese Erfahrung zugleich als Ergebnis der Geschichte und als Herausforderung zu einem Neuanfang:

„Drei Dinge sind es, die die Kunst unserer Tage bis ins Tiefste erschüttern, ihr ein neues Gesicht verleihen und sie vor einen gewaltigen Aufschwung stellen: Die von der kritischen Philosophie vollzogene Entgötterung der Welt; die Auflösung des Atoms in der Wissenschaft; und die Massenschichtung der Bevölkerung im heutigen Europa."

Ball sieht also ein Zusammenwirken geistiger und sozialer Veränderungen, die eine Auflösung des Glaubens, des traditionellen Denkens, der Naturanschauung und der gesellschaftlichen Wirklichkeit bewirken. Darin ist das 'Ich', das Individuum von außen wie von innen bedroht, und dies wirkt sich im Leben und Schaffen der Künstler aus:

„Sie lösen sich ab von der Erscheinungswelt, in der sie nur Unordnung, Zufall, Disharmonie wahrnehmen." Und: „Ihr Leben ist ein Kampf mit dem Irrsinn. Sie sind zerrissen, zerstückt, zerhackt [. . .]."

Hier geht es um eine grundlegende Bewußtseinskrise. Die Wirklichkeit läßt sich nicht mehr als eine geordnete und sinnvolle 'Welt' erfassen, und das Ich kann sich nicht mehr seiner Identität vergewissern. Der 'Geist' selbst ist keine Gewißheit mehr. Die Opposition gegen den Zeitgeist ist auch der Kampf gegen eine Welt ohne Geist. Die Chance eines Neuanfangs sieht Ball darin, daß Dichter und Künstler das Chaos der Bewußtseins- und Erfahrungskrise gestalten und so einen neuen Geist und eine neue Wirklichkeit schaffen: „Sie sind Vorläufer, Propheten einer neuen Zeit."

Wie eine solche neue Dichtung beschaffen sein sollte, das hat *Kasimir Edschmid* (1890–1966) programmatisch so zusammengefaßt:

„[. . .] Es kamen die Künstler der neuen Bewegung. Sie gaben nicht nur die leichte Erregung. Sie gaben nicht mehr die nackte Tatsache. [. . .] Sie waren nicht mehr unterworfen den Ideen, Nöten und persönlichen Tragödien bürgerlichen und kapitalistischen Denkens. Ihnen entfaltete das *Gefühl* sich maßlos. Sie sahen nicht. Sie schauten. Sie photographierten nicht. Sie hatten Gesichte. [. . .]
Die Welt ist da. Es wäre sinnlos, sie zu wiederholen. Sie im letzten Zucken, im eigentlichen Kern aufzusuchen und neu zu schaffen, das ist die größte Aufgabe der Kunst. [. . .] Hier wird der bürgerliche Weltgedanke endlich nicht mehr gedacht. [. . .] Durch alle diese Surrogate (ergänze: des bürgerlichen Denkens) greift die Hand des Künstlers grausam hindurch. Es zeigt sich, daß sie Fassaden waren. Aus Kulisse und Joch überlieferten, verfälschten Gefühls tritt nichts als der Mensch [. . .], der einfache, schlichte Mensch."
(Kasimir Edschmid: ‚Expressionismus in der Dichtung', 1917)

Edschmid grenzt hier nicht nur anfangs den Expressionismus gegen Impressionismus und Naturalismus ab, er betont auch im Sinne der Avantgarde die Radikalität des künstlerischen Schaffens, das keine bürgerlichen Konventionen und keine Weltanschauung voraussetzt, son-

dern sie als Fassaden entlarvt und durchbricht. Was damit als neue
Wirklichkeit und Erfahrung freigesetzt werden soll, entspricht allerdings
traditionellen Ideen: Im Schaffensprozeß selbst ist es das ursprüngliche,
spontane und schöpferische 'Gefühl' des Künstlers; damit soll zugleich
– für die Menschheit überhaupt – der Mensch in seinem ursprünglichen
Wesen wiedererstehen. Das ist im Grunde der idealistische Gedanke,
daß Kunst Humanität ermöglicht, indem sie das Wesen der 'Welt' und
der Existenz freilegt oder neu darstellt.

In den Werken der Expressionisten erkennt man immer wieder die Auseinandersetzung mit diesem Gegensatz zwischen der grundlegenden
Erfahrungskrise, die alles in Frage stellt (Ball), und dem Enthusiasmus
für den neuen Menschen (Edschmid). Seit dem Weltkrieg verband diese
Auseinandersetzung sich verstärkt mit dem Problem der konkreten Verantwortung des Schriftstellers in Gesellschaft und Politik. Die ästhetische Auseinandersetzung mit der literarischen Tradition schuf radikal
neue Ausdrucksmöglichkeiten, jedoch noch vorwiegend im Rahmen der
alten Gattungsgrenzen, obwohl man gelegentlich die Aufhebung der
Gattungen im 'Gesamtkunstwerk' (Ball) forderte. Der Aufbruch der
expressionistischen Generation zeigte sich zuerst in der Lyrik, ihre Auseinandersetzung mit der Gesellschaft am entschiedensten im Drama,
und zwar vor allem seit dem Weltkrieg. Die Auseinandersetzung mit der
Erfahrungskrise spiegelte sich in allen Gattungen, auf besondere und
über den Expressionismus hinausreichende Weise in erzählender und
gedanklicher Prosa.

3 Expressionistische Lyrik: Ich und Welt

Vorläufer:
Theodor Däubler: Das Nordlicht (Versepos. 1898–1910)
Richard Dehmel: Zwei Menschen (1903)
Alfred Mombert: Der Glühende (1896)   Äon (1907–11)
Friedrich Nietzsche: Dionysos-Dithyramben (1888)
Ernst Stadler: Präludien (1905)   Der Aufbruch (1914)

Bis zum Weltkrieg:
Gottfried Benn: Morgue (1912)   Söhne (1913)
Gesammelte Gedichte (1927)
Georg Heym: Der ewige Tag (1911)   Umbra vitae (postum 1912)
Jakob van Hoddis: Weltende (1911)
Else Lasker-Schüler: Styx (1902)   Meine Wunder (1911)
Hebräische Balladen (1913)   Die gesammelten Gedichte (1917)
Alfred Lichtenstein: (Sonderheft der ‚Aktion‘, 1913)
August Stramm: Rudimentär (1914)   Du (1915)
Georg Trakl: Gedichte (1913)   Sebastian im Traum (postum
1915)   Der Herbst des Einsamen (postum 1920)
Gesang der Abgeschiedenen (postum 1933)
Franz Werfel: Der Weltfreund (1911)   Wir sind (1913)
Einander (1915)
Alfred Wolfenstein: Die gottlosen Jahre (1914)
Die Freundschaft (1917)

Im Weltkrieg:
Johannes R. Becher: An Europa (1916)   Verbrüderung (1916)
Päan gegen die Zeit (1918)
Albert Ehrenstein: Die weiße Zeit (1914)
Der Mensch schreit (1916)   Die rote Zeit (1917)
Yvan Goll: Der Panamakanal (1912/18)   Requiem pour les
morts de l'Europe (1916, dt. 1917)   Der Torso (1918)
Walter Hasenclever: Der Jüngling (1913)
Tod und Auferstehung (1917)

Reihen und Anthologien:
Lyrische Flugblätter. Hrsg. von A. R. Meyer (1907–13)
Kameraden der Menschheit, Dichtungen zur Weltrevolution.
Hrsg. von Ludwig Rubiner (1919)
Menschheitsdämmerung, Symphonie jüngster Dichtung.
Hrsg. von Kurt Pinthus (1920)

3.1 ‚Menschheitsdämmerung': Untergang oder neue Menschheit?

In ein und demselben Jahr – 1911 – erschien Franz Werfels Gedicht-
sammlung ‚Der Weltfreund' und das Gedicht ‚Weltende' von Jakob van
Hoddis – ein charakteristischer Widerspruch! Der Welt-Enthusiasmus
Werfels war in der Lyrik Nietzsches und einiger idealistischer Vorläufer
des Expressionismus vorgeprägt, von denen Theodor Däubler und Ernst
Stadler sich später ausdrücklich zum Expressionismus bekannten; das
Bild eines absurden Weltuntergangs, das van Hoddis zeichnete, war neu
in der Lyrik. Der Gegensatz zwischen beiden spiegelt sich auch in der
Doppeldeutigkeit des Titels, den Kurt Pinthus 1920 seiner auf den
Expressionismus zurückblickenden Lyrik-Anthologie gab: ‚Mensch-
heitsdämmerung'.

Die Sammlung enthält 275 Gedichte von 23 Dichtern aus den Jahren 1903 bis
1919. Pinthus gab ihr eine thematische Gliederung und nannte die Teile: ‚Sturz
und Schrei', ‚Erweckung des Herzens', ‚Aufruf und Empörung', ‚Liebe den Menschen'. In seinem Vorwort erklärt Pinthus diesen Aufbau als den Weg der Generation von „Zweifel und Verzweiflung" angesichts einer entleerten und zerfallen-
den Welt zum Protest gegen diese und zur „sehnsüchtigen Vorbereitung und
Forderung neuer besserer Menschheit". Dem entspräche als Doppelsinn des
Anthologie-Titels: Wie in der germanischen Vorstellung eines Weltendes als Göt-
terdämmerung droht die Menschheit unterzugehen, zugleich aber regen sich see-
lische Kräfte in der Hoffnung auf die Morgendämmerung einer neuen Menschheit. (Dementsprechend ließ Pinthus schon 1921 eine zweite Anthologie folgen
mit dem Titel ‚Verkündigung. Anthologie junger Lyrik'.)
Schon bei der Veröffentlichung der dritten Auflage (1922) mußte Pinthus jedoch
feststellen, daß diese Hoffnung wirkungslos geblieben sei. Die Aufbruchsstim-
mung schien nicht nur aus einer Untergangsstimmung hervorgegangen zu sein,
sondern vielmehr wieder in ihr zu versinken. Dementsprechend verteidigte Pinthus die expressionistischen Dichter in der Neuauflage der Anthologie 1959 als
„enttäuschte Humanisten".

Während der Aufbau der Anthologie den Durchbruch eines neuen
Menschheitsglaubens und Lebensvertrauens aus den Krisen der Zeit
darstellt, bietet sich dem Rückblick von heute die innere Entwicklung
der expressionistischen Generation eher umgekehrt dar: Das Menschheitspathos ist der Krisenerfahrung und Desillusionierung erlegen.

3.1.1 Idealistische und realistische Menschheitsdichtung
Etwa ein Fünftel der Gedichte lebt vom Pathos der Zuversicht; es sind
Hymnen auf den Menschen, die Menschheit, das Volk, die Brüderlichkeit, Liebe und Freundschaft, die Kraft der Seele und das Glück des
Lebens. Unbestrittener Wortführer dieser Verkünder war *Franz Werfel*
(1890–1945), der schon im *‚Weltfreund'* (1911) den Menschen zugerufen
hatte: „So gehöre ich dir und allen!" Er besingt in seinen Gedichten den

„guten Menschen", den „schönen, strahlenden Menschen", den Menschen als „das Maß der Dinge"; aber seine Hymnen dröhnen „ins Allgemeine" oder münden in Sentenzen, wie in einem seiner berühmtesten Gedichte, ‚Lächeln, Atmen, Schreiten':

> [. . .] Schwinge dich hin, schwinde ins Schreiten mit!
> Schreiten entführt
> Alles ins Reine, ins Allgemeine.
> Schreiten ist mehr als Lauf und Gang,
> Der sternenden Sphäre Hinauf und Entlang,
> Mehr als des Raumes tanzender Überschwang.
> Im Schreiten der Menschen wird die Bahn der Freiheit geboren. [. . .]

Ein Beispiel für den Gegensatz zwischen abstraktem Menschheitspathos und gleichsam realistischer Darstellung des Menschen in seinem Handeln und Leiden gab *Yvan Goll* (1891–1950) mit seinem Gedichtzyklus ‚*Der Panamakanal*'. Seit 1906 vollendeten die USA das jahrzehntealte und skandalumwitterte Kanalprojekt, das viele als Verwirklichung einer Utopie des 19. im 20. Jahrhundert ansahen. In der Erstfassung von 1912 schildert Goll poetisch, wie die paradiesische Natur zerstört wird, wie sie sich mit Klima und Krankheit an den Arbeitern rächt und wie schließlich im Gigantenkampf Technik und Arbeit siegen.

Hier ist bereits zeitgenössische Lebensrealität gesehen, freilich sehr pathetisch, vor allem im Schlußgedicht ‚*Die Weihe*', in dem die Kanaleröffnung als Versöhnung der Erde mit der Zivilisation und gleichzeitig als Verbrüderung der Menschen gefeiert wird:

> [. . .] Ach, die Augen aller trinken Brüderschaft
> Aus der Weltliebe unendlich tiefer Schale:
> Denn hier liegt verschwistert alle Erdenkraft,
> Hier im Kanale.

Diese Hymne aber widerrief Goll, als er 1918 – im Endjahr des Weltkrieges und zwei Jahre nach der Eröffnung des Panamakanals – eine neue Fassung veröffentlichte. Formal hat er die metrischen und gereimten Verse aufgegeben zugunsten einer rhythmischen, allerdings im Original in Zeilen gegliederten Prosa. Inhaltlich drängen die Bilder der Arbeiter die der Natur und Technik zurück. Die Idee der Verbrüderung wird am Ende nur noch als vergänglicher Augenblick des Glücks beschworen:

„Über den schwarzen Arbeitertrupps schlugen die Wellen der Freiheit zusammen. Einen Tag lang waren auch sie Menschheit. Aber am nächsten Tag schon drohte neue Not. Die Handelsschiffe mit schwerem Korn und Öl ließen ihre Armut am Ufer stehn. Am nächsten Tag war wieder Elend und Haß. Neue Chefs schrien zu neuer Arbeit an. Neue Sklaven verdammten ihr tiefes Schicksal. Am andern Tag rang die Menschheit mit der alten Erde wieder."

Der zeitlos mythische Kampf zwischen Mensch und Natur wird hier entschiedener – auch in der Diktion – im Zusammenhang mit der konkreten und sozialen Arbeitswelt gesehen.

3.1.2 Gesellschaft: Protest und Aufruf

In der Auseinandersetzung mit dem Zeitgeist benennen die Expressionisten dieselben konkreten Zeiterscheinungen wie schon zwanzig Jahre vor ihnen die Naturalisten: Großstadt und Technik, Proletariat und Kapital, Staat und Militarismus. Der Protest in Gedichten solidarisiert sich mit dem Arbeiter gegen die Unternehmer, jedoch fast nie mit bestimmten politischen Parteien; die Sozialkritik erfaßt die Probleme der Arbeiter weniger politisch als existentiell und irrational. Man beschwört und verkündet eine Revolution, aber fast immer nur als Aufbruchsvision oder Utopie. Stilistisch tendieren die Protestgedichte zu einer Mischung aus traditionellem poetischem Pathos und aktualisierendem Agitationspathos (z. B. in dem Gedicht ‚Arbeiter!‘ von *Karl Otten* [1889–1963]).

Selbst dem politischen Lyriker des Expressionismus geht es auch in der Politik um ein neues Lebensgefühl und seinen Ausdruck. Ein politisch besonders engagierter Expressionist, *Johannes R. Becher* (1891–1958), experimentierte deshalb mit der Sprache, um ihr neue, energische Wirkungen abzuringen:

> An die Zwanzigjährigen
>
> Zwanzigjährige! [. . .] Die Falte eueres Mantels hält
> Die Straße auf in Abendrot vergangen.
> Kasernen und das Warenhaus. Und streift zuend den Krieg.
> Wird aus Asylen bald den Windstoß fangen,
>
> Der Residenzen um ins Feuer biegt!
> Der Dichter grüßt euch Zwanzigjährige mit Bombenfäusten,
> Der Panzerbrust, drin Lava gleich die neue Marseillaise wiegt.

Das Sprachexperiment besteht darin, daß gewohnte Sprechweisen verkürzt, gebrochen und neu gefügt werden. So sind Bruchstücke einer konventionellen Agitationsadresse zu erkennen – Anrede, Gruß an das Kollektiv, schlagwortartig gebrauchte Topoi des Milieus, Absage an den Krieg, revolutionäre Zerstörung der „Residenzen". Ebenso finden sich Reste einer traditionellen Metaphorik, z. B. das Vergehen „in Abendrot" sowie Feuersturm und Vulkan als Bilder für Revolution. Aber erst bei genauem Lesen kann man formal die Mantelfalte als Subjekt der Verse 3 bis 5 identifizieren; und das versteht man nur, wenn man sich ein Denkmal vorstellt, in dem allegorisch der Faltenwurf einer Figur Straße, Krieg und revolutionäres Feuer umfängt. Die Wirkung des Gedichts beruht nicht darauf, daß man es versteht, sondern – irrational – auf der Monumentalität der Bilder und der Rhetorik des Redegestus.

Während der Stil des Gedichts Konventionen durchbricht, sind Strophik, Metrum und Endreim traditionell. Das Gedicht ist so ein Beispiel dafür, daß viele Expressionisten trotz der Modernisierung der Dichtersprache bestimmte traditionelle Vorstellungen vom Gedicht als Kunstwerk noch nicht in Frage stellten.

3.1.3 Wirklichkeitsverfremdung und Selbstentfremdung

Die Verkündigungs- und Protestgedichte der Expressionisten hat *Alfred Wolfenstein* (1888–1945) einmal als „Brüderlichkeit, diese Tagesphrase" und als „Scheinrevolution" kritisiert und statt dessen in der Dichtung „wirkliche Stimmen" gefordert, also den echten Ausdruck der Erfahrung. Was er sich darunter wohl vorstellte, zeigt sein Gedicht *,Städter':*

> Nah wie Löcher eines Siebes stehn
> Fenster beieinander, drängend fassen
> Häuser sich so dicht an, daß die Straßen
> Grau geschwollen wie Gewürgte stehn.
>
> Ineinander dicht hineingehakt
> Sitzen in den Trams die zwei Fassaden
> Leute, wo die Blicke eng ausladen
> Und Begierde ineinander ragt.
>
> Unsre Wände sind so dünn wie Haut,
> Daß ein jeder teilnimmt, wenn ich weine,
> Flüstern dringt hinüber wie Gegröle:
>
> Und wie stumm in abgeschloßner Höhle
> Unberührt und ungeschaut
> Steht doch jeder fern und fühlt: alleine.

Formal wirkt das Gedicht eher konservativ: Die Gattung des Sonetts wird verwendet, der Satzbau ist normal, Vergleich, Personifikation und Bild sind alte poetische Mittel. Auch der Inhalt besteht in gewohnter Weise aus Feststellungen äußerer Wirklichkeitswahrnehmungen und innerer Gefühle. Aber die Teile der Wirklichkeit reihen sich aneinander, ohne einen logischen, zeitlichen oder räumlichen Zusammenhang erkennen zu lassen. Die Bilder und Vergleiche verschieben die gewohnte Metaphorik; Dinge wirken wie Wesen (1. Strophe), die Menschen aber, nur noch kollektiv und unpersönlich wahrgenommen, wirken verdinglicht (2. Strophe). Wie die äußere, so ist die innere Erfahrung widersprüchlich geworden: Die Enge der Behausung wirkt zugleich transparent und undurchdringlich, der Mensch erlebt sich zugleich in seiner Einsamkeit isoliert und in der Vermassung preisgegeben (3. und 4. Strophe). Das ist die 'wirkliche Stimme' einer Erfahrung, in der die äußere Wirklichkeit verfremdet und der Mensch sich selbst entfremdet wird.

3.1.4 Deformation, Groteske und Absurdität des Lebens

Wolfensteins ‚Städter' lassen trotz der Verfremdung im Ausdruck noch
Milieu, Situationen und Empfindungen deutlich erkennen. Andere
Expressionisten gehen noch weiter, lösen jeden Sinnzusammenhang auf
und verzerren die isolierten Wahrnehmungen ins Häßliche, Anormale
oder Komische. Der Titel des Gedichts ‚*Die Dämmerung*' von *Alfred
Lichtenstein* (1889–1914) läßt eigentlich ein Stimmungsbild erwarten,
und so kann man die erste Strophe auch noch verstehen, etwa als Gang
durch die Stadt am frühen Morgen. Dann aber folgt eine Serie unver-
bundener Einzelbilder, die immer unsinniger werden:

> Ein dicker Junge spielt mit einem Teich.
> Der Wind hat sich in einem Baum gefangen.
> Der Himmel sieht verbummelt aus und bleich,
> Als wäre ihm die Schminke ausgegangen.
>
> Auf lange Krücken schief herabgebückt
> Und schwatzend kriechen auf dem Feld zwei Lahme.
> Ein blonder Dichter wird vielleicht verrückt.
> Ein Pferdchen stolpert über eine Dame.
>
> An einem Fenster klebt ein fetter Mann.
> Ein Jüngling will ein weiches Weib besuchen.
> Ein grauer Clown zieht sich die Stiefel an.
> Ein Kinderwagen schreit und Hunde fluchen.

Man kann hier Satz für Satz feststellen, wie vorstellbare Wahrnehmungen durch die Formulierung verfremdet werden, ins Lächerliche, Ver-
ächtliche, Triste oder Ekelhafte. Ihre Aufreihung ohne Zusammenhang,
das Fehlen eines Ichs oder einer Perspektive und erst recht einer Pointe
läßt sie sinnlos erscheinen – „vielleicht verrückt". Einheit gibt den
Momentaufnahmen nur die durchgängige Verfremdung.

Wahrnehmung ohne sinngebendes Ich, Wirklichkeiten ohne einen
Zusammenhang außer dem der Sinnlosigkeit, die sich der Wahrneh-
mung deshalb verzerrt, ja grotesk darstellen – ähnliche Vorstellungen
finden wir in expressionistischen Bildern, z. B. von Beckmann, Ensor,
Grosz, Nolde (Figurenbilder), oder auch in den Abstraktionen von
Picasso und Sutherland. Auch das Gedicht ‚*Weltende*' von *Jakob van
Hoddis* (1887–1942), mit dem die Anthologie ‚Menschheitsdämmerung'
beginnt, gehört zu dieser Kunst der Deformation, allerdings mit dem
Leitgedanken, daß die einzelnen Deformationen wie Vorzeichen einer
Katastrophe wirken, des „Weltendes", dem gegenüber der Mensch nur
noch als lächerliche Banalität erscheint.

Daß es sich bei dieser Kunst der Deformation um wirklich Erlebtes
handeln kann, legen die frühen Gedichte des Arztes *Gottfried Benn*
(1886–1956) in seiner Sammlung ‚*Morgue*' nahe (1912). Die Verding-
lichung des Menschen zum Körper, der in der Krankheit denaturiert und

in der Anatomie zerlegt wird, treibt die Desillusionierung bis zum Ekel. Versucht man, dieser Realität das Schöne hinzuzufügen, wie der Arzt, der in dem Gedicht ‚Kleine Aster' eine Blume in den Brustkorb einer Leiche einnäht, dann ist dies ein krasses Bild für die Absurdität der Kunst in einer kaputten Wirklichkeit. Benn hat selbst erklärt, daß er die Diskrepanz zwischen seinem Beruf als Arzt und als Dichter so empfunden und darunter gelitten hat.

3.1.5 Ich-Begriff und Wirklichkeitsverlust
Die Entfremdung zwischen Ich und Wirklichkeit hat *Gottfried Benn* als Folge der Intellektualität des modernen Menschen gedeutet, dessen „Gehirnlichkeit" ihn der ursprünglichen Lebendigkeit seiner Existenz beraubt hat:

„[...] Ich bin gehirnlich heimgekehrt / aus Höhlen, Himmel, Dreck und Vieh. [...] Es ringt kein Tod, es stinkt kein Staub / mich, Ich-Begriff, zur Welt zurück."
(‚Synthese')

Die Seele aber leidet unter dem Weltverlust, das Lebensgefühl kann sich im 'Ich-Begriff' nur negativ aussprechen, als Gefühl des Verlorenen, wonach sich die Seele zurücksehnt: nach der ursprünglichen Einheit des Ichs mit der Natur:

‚Gesänge 1'

O daß wir unsere Ururahnen wären.
Ein Klümpchen Schleim in einem warmen Moor.
Leben und Tod, Befruchten und Gebären
Glitte aus unseren stummen Säften hervor.

Ein Algenblatt oder ein Dünenhügel,
Vom Wind Geformtes und nach unten schwer.
Schon ein Libellenkopf, ein Mövenflügel
wäre zu weit und litte schon zu sehr.

Benns Modernität besteht darin, daß er dem modernen Evolutions- und Fortschrittsoptimismus widerspricht und zugleich sehnsüchtig nach einer als verloren empfundenen Lebendigkeit zurückblickt. Mit ihr ist die Selbstverständlichkeit der menschlichen Gefühle, ja des Glaubens, verloren; poetisch sagbar ist nur noch das Heimweh nach dem Verlorenen (vgl. ‚Gesänge 2').
Der Gegensatz zwischen moderner Intellektualität und Sehnsucht nach der verlorenen Einheit mit dem Leben drückt sich in vielen Gedichten Benns mit dem Nebeneinander zweier Sprachebenen aus. Der Klang der – oft traditionellen – Verse und die Bilder des Lebens sind dann, anders als in den ‚Morgue'-Gedichten, eigentlich 'schön'; aber die Bilder sind eingebettet, und zwar oft als bloße Stichwörter, in den Redegestus des

Denkens und Reflektierens. Neben Pathos, Aufruf, Aufschrei, defor-
mierender Beschreibung und dem traumhaften Gefühlsbekenntnis
zeichnet sich hier eine weitere Eigenart des dichterischen Sprechens in
der Moderne ab: die gegenseitige Brechung und Verschränkung des
Bildes mit dem Gedanken, des Ästhetischen mit der Reflexion.

3.1.6 Poesie als Eigenwelt des reinen Gefühls

Nur wenige mit dem Expressionismus verbundene Dichter haben sich
der ungebrochenen Gefühlsaussprache und nicht verfremdeten Phantasie überlassen. *Else Lasker-Schüler* (1869–1945) tat dies nicht nur in
ihren Gedichten, sondern auch im Leben, wenn sie z. B. sich und ihre
Freunde – darunter vor allem Gottfried Benn und Franz Marc – in
Sagen- und Märchenfiguren umdeutete und ihr bohemehaftes Leben wie
etwas Phantasiertes zu leben versuchte. So schickte sie Pinthus für die
Anthologie ‚Menschheitsdämmerung‘ folgenden ‚Lebenslauf‘:

„Ich bin in Theben (Ägypten) geboren, wenn ich auch in Elberfeld zur Welt kam
im Rheinland. Ich ging bis 11 Jahre zur Schule, wurde Robinson, lebte fünf Jahre
im Morgenlande, und seitdem vegetiere ich.“

Um zu „leben“ und nicht nur zu „vegetieren“, um noch aufrichtig als Ich
sprechen und ein Du anreden zu können, dichtete Else Lasker-Schüler
sich eine Phantasiewelt, die freilich von ihrer realen Umwelt weit entrückt war, wie in dem Gedicht *‚Ein alter Tibetteppich‘*:

Deine Seele, die die meine liebet,
ist verwirkt mit ihr im Teppichtibet.

Strahl in Strahl, verliebte Farben,
Sterne, die sich himmellang umwarben.

Unsre Füße ruhen auf der Kostbarkeit
Maschentausendabertausendweit.

Süßer Lamasohn auf Moschuspflanzenthron,
Wie lange küßt dein Mund den meinen wohl
Und Wang die Wange buntgeknüpfte Zeiten schon?

Unmittelbare Wirklichkeit ist hier nur noch das Gefühl, das sich aus
dem Gegenüber des Teppichbildes in der Imagination Sprachbilder her-
anzieht, wo es sie nur findet: im Kunstgebilde des Teppichs selbst, in der
Natur, in der Vorstellung exotischer und sagenhafter Kulturen, aber
auch in eigenwilligen Wortprägungen. Das Geflecht dieser Bilder beruht
nicht auf Gedanken, sondern auf der assoziativen Wiederholung und
Variation des Gewebe-Motivs, mit dem das Gefühl, die Liebe, sich eine
imaginäre Welt gestaltet, in der die Liebe zum fernen wunderbaren
Land – „Teppichtibet“ –, zum ineinander verschlungenen Sternenhim-

mel, zum endlosen Schmuck des Bodens unter den Füßen und zur Entgrenzung der Zeit in „buntgeknüpfte Zeiten" wird.

Die Dichterin, deren erster Gedichtband schon 1902 erschien, nimmt
eine Sonderstellung im Umkreis des Expressionismus ein. Sprache und
Bilder ihrer Lyrik haben nicht das Gewaltsame vieler Expressionisten an
sich; die äußere Realität wird nicht als deformierte aufgezeigt, sondern
ist gegen eine innere Welt eingetauscht, die den traumhaften Bildwelten
einiger Symbolisten sowie Georg Heyms und Georg Trakls nicht fern-
steht. Mehr als viele Zeitgenossen hat sie auch den ganz unpathetischen
Gefühlsausdruck in schlichten Alltagsworten, zwanglosen freien Rhythmen ohne Reim und sparsamer Bildlichkeit gefunden: „Seit du nicht da
bist, / ist die Stadt dunkel [. . .]" (‚Ein Lied der Liebe'). Mit den Expressionisten verband sie nicht nur Freundschaft, sondern auch die Sehnsucht nach der Vereinigung des Ichs mit Du, Welt und All, der doch die
Erfahrungen der Einsamkeit, Entfremdung und Abgründigkeit schon
vorgegeben sind: „[. . .] Alles ist tot, / nur du und ich nicht" (‚Dr.
Benn').

3.1.7 Der Krieg als Weltende

Unter den ersten 82 Gedichten der Anthologie ‚Menschheitsdämme-
rung' mit den Themen Weltende, Verfall, Großstadt, Verzweiflung,
Tod usw. stehen zwölf Kriegsgedichte, fast alle aus dem ersten Welt-
kriegsjahr 1914/15, und nur eines davon – ‚Der Aufbruch' von Ernst
Stadler – spricht die Hoffnung aus, daß das Kriegserlebnis eine innere
Erneuerung bringen werde. In allen anderen erscheint der Krieg als die
exemplarische Katastrophe, in der das geahnte „Weltende" als totale
Verfremdung und Auflösung der Ich- und Welterfahrung erlebt wurde.
Dieses Erlebnis notierte in seinen Briefen auch *August Stramm*
(1874–1915), bevor er im Krieg fiel, und stellte dabei u. a. fest:

„[. . .] Unaufhörlich bullert der Tod in wahnwitzigsten und lächerlichsten Gestalten. *Alles Pathos verschwindet.* [. . .]"

Damit war für ihn bestätigt, was er schon vorher empfunden hatte, daß
nämlich die traditionellen Formen und Sprechweisen der Poesie für
seine Erfahrung der Wirklichkeit als Ausdruck überhaupt ungeeignet
waren. Infolgedessen löste er Strophe und Vers, Satzbau und Semantik
aus ihrer Regelmäßigkeit, der Unterschied zwischen objektiver Wahrnehmung und subjektiver Empfindung, zwischen Gedanke und Bild verschwindet:

,Sturmangriff'

Aus allen Winkeln gellen Fürchte Wollen
Kreisch
Peitscht
Das Leben
Vor
Sich
Her
Den keuchen Tod
Die Himmel fetzen
Blinde schlächtert wildum das Entsetzen.

Von allen Lyrikern bis zum Weltkrieg geht Stramm mit der Deformation
am weitesten, nämlich bis in das Sprachmaterial selbst. Allerdings löst er,
im Unterschied zu den Dadaisten und späteren Sprachexperimentierern,
den Wortschatz und die Grundmuster der normalen Sprache nicht ganz
auf, sondern deformiert sie eben nur. Man versteht, was er ausdrücken
will, empfindet vielleicht, welche intensiven Empfindungen er in den
einzelnen Ausdrücken zusammenballt, und ist gleichzeitig irritiert durch
die sprachlichen Deformationen – damit kann man die vom Dichter
erlebte Deformation der Wirklichkeit, der Erfahrung und des Menschen
nachvollziehen. Das entspricht formal den Prognosen des Futurismus
(vgl. S. 77 ff.), inhaltlich gibt es die totale Erfahrungskrise wieder.

3.2 Exkurs: Dunkle Poesie und poetische Chiffre

Bild und Metapher sind alte Kunstmittel der Poesie. Die neuhochdeut-
sche Lyrik kennt seit der Barockepoche die 'kühne Metapher'; das ist ein
ungewöhnliches, manchmal paradoxes Sprachbild, mit dem Natürliches
künstlich verfremdet wird, sei es ins Kunst-Schöne, ins Mystisch-Reli-
giöse, sei es auch ins Häßliche der Satire oder als Zeichen der Vergänglichkeit. Aufklärung und Klassik vermieden die oft vernunftwidrige
Semantik der 'kühnen Metapher', aber die Romantiker entdeckten sie
wieder als Ausdruck des Irrationalen oder der Transzendenz des Lebens
und des Todes. 'Dunkles' Sprechen in der Dichtung wurde Ausdruck
seelischer Tiefe im Widerspruch zu einer Welt, in der Vernunft unsinnig
gebraucht wird. So waren für den Romantiker *Novalis* (1772–1801) „Märchen und Gedichte" die „wahren Weltgeschichten"; vor dem „geheimen
Wort" der Poesie sollte „das ganze verkehrte Wesen" einer bis zur Sinnleere rationalisierten Welt weichen. Denn Wahrheit war diesen Romanti-
kern nicht das Wissen der Ratio, sondern das, was die Seele als Sinn
erfaßt und was die „wunderbaren Sprachen" (Wackenroder) des Gefühls,
des Glaubens und der Künste aussprechen, als erlebte Wahrheit, in der
Welt und Ich sich gegenseitig erschließen und vereinigen.

Baudelaire und die französischen Symbolisten haben Traditionen der
Romantik an die Moderne weitergegeben; was sie nicht weitergeben
konnten, war das Vertrauen der Romantiker in einen·Sinn der Welt und
in das „heimliche" Einverständnis der Seele mit der Welt. Je mehr die
Vernunft die Welt erklärte und gestaltete, um so unverständlicher
schien sie dem Gefühl zu werden. Inzwischen ist auch der Glaube an
eine universale Poesie, in der sich alle verstehen, verlorengegangen.
Wirklichkeit wird als etwas Unverständliches erlebt, das normale Sprechen darüber als sinnleer empfunden (Hofmannsthal). Kommunikation
mit anderen erscheint fast unmöglich; das Ich kann nur noch versuchen,
sich selbst auszusprechen und so vielleicht eine neue Wirklichkeit in
Sprache zu entwerfen. Dazu schafft es sich eine eigene Sprache, die sich
'hermetisch' gegen die Gebrauchssprachen abschließt. Deshalb soll
Dichtung „die entscheidenden Dinge in die Sprache des Unverständli-
chen erheben" (Benn); das „geheime Wort" wird zur „Chiffre", zum
Zeichen, das einen Text verschlüsselt (vgl. S. 64 f.)
Der Unterschied zwischen modernen poetischen Chiffren und traditionellen Metaphern, Symbolen oder Allegorien besteht darin, daß der
Sinn der Chiffren nicht nach einem konventionellen Schlüssel zu verstehen ist; weder die Gewohnheiten der Sprache und Literatur noch die
gewohnten Wirklichkeitsvorstellungen reichen dazu aus. An derart chiffrierte moderne Dichtungen darf der Leser nicht gewohnte Bedeutungen herantragen. Vielmehr muß er die inneren Bedeutungsbeziehungen
der Texte erst aufspüren, indem er die „Selbstsprache" (Novalis) des
Textes lernt und damit erst seine besondere Bedeutung versteht. Das
chiffrierte Gedicht erschließt sich nur aus sich selbst, die Chiffrensprache eines Dichters aus seinem Werk, und die Chiffren einer Epoche
müßte man aus vielen Dokumenten verstehen lernen – sofern nach
modernem Bewußtsein eine Epoche überhaupt noch gemeinsame Chiffren haben kann.

3.3 Georg Heym und Georg Trakl: Chiffren von Leben und Tod

Die beiden bekanntesten Lyriker der expressionistischen Periode,
Georg Heym (1887–1912) und Georg Trakl (1887–1914), waren eigentlich Einzelgänger, wurden aber von den Expressionisten als ihresglei-
chen hoch geschätzt. Sie folgten jedoch weniger als andere expressionistischen Moden, sondern schufen sich, anknüpfend an literarische Traditionen, eine ganz eigene Bild- und Sprachwelt.

Lebenslinien. Auf den ersten Blick erscheinen ihre Persönlichkeiten und Lebens-
läufe gegensätzlich. Der Schlesier *Heym* war fasziniert von der Metropole Berlin,
studierte an mehreren Universitäten Jura, mit Referendariat und Promotion,
gewann Anschluß an die Literaten des ‚Neuen Clubs' in Berlin und starb 1912

unerwartet durch einen Unfall beim Eislaufen. Nach seinen Äußerungen über sich selbst liebte er das Leben und empfand Widerwillen gegen die „banale Zeit", in der er lebte; das Häßliche und Makabre fesselte ihn wegen seiner unbürgerlichen Ausdruckskraft.

Der Salzburger *Trakl* dagegen litt schon als Jugendlicher unter Schuldgefühlen, wurde rauschgiftsüchtig, absolvierte zwar ein Praktikum und Studium der Pharmazie und wurde Apotheker, hielt es aber an keiner Arbeitsstelle aus, wurde mit dem Leben nicht fertig und brach als Sanitäter unter dem Grauen der Schlachten des Ersten Weltkriegs in Galizien zusammen – sein Tod war erwartet, wenn nicht sogar gewollt.

Trotzdem verbindet beide nicht nur ihre Gleichaltrigkeit. Ihr früher Tod trat jeweils ein, als sie erst wenige Gedichte veröffentlicht hatten; trotzdem wurden sie mit postumen Veröffentlichungen bald bekannt. Beide stammten aus wohlhabenden und gebildeten Bürgerfamilien, entfremdeten sich ihnen aber früh. Beide waren physisch kräftige Naturen, die ihre Vitalität verschwendeten: Der eine, Heym, schätzte ein exzentrisches Leben und den Alkohol, der andere, Trakl, verfiel der Droge. Trakl hielt es bei keiner Arbeit aus, Heym wechselte rasch die Wohn- und Studienorte und träumte von weiten Reisen. Beide versuchten, sich in das bürgerliche Leben zu finden, waren aber dazu innerlich unwillig (Heym) oder unfähig (Trakl). Und beide schöpften aus der Inkongruenz ihres inneren mit dem normalen Leben viele Bilder ihrer Dichtungen.

3.3.1 Georg Heym: Landschaften und Figuren des verlorenen Wesens

Georg Heym hat 1911 in einem Tagebucheintrag von sich selbst bekannt, was auf viele junge Dichter seiner Generation zutraf:

„Mein Gott – ich ersticke noch mit meinem brachliegenden Enthousiasmus in dieser banalen Zeit! Denn ich bedarf gewaltiger äußerer Emotionen, um glücklich zu sein. [... ich] krank genug, um mir selber nie genug zu sein, ich wäre mit einem Male gesund, ein Gott, erlöst, wenn ich irgendwo eine Sturmglocke hörte, wenn ich die Menschen herumrennen sähe mit angstzerfetzten Gesichtern, wenn das Volk auferstanden wäre und eine Straße hell wäre von Pieken, Säbeln, begeisterten Gesichtern und aufgerissenen 'Hemden'. "

Das Gefühl einer Krankheit, die aus der „banalen Zeit" herrührt, und die Sehnsucht nach einer alle Menschen begeisternden und erschütternden Revolution sind elementare Motive des Expressionismus. Heym ist jedoch kein politischer Revolutionär geworden, obwohl er in einigen Gedichten und der Erzählung ‚Der 5. Oktober' der Französischen Revolution eindrucksvolle poetische Bilder gegeben hat. Nicht einmal seine Lyrik ist in jeder Hinsicht 'revolutionär'; in der Gedichtform z. B. ist sie eher traditionell, formstreng und formenarm. Auch die Themen der Gedichte wirken zunächst vertraut: Es sind viele Natur- und Landschafts-, auch Großstadtgedichte, ferner Gedichte über menschliche oder allegorische Figuren. Darin scheint Heym Symbolisten wie George, Hofmannsthal oder Rilke nahezustehen. Das Besondere und Neuartige sind diese Bilder selbst und ihr inneres Gefüge. Ihres Abstandes von den Symbolisten, den „Leuten des Innern", war Heym sich aber bewußt, wie wiederum die o. a. Tagebuchnotiz zeigt:

„Alle diese [. . .] Leute des Innern können sich in diese Zeit eingewöhnen, [. . .] ich aber, der Mann der Dinge, ich ein zerrissenes Meer, ich immer Sturm, ich der Spiegel des Außen, ebenso wild und chaotisch wie die Welt [. . .]"

Vor allem in den Gedichten der einzigen zu Lebzeiten Heyms erschienen Sammlung, ‚Der ewige Tag' (1911), erscheint Heym als „Mann der Dinge" und „Spiegel des Außen":

Beteerte Fässer rollten von den Schwellen
Der dunklen Speicher auf die hohen Kähne.
Die Schlepper zogen an. Des Rauches Mähne
Hing rußig nieder auf die öligen Wellen [. . .] (‚Berlin I')

Die Wahrnehmungen werden Satz für Satz beschrieben und drängen sich dem Leser farbig, griffig und räumlich auf. In ihrem parataktischen Nebeneinander lassen die Gegenstände aber keine innere Beziehung erkennen. Oft enden die Gedichte mit einem Ausblick ins Weite, aber die Weite gibt den Dingen keine Transzendenz:

[. . .] Wir ließen los und trieben im Kanale
An Gärten langsam hin. In dem Idylle
Sahn wir der Riesenschlote Nachtfanale. (‚Berlin I')

Das die Idylle verfremdende Zeichen der Industrie und zugleich der Nacht wirkt eher wie eine konkrete Bedrohung, nicht wie ein Ausblick. Die Beziehungslosigkeit der Bilder wird dadurch verstärkt, daß die Menschen, die gezeigt werden, keine Individuen sind, sondern Typen oder gar die „Menge" und „uraltes Volk". Und das Ich des lyrischen Sprechers erscheint in den Gedichten Heyms nur selten, und wenn, dann ganz unbestimmt. Die menschlichen Figuren nun sind sehr oft Verkörperungen einer schwachen, reduzierten oder gar deformierten Existenz: Kinder, Alte, Krüppel, Gefangene, Blinde usw., immer wieder Tote. Sie werden anschaulich gezeichnet, aber nicht gedeutet; ein Lebenssinn oder eine Transzendenz ist ihnen unzugänglich. So wird z. B. in dem Gedicht ‚Der Blinde' der Himmel als ungeschaute Farbenwelt und Weite den „toten Augen", ja dem „Paar von weißen Knöpfen" gegenübergestellt, mit dem Schluß:

[. . .] Der Himmel taucht in das erloschene Licht
Und spiegelt in dem bleiernen Opal.

Prototypen des verlorenen Lebensbezuges sind die Toten, und so erscheinen z. B. in zwei Sonetten Louis Capet und Robespierre, der gestürzte König und der siegreiche Henker der Französischen Revolution, erst im Moment ihrer jeweiligen Hinrichtung; als Figurationen der Ohnmacht sind sie einander entsetzlich ähnlich geworden. Tote stellt

Heym zwar nicht nur entstellt dar, sondern auch als mitten im Leben
Ruhende oder Dahintreibende wie „Der Schläfer im Walde" oder mehrmals Ophelia. Aber gerade dieses Ineinander von Leben und Tod macht
beide unverständlich, fremd; die so prall dargestellte Wirklichkeit hat
kein inneres Leben.

Alle Lebensbilder sind im Grunde Lebensschatten. Und so kennzeichnet sie das postum veröffentlichte Gedicht ‚Umbra vitae‘, das in der
Anthologie ‚Menschheitsdämmerung‘ (vgl. S. 88 ff.) an zweiter Stelle
hinter ‚Weltende‘ von Jakob van Hoddis steht. In diesem Gedicht zeichnet sich ein zweiter Typ Heymscher Gedichte ab: Die Wirklichkeit wird
– grotesk oder pathetisch – zur verrätselten Allegorie verwandelt. In den
mittleren Strophen des Gedichts werden die „Horden" der „Selbstmör-
der" geschildert, die nachts die Städte durchstreifen: „Die suchen vor
sich hin ihr *verlorenes Wesen.*" Sie gleichen selbst schon den Toten und
sind von einer Welt aus Töten und Sterben umgeben. Ein scheinbar
auferstehender Toter verschwindet alsbald: „Auf einmal ist er fort, *wo
ist sein Leben?*" Hier handelt es sich um deutende Bilder, so chiffriert sie
auch sein mögen; ein Weltbild wird sichtbar, wenn auch das einer „chao-
tischen" und „zerrissenen" Welt der „kranken" Menschen mit „angstzerfetzten Gesichtern" (vgl. die Tagebuchnotiz). Jedes positive Weltbild
wird ausdrücklich in Frage gestellt. So beginnt ‚Umbra vitae‘ mit Bildern eines Himmels voller absurder „Himmelszeichen", nach denen groteske „Sternedeuter" und „Beschwörer", vergeblich forschend, ihre
Fernrohre richten. Am Ende des Gedichts ist von Träumen die Rede –
einer anderen Art, hinter das vordergründige Leben zu schauen. Aber
auch die Träume sind wieder nur Lebensschatten, „die an stummen
Türen schleifen". Ähnliche negative Chiffren-Allegorien oder, nach
dem Titel einer Gedichtfolge gesagt, „schwarze Visionen" finden sich in
den großen, noch deutlicher zeitkritisch wirkenden Gedichten ‚Der Gott
der Stadt‘, ‚Die Dämonen der Städte‘, ‚Der Krieg‘ u. a. m. Sie alle
erinnern an die Vanitas-Bilder der Barockdichter und an die Zwischen-
welten von Traum und Tod einiger Romantiker. Expressionistisch ist
das deformierte, ja wahnhafte Wirklichkeitsbild entfremdeter und sinn-
loser Existenz.

Es gibt allerdings noch einen dritten Heym, den des „Enthousiasmus",
der Sehnsucht nach Glück und Erlösung. Zu ihm gehören sehr schöne
Liebesgedichte, z. B. ‚*Deine Wimpern, die langen [. . .]*‘, und das Früh-
lingsgedicht ‚*Alle Landschaften haben/Sich mit Blau gefüllt [. . .]*‘. Sehnsucht und Resignation verschmelzen in den beiden Seefahrer-Elegien
‚*Mit den fahrenden Schiffen [. . .]*‘ und ‚*Die Seefahrer*‘: Auch hier vergegenwärtigen sich die Weltreisenden im Rückblick die Vergeblichkeit der
Suche nach einem „Du" oder den Untergang der Wirklichkeiten – das
volle Leben ist unerreichbar oder verloren –, aber weder apokalyptisch
noch zynisch, sondern wehmütig und schön.

Nachträglich hat man Heym unterstellt, er habe in seinen „schwarzen Visionen" die Katastrophen des 20.Jahrhunderts prophetisch vorhergesagt. Der realgeschichtliche Bezug seiner Dichtungen besteht aber wohl nur im Widerwillen gegen die wilhelminisch-bürgerliche Situation vor dem Ersten Weltkrieg und im Verlangen nach revolutionärer Veränderung allgemein. Literargeschichtlich läßt Heyms Lyrik nicht eigentlich einen Bruch mit jeder Tradition erkennen, sondern im Anschluß an lyrische Traditionen die Entfaltung einer neuen Bilder- und Chiffrensprache als Ausdruck für sein modernes Lebensgefühl.

3.3.2 Georg Trakl: Untergang und Versöhnung in Traum, Wahn und Mythen

„Alle Gedichte dieses Buches entquellen der Klage um die Menschheit, der Sehnsucht nach der Menschheit", schrieb Pinthus in seinem Vorwort zur ‚Menschheitsdämmerung' (vgl. S. 88). Das trifft ganz besonders auf Trakl zu. Und was Hugo Ball über die expressionistischen Dichter sagte: „Ihr Leben ist ein Kampf mit dem Irrsinn" (vgl. S. 84f.), ergab sich für Trakl aus seiner inneren Biographie: aus Kindheitserlebnissen, dem Gefühl der Einsamkeit inmitten einer schönen Umwelt, aus einer qualvoll intimen Beziehung zur Schwester und aus der Flucht in die Droge. Während viele seiner Generation die existentielle Entfremdung in einer entarteten Umwelt bemerkten, sah Trakl sie in seiner eigentlich schönen Umwelt als um so krasseren Widerspruch; denn immer wieder in Trakls Gedichten erwächst aus einem schönen, idyllischen Bild plötzlich oder unmerklich das Gefühl des Verfalls, des Schmerzes, des Grauens:

> [. . .] Bald nisten Sterne in des Müden Brauen;
> In kühle Stuben kehrt ein still Bescheiden
> Und Engel treten leise aus den blauen
> Augen der Liebenden, die sanfter leiden.
> Es rauscht das Rohr; anfällt ein knöchern Grauen,
> Wenn schwarz der Tau tropft von den kahlen Weiden.
> (‚Der Herbst des Einsamen')

Trakls Lyrik ist 'dunkler', 'hermetischer' (vgl. S. 96f.) als die Heyms und vieler Expressionisten, weil sie ohne Rücksicht auf Logik und Kausalität ganz persönliche Bilder und Lieblingswörter Trakls aneinanderreiht oder miteinander verflicht. Trakl hat dies selbst als ein traumhaftes Sprechen gekennzeichnet, z. B., wenn er eine Gedichtfolge ‚Sebastian im Traum' nannte. Und er hat schon in einem frühen Gedicht die inneren Erfahrungen, die er damit ausdrücken wollte, in Beziehung zum Wahnsinn gesetzt:

> [. . .] Stirne Gottes Farben träumt,
> Spürt des Wahnsinns sanfte Flügel.
> Schatten drehen sich am Hügel
> Von Verwesung schwarz umsäumt. (‚In den Nachmittag geflüstert')

In der traum- oder wahnhaften Entrückung dieser Gedichte, die der
suggestive Strom der Verse verstärkt, halten sich Schönes und Häß-
liches, Leben und Verfall, Grauen und Trost gegenseitig in einer eigen-
artigen Schwebe. Das erinnert an die Fortsetzung des Ausspruchs von
Hugo Ball:

> „Ihr Leben ist ein Kampf mit dem Irrsinn [...], falls es ihnen nicht glückt, für
> einen Moment in ihrem Werk das Gleichgewicht, die Balance, die Notwendigkeit
> und Harmonie zu finden." (Vgl. S. 84ff.)

Wie Heym läßt Trakl Einflüsse der Symbolisten und Impressionisten
erkennen, vor allem in den frühen Gedichten. Mehr und mehr aber
entwickelte er eine eigene und schwer verständliche Vorstellungswelt
aus ganz persönlichen Chiffren, z. B. aus tatsächlichen und imaginären
Kindheitserinnerungen in den freien Rhythmen der Gedichtfolge ,Seba-
stian im Traum'. Persönlich begründet ist sicherlich die immer wieder
beschworene Figur der „Schwester", die zugleich rein, tröstlich und
unnahbar erscheint. Gerade diese Figur zeigt aber auch, daß Trakl bio-
graphische Elemente in rational nicht erklärbare Chiffren verwandelt:

> [...] Wieder nachtet die Stirne in mondenem Gestein;
> Ein strahlender Jüngling
> Erscheint die Schwester in Herbst und schwarzer Verwesung.
> (,Ruh und Schweigen')

Das Gefüge dieser Bilderchiffren – wenn z. B. die strahlenden Gegen-
Bilder zur schwarzen Verwesung, Jüngling und Schwester, in einer Figur
zu verschmelzen scheinen – bildet so etwas wie einen nur diesem Dichter
eigenen Mythos. Als Mythos ist dabei eine erzählte, geschilderte oder
beschworene Vorstellungswelt zu verstehen, mit einem viele Lebenser-
scheinungen umfassenden Beziehungsgeflecht, das diese Lebenserschei-
nungen als existentielle Grunderfahrungen deutet und letztlich auf eine
Transzendenz hinweist. So verschieden die großen Mythen der Menschheit auch sind, solche Grunderfahrungen sind ihnen allen gemeinsam.
Dementsprechend kann Trakl seine ganz persönlichen Chiffren – z. B.
Schwester, Jüngling, Amsel, Verfall – mit denen mythischer Traditionen
verflechten. Ähnlich wie Hölderlin und manchmal geradezu in hölder-
linscher Diktion wirkt er biblische Zeichen, z. B. den himmlischen Bräu-
tigam, Hirten, Dornstrauch und Engel (vgl. ,De Profundis'), und antike
Zeichen, z. B. Ölbaum, Pan, Hain (vgl. ,Sebastian im Traum') mit
seinen persönlichen Zeichen ineinander. Von Hölderlin direkt übernommen scheint das Motiv „Brot und Wein". Und wie in Hölderlins
Lyrik scheint das Grundthema Trakls zu sein, dem Leiden an einer
Welt, die Unschuld und Glück einer kindlichen und idyllischen Existenz
verloren hat, die Sehnsucht nach Erlösung in den Bildern des Schönen,
Reinen oder Heiligen entgegenzuhalten. Modern bzw. expressionistisch

sind bei Trakl dabei vor allem die Motive des Verfalls, der Verwesung, des Todes und die irrational chiffrierte Sprechweise.

Haben diese imaginären Mythen noch irgend etwas mit der historischen Erfahrung Trakls zu tun? In seinen späten Gedichten bemerken wir den Zusammenprall seiner persönlichen und poetischen Traumwelt mit der Erfahrung des Weltkriegs – die Traumwelt schien zu erliegen. Wahrscheinlich hat Trakl den Tod gesucht, weil er als Sanitäter die Leiden der Verletzten und Sterbenden nach der Schlacht bei Grodek in Galizien nicht ertragen konnte. „Verfall" und „Untergang", die er bisher als etwas eher Stilles in der Natur und seinen Träumen empfunden hatte, waren hier überwältigende äußere Realität geworden. In Trakls letzten Gedichten nun durchsetzt sich das Seelenbild mit den konkreten Wahrnehmungen des Tötens und Sterbens im Krieg. Und während etwa ein Kriegsgedicht aus dem Jahre 1913 das Kriegsgrauen noch mit den Bildern des Abendmahls und der Jünger Christi auffängt („Menschheit vor Feuerschlünden aufgestellt [...]"), wohnt im Gedicht ‚Grodek' über dem Schlachtfeld „ein zürnender Gott". In einem anderen dieser letzten Gedichte sind selbst einige Lieblingschiffren Trakls wie Silber, Baum, Mond und Tier dem Grauen des Krieges unterworfen:

Im Osten

Den wilden Orgeln des Wintersturms
Gleicht des Volkes finstrer Zorn,
Die purpurne Woge der Schlacht,
Entlaubter Sterne.

Mit zerbrochenen Brauen, silbernen Armen
Winkt sterbenden Soldaten die Nacht.
Im Schatten der herbstlichen Esche
Seufzen die Geister der Erschlagenen.

Dornige Wildnis umgürtet die Stadt.
Von blutenden Stufen jagt der Mond
Die erschrockenen Frauen.
Wilde Wölfe brachen durchs Tor.

4 DADA – Anti-Kunst und Un-Sinn

Zeitschriften und Sammelpublikationen:
Cabaret Voltaire (Zürich 1916)   Dada (Zürich 1917)
Der Dada (Berlin 1919 f.)
Dada-Almanach. Hrsg. von Richard Huelsenbeck (Berlin 1920)
MERZ. Hrsg. von Kurt Schwitters (1923–32)

Einzelpublikationen:
Hans Arp: (Gedichte seit 1911)
Der Vogel selbdritt (1920)   Die Wolkenpumpe (1920)
Hugo Ball: (Lautgedichte 1916)
Die Flucht aus der Zeit (Tagebuch. 1927)
Raoul Hausmann: fmsbwtözäu (Plakatgedicht. 1918)
Synthetisches Cino der Malerei (1918)
Hurra! Hurra! Hurra! (12 Satiren. 1920)
Richard Huelsenbeck: Schalaben, Schalomai, Schalamezomai
(1916)   Phantastische Gebete (1918)
Dadaistisches Manifest (1918)   En avant Dada.
Eine Geschichte des Dadaismus (1920)   Dada siegt (1920)
Kurt Schwitters: Anna Blume. Dichtungen (1919)
Die Blume Anna (1923)
Tristan Tzara: Vingtcinq poèms; La Première aventure céleste de
Monsieur Antipyrine. In: Collection Dada. Hrsg. von Tristan
Tzara (1916)   Sept manifestes dada (1924)

4.1 Der Nonkonformismus des ‚Cabaret Voltaire' und seine Wirkungen

Während ringsum der Weltkrieg sich in den Schützengräben festkrallte, konnten in der neutralen Schweiz Avantgardisten die Kunstrevolution im Frieden fortsetzen: die Gruppe der Dadaisten. Im Februar 1916 trafen sich in Zürich einige Künstler und Literaten, darunter deutsche Emigranten, und gründeten das ‚Cabaret Voltaire', dem dann 1917 eine Galerie hinzugefügt wurde. Zum Kern der Gruppe gehörten Hans Arp (1887–1966), Hugo Ball (1886–1927), Richard Huelsenbeck (1892–1974) und Tristan Tzara (1896–1963). Gemeinsam war ihnen ihr entschiedener Individualismus und ihr Überdruß an Europa und seinen Traditionen, ja sogar am Expressionismus, und ihr Bestreben, in der Kunst alles anders zu machen als bisher. Aus den anfänglichen Kabarett-Späßen ergab sich bald eine bewußte Anti-Kunst des Un-Sinns: „Die Kunst ist eine Anmaßung" (Tzara). Was der zufällig gefundene Name „DADA" bedeuten sollte, blieb unklar – wahrscheinlich eben nichts; aber er klingt, hat Rhythmus, erinnert an die Sprachen der Kinder, der Primitiven, auch der Geistesgestörten, und ist jeder Deutung offen. Die Dadaisten hatten durchaus Vorbilder – man denke an den Futurismus, die „Brettl"-Kleinkunst der Vorkriegszeit (z. B. Wedekind), Christian Morgensterns ‚Galgenlieder', Alfred Jarrys ‚Ubu Roi' (vgl. S. 77). Ihre historische Bedeutung bestand darin, daß sie aus dem Un-Sinn ein Prinzip machten und als Gruppe eine öffentliche und weitreichende Wirkung hatten.

Huelsenbeck ging 1917 nach Berlin und wirkte seit 1918 mit *George Grosz,* den Brüdern *Herzfelde, Raoul Hausmann, Walter Mehring* und anderen weiter im dortigen ‚Club Dada'. Der Nonkonformismus politisierte sich zum Kampf gegen den „Geist von Weimar", womit gleichzeitig das Festhalten an der klassisch-idealistischen Tradition und die Republik gemeint war – eine folgenschwere Doppeldeutigkeit. Provokationen des Parlaments und der Reichswehr führten 1920 zu einem Prozeß, in dessen Verlauf die Gruppe zu zerfallen begann. *Kurt Schwitters,* der sich ihr vergeblich anzuschließen versucht hatte, kritisierte die Politisierung und schuf seinen eigenen Dadaismus, den er MERZ nannte.

Auch in Köln entstand, vermittelt durch *Hans Arp,* eine Gruppe, der der Maler *Max Ernst* angehörte.

In Paris gründete *Tristan Tzara* 1919 eine neue Dada-Gruppe, u. a. mit *Louis Aragon, André Breton* und *Francis Picabia,* aus deren innerem Zerfall 1923/24 der 'Surrealismus' unter der Führung Bretons hervorging. Kontakte amerikanischer Avantgardisten mit den Parisern ließen seit 1920 sogar einen Dada – New York entstehen, mit *Man Ray, Marcel Duchamp* und *Francis Picabia.*

So schnell die Gruppen entstanden und zerfielen, ihre Ausstrahlung wirkte noch über den Zweiten Weltkrieg hinweg, in den USA etwa auf die Pop-art, im deutschen Sprachraum auf die konkrete Poesie, die 'Wiener Gruppe' *(Hans Carl Artmann, Gerhard Rühm, Konrad Bayer)* oder *Ernst Jandl.*

4.2 Negation des Sinns

Die Dadaisten wandten sich gegen alles Bestehende, sogar gegen den Expressionismus, der ihnen zu 'innerlich' und zu 'metaphysisch' schien. Sie waren davon überzeugt, daß „der Bankrott der Ideen das Menschenbild bis in die innersten Schichten zerblättert hat" (H. Ball), und leugneten jede Weltanschauung; anders als viele Expressionisten wollten sie weder den Zerfall beklagen noch neue Ideen verkünden. DADA will vielmehr den Normenzerfall als solchen kreativ nutzen und darstellen, was den Spaß am Unsinn und am Schockieren nicht ausschließt. Dazu ist ihnen jedes Kunstmittel recht, wenn es nur neu ist, also gerade auch das, was nicht als Kunst gilt. Grundsätzlich gibt es für sie deshalb keine scharfe Grenze zwischen den Künsten; manche von ihnen, wie Arp und Schwitters, waren in verschiedenen Künsten produktiv. Die Verschmelzung von Textproduktion, Vortrag, Bild, Plakat, Show usw., Mischfor-

men aus Kabarett, Dichterlesung, Ausstellung und Revue sind die
eigentlich dadaistischen Produktionsformen. In den Gemeinschaftspro-
duktionen ist das Prinzip des individuellen Autors und Künstlers oft
aufgegeben. Denn: „Dada ist die schöpferische Aktion in sich selbst"
(Dada-Almanach).
Soweit Dadaisten sich politisch engagierten, muß man ihre Tendenz als
unbestimmt anarchistisch bezeichnen; anarchistisch ist eigentlich auch
ihr Kunstverständnis. Letztlich äußert sich im Dadaismus die Verweige-
rung von Sinn:

Was ist dada?

Eine Kunst? Eine Philosophie? eine Politik?
Eine Feuerversicherung?

Oder: **Staatsreligion?**

ist **dada** wirkliche **Energie?**

oder ist es ➡ **Garnichts,** d. h.

alles?

Dada-Annonce, aus: ‚Der Dada' Nr. 2, Berlin 1919

Sinnlosigkeit ist dabei nicht pessimistisch verstanden; sie wird als
Grundbefindlichkeit der Realität akzeptiert und als Freiheit von Konventionen und Präformationen genutzt:

„Das Leben erscheint als ein simultanes Gewirr von Geräuschen, Farben und
geistigen Rhythmen, das in die dadaistische Kunst unbeirrt mit allen sensationellen Schreien und Fiebern seiner verwegensten Alltagspsyche und in seiner gesam-
ten brutalen Realität übernommen wird. [...] Der Dadaismus steht zum erstem-
mal dem Leben nicht mehr ästhetisch gegenüber, indem er alle Schlagworte von
Ethik, Kultur und Innerlichkeit, die nur Mäntel für schwache Muskeln sind, in
seine Bestandteile zerfetzt. [...] Der Dadaismus führt zu unerhörten neuen Möglichkeiten und Ausdrucksformen aller Künste."
(Dadaistisches Manifest, 1919, redigiert von Richard Huelsenbeck, unterschrie-
ben von den meisten Züricher und Berliner Dadaisten)

4.3 Dadaistische Poesie

4.3.1 Parodie und Groteske

Am Anfang dadaistischer Kabarettveranstaltungen standen vor allem Parodien und Grotesken. So schrieb *Richard Huelsenbeck* (1892–1974) u. a. balladenhafte Texte im Stil mancher Expressionisten, um sie plötzlich mit einer banalen Wendung zu veralbern, z. B. in ,*Kaum hatten wir*' (man beachte den unsinnigen Titel!):

„[...] Und wir nahmen uns die Freiheit und wir sprachen zu ihm, während die Jünger herumstanden und das allgemeine Los der Menschheit beklagten. Und eine Frau zog Brötchen aus ihrem Korb und sagte: ,Aha.' Und wir alle sagten: ,Aha.' [...]"

Das berühmteste parodistisch-groteske Gedicht der Dadaisten ist das ,Merzgedicht 1': ,*An Anna Blume*' von *Kurt Schwitters* (1887–1948), Schwitters imitierte und persiflierte den Kulturbetrieb, indem er in loser Folge seine Nonsens-Zeitschrift ,MERZ' herausgab, ,MERZ'-Matineen veranstaltete, ,MERZ'-Plakate druckte (er war auch Graphiker) und seine Gedichte als ,MERZ'-Gedichte durchnumerierte. ,An Anna Blume' liest sich zunächst wie ein poetischer Ulk, in dem sehr unterschiedliche Sprechweisen parodiert werden:

„O du, Geliebte meiner siebenundzwanzig Sinne, ich liebe dir! – Du deiner dich dir, ich dir, du mir. – Wir?
Das gehört (beiläufig) nicht hierher.
Wer bist du, ungezähltes Frauenzimmer? Du bist – – bist du? – Die Leute sagen, du wärest, – laß sie sagen, sie wissen nicht, wie der Kirchturm steht.
Du trägst den Hut auf deinen Füßen und wanderst auf die Hände, auf den Händen wanderst du. [...]"

Der scheinbare Jux erweist sich jedoch bei genauem Hinhören als ein raffiniertes Spiel mit der Sprache: mit verschiedenen Stilebenen, mit formalen und inhaltlichen Klischees, die ins Absurde gezogen werden, mit dem Rhythmus des Satzbaus und der Redewendungen und mit dem Klang der Wörter. Man muß das Gedicht vortragen, um zu spüren, wie menschliches Sprechen hier seine Ausdrucksmöglichkeiten, abgelöst von einer sinnvollen Botschaft, entfaltet und zugleich ironisiert.

4.3.2 Sprachexperimente

Eine grundlegende Entdeckung der Dadaisten war, daß Sprache nicht nur ein Mittel zum Ausdrücken von etwas Gemeintem ist, sondern – wie die Materialien aller Künste – ein rein verwendbares ästhetisches Potential. Sie pflegten den lauten Vortrag von Texten, weil nur geschriebene Literatur die sinnlichen Qualitäten der Sprache verkümmern läßt. Und sie fanden, daß gesprochene Sprache nicht nur Klang und Rhythmus hat, sondern auch ein motorischer, mimisch-gestischer, ja szeni-

scher Vorgang ist. So machten sie aus Rezitationen mit Masken, Ver-
kleidungen und Bewegungen kleine Auftritte.

Hinzu kam der Einfluß zweier Wiederentdeckungen, die für die gesamte
moderne Kunst größere Bedeutung hatten. Seit dem Buch ‚Das Jahrhundert des Kindes' (1900, dt. 1902) der Schwedin Ellen Key
(1849–1926) begann man, in kindlichen Äußerungen den Ausdruck
einer eigenen Kultur zu sehen. Und mit seinem Werk über ‚Negerpla-
stik' (1915) verstärkte Carl Einstein (vgl. S. 140f.) das Interesse für die
Ästhetik exotischer und primitiver Kunst, vor allem Afrikas und der
Südsee. Beide Entdeckungen beeinflußten die expressionistische Malerei und Skulptur. Im Umkreis der Dadaisten trat vor allem *Hans Arp*
(s. u.) nachdrücklich für das „Primitive" in der Kunst ein und verwendete Motive und Sprechweisen kindlicher Poesie. *Tristan Tzara*
(1896–1963), der deutsch und französisch sprach, übersetzte und imitierte Negerlieder. In ihnen kommt es weniger auf eine inhaltliche Aussage an als auf das Singen, Sprechen und Tanzen alltäglicher Vorgänge
oder magischer Rituale. Das imitierte Tzara z. B. in seinem *‚Lied der
Sotho-Neger':*

> Gesang beim Bauen
>
> a ee ea ea ee ee ea ee eaee, a ee
> ea ee ee, ea ee
> Stangen des Hofes wir bauen für den Häuptling
> wir bauen für den Häuptling.

Solche und andere Negerlieder trug man in Kutten gekleidet und mit
Trommelbegleitung vor.

Eine eigene Erfindung der Dadaisten, auf die sie besonders stolz waren,
war das *‚Poème simultan'*, das von mehreren gemeinsam verfaßt und als
eine Art Sprechmotette vorgetragen wurde. Die Texte der Simultange-
dichte sind absurd, ihre Aufführung beschrieb und deutete Hugo Ball
so:

„Es ist ein kontrapunktisches Rezitativ, in dem drei oder mehrere Stimmen
gleichzeitig sprechen, singen, pfeifen oder dergleichen [. . .]. Die Geräusche (ein
minutenlang gezogenes rrr, oder Polterstöße oder Sirenengeheul und dergleichen) haben eine der Menschenstimme an Energie überlegene Existenz. – Das
‚Poème simultan' handelt vom Wert der Stimme. Das menschliche Organ vertritt
die Seele, die Individualität in ihrer Irrfahrt zwischen dämonischen Begleitern.
Die Geräusche stellen den Hintergrund dar; das Unartikulierte, Fatale, Bestim-
mende. Das Gedicht will die Verschlungenheit des Menschen in den mechani-
schen Prozeß verdeutlichen. In typischer Verkürzung zeigt es den Widerstreit der
vox humana mit einer sie bedrohenden, verstrickenden und zerstörenden Welt,
deren Takt und Geräuschablauf unentrinnbar sind." (Tagebuch)

Balls Kommentar macht deutlich, daß sich die Dadaisten beim Un-Sinn
ihrer Texte durchaus etwas dachten, und zwar ähnliches wie manche

Expressionisten; aber sie brachten es nicht als Reflexion oder interpre-
tierte Symbolik in den Text hinein. Sie waren auch keineswegs antiintel-
lektuell eingestellt, sondern nannten im Gegenteil ihre Produkte
„abstrakt"; verpönt waren „Sentiment" und „Weltanschauung", aber
nicht der Intellekt. ‚Cabaret Voltaire' nannten sie sich in Zürich, um
sich als Erben der Aufklärung zu kennzeichnen. Künstlerisch aber sollten Intellekt und Kreativität unmittelbar in den Operationen mit dem
Material wirken.

Alle diese Ansätze führten manche weiter bis zum artistischen Spiel mit
den kleinsten, auch den nicht sinntragenden Sprachelementen: Laut und
Klang, Silbe und künstliches Wort, Buchstabe, Ziffer und graphisches
Zeichen. 'Lautgedicht' und Vorform visueller Poesie ist z. B. Hugo Balls
Gedicht ‚Karawane' mit dem Anfang: „jolifanto bambla ô falli Bambla
[...]". Unabhängig von Ball erfand Raoul Hausmann (1886–1971) in
Berlin die 'optophonetische Poesie' und das 'Plakatgedicht':

fmsbwtözäu

pggiv-.?mü

Schwitters arbeitete jahrelang an der Komposition seiner phonetischen
‚Urlautsonate', produzierte Collagen aus Abfallgegenständen und
Schnipseln gedruckter Texte und konstruierte Texte sogar aus einzelnen
Buchstaben oder Zahlen, die er in graphischen Gebilden anordnete,
z. B. ein Opus mit dem Titel ‚Gedicht 25, elementar'.

Mögen die Dadaisten geglaubt haben, mit ihren Sprachexperimenten
eine neue Wirklichkeit zu erzeugen – jedenfalls haben sie mit einer
Radikalität wie nie zuvor Wirklichkeit und Wirkungsmöglichkeiten der
Sprache als solcher erprobt.

4.3.3 Hans Arp: Sprachautomat und Phantasie des Zufalls

Hans Arp (1887–1966) dichtete schon vor der Gründung des ‚Carbaret Voltaire' und noch lange nach dem Ende des formierten Dadaismus seine Sprachspieltexte. Er zerkleinert die Sprache nicht in ihre kleinsten Teile, sondern hält sich daran, daß Sprache in der Kommunikation an syntaktische Regeln und Wörter mit Bedeutungen gebunden ist. Wenn er auf die 'primitiven', das heißt ursprünglichen Wirkungen der Sprache zurückgehen will, überläßt er sich sozusagen dem spontanen Sprachgefühl. Dabei bleibt der Satzbau weithin formal intakt; denn er ist die Automatik, mit der sich Wörter zu Sätzen fügen. Auch die Wörter stammen meistens aus dem deutschen Wortschatz oder sind aus bekannten Wörtern zusammengesetzt, können allerdings auch in ihre Silben zerfallen. Stehende Wendungen des Sprachgebrauchs sind automatisierter Wortschatz, z. B. „gang und gäbe", „kommen und gehen". Aber darin, wie Wörter sich im Satz und Text einanderfügen, löst sich Arp von den Konventionen der Alltagsverständigung und Logik; da läßt er den Zufall bzw. den assoziativen Einfall gelten und schlägt so der normalen Logik ein Schnippchen nach dem anderen; so z. B. in einem der vier Prosa-Abschnitte von ‚*klum bum bussine*':

> „Die große nymphe aber hat keinen sockel oder doppelten boden
> in einer eventuellen arche wird sie bestimmt mitgeführt werden
> sie heißt klum bum bussine und kommt auf einem blitzend vernickelten Meervelo
>   dahergefahren
> an jedem ihrer schwänze deren sie zahllose ihr eigen nennt hat sie eine polter-
>   trommelrumpeltreppenschleppe befestigt und an der rosigen mündung ihres
>   darmes trillern kolibris
> ich kenne meine pen papa ei endeckel ei ei eimer papa pappendeckeleimer und
>   warne euch in euerem herzen das uhrwerk der spaßfische und trauervögel
>   aufzuziehen"

Trotz allem 'Unsinn' dieses Textes entsteht doch so etwas wie eine Erzählung von der „großen nymphe" und zuletzt sogar eine augenzwinkernde Kommunikation mit dem Leser oder Hörer. Die Erzählerrede hüpft jedoch von Einfall zu Einfall und spielt auch einmal mit Wort, Silbe oder Klang – ganz ähnlich wie kindliche Sprachspielereien. Nicht die Auflösung der Sprache, sondern das irreguläre Spiel mit ihren Regularitäten setzt die Phantasie frei.

Prinzipiell haben Dichter wie Stramm, van Hoddis, Lichtenstein oder Lasker-Schüler ähnliches gemacht, nur nicht so spielerisch. Und wie deren Gedichte sind diejenigen Arps eigentlich nicht bedeutungsfrei, sie spielen nur mit Bedeutung irrational. So entsteht eine Phantasiewelt, in der die „spaßfische" unmittelbar neben den „trauervögeln" schwimmen (oder fliegen?). Spüren wir bei nicht wenigen Expressionisten die Gleichzeitigkeit von Qual und Groteske, so bei Arp oft die Gleichzeitig-

keit von Trauer und Freude am Spiel, wie in der Elegie auf den toten
Kaspar, die so anfängt:

„weh unser guter kaspar ist tot
wer trägt nun die brennende fahne im zopf wer dreht die Kaffeemühle
wer lockt das idyllische reh
auf dem meer verwirrte er die schiffe mit dem wörtchen parapluie und die winde
    nannte er bienenvater
weh weh weh unser guter kaspar ist tot heiliger bimbam kaspar ist tot [. . .]"
                                     (‚Die Schwalbenhode')

4.4 Epilog zu DADA

Wieweit die Kunstübungen der Dadaisten Auseinandersetzungen mit
den Realitäten ihrer Zeit gewesen sind, diese Frage stellte sich ihr Chro-
nist Hugo Ball in einem Tagebucheintrag am 7.6.1917:

„Seltsame Begebnisse: Während wir in Zürich, Spiegelgasse 1, das Kabarett hatten, wohnte uns gegenüber in derselben Spiegelgasse, Nr. 6, wenn ich nicht irre,
Herr Ulianow-Lenin. Er mußte jeden Abend unsere Musiken und Tiraden hören,
ich weiß nicht, ob mit Lust und Gewinn. Und während wir in der Bahnhofstraße
die Galerie eröffneten, reisten die Russen nach Petersburg, um die Revolution
auf die Beine zu stellen. Ist der Dadaismus wohl als Zeichen und Geste das
Gegenspiel zum Bolschewismus? Stellt er der Destruktion und vollendeten
Berechnung die völlig donquichottische, zweckwidrige und unfaßbare Seite der
Welt gegenüber? Es wird interessant sein zu beobachten, was dort und was hier
geschieht."

5 Anfänge des modernen Theaters im Umkreis des Expressionismus

5.1 Auflösung des mimetischen Theaters im europäischen Symbolismus

---

Maurice Maeterlinck:
L'intruse (Der Eindringling). Drama (1890)
Les aveugles (Die Blinden). Drama (1890)
Pelléas et Mélisande (Pelleas und Melisande). Drama (1892)
August Strindberg:
Naturalistische Problemtragödien:
Fadren (Der Vater) (1887)
Fröken Julie (Fräulein Julie) (1888)
Symbolische Stationendramen:
Till Damaskus (Nach Damaskus) (3 Teile. 1898–1904)
Dödsdansen (Todestanz) (2 Teile. 1901)
Ett drömspel (Das Traumspiel) (1902)
Kammerspiel:
Spöksonaten (Gespenstersonate) (1907)

Das naturalistische 'mimetische' Theater bildete mit Bühne, Personen und Geschehen Wirklichkeit ab. Je mehr sich jedoch der Zweifel am sinnvollen Zusammenhang der Wirklichkeit ausbreitete, um so mehr drangen auch auf dem Theater verfremdende Ausdrucksmittel vor.

Ein seinerzeit in ganz Europa wirksames Beispiel gab der französisch schreibende Flame *Maurice Maeterlinck* (1862–1949), Essayist, Lyriker und Dramatiker. In seinen „statischen Dramen" (drames statiques) stellte er Figurationen der „Seele" auf die Bühne, in handlungsarmen, aber meist von düsteren Stimmungen und Einsamkeit gesättigten Situationen, die durch Einbrüche des Schicksals transzendiert werden, z. B. in der Begegnung mit dem „Eindringling" Tod (‚L'intruse', 1890). So löste er die dramatische Handlung auf zugunsten einer Entfaltung innerer Zustände. Die Personen abstrahierte er zu allgemeingültigen Typen, z. B. die Blinden, ein Greis, ein Fremder, und die irrationale Transzendierung verdeutlichte er in Symbolen wie Naturerscheinungen, Personifikationen sowie in Lichtwirkungen und Geräuschen. Maeterlinck beeinflußte direkt die impressionistisch-symbolistischen Dichter in Deutschland, indirekt aber auch die Expressionisten.

Er beeinflußte auch den bedeutendsten Anreger des modernen Theaters: den Schweden *Johan August Strindberg* (1849–1912), der jedoch

die sozialen und geistigen Entwicklungen der Zeit viel bewußter auf-
nahm. Nach eindrucksvollen naturalistischen Problemtragödien über
das spannungsvolle Verhältnis zwischen Mann und Frau und nach einer
inneren Krise, die ihn tief verstörte, orientierte Strindberg sich bei der
Darstellung seiner Erfahrungen an den Mustern alter religiöser Dichtung, z. B. der Legende und des Mysterienspiels; so erinnert der Titel
‚Todestanz‘ (1901) an mittelalterliche Totentanz-Stücke. Die eher tie-
fenpsychologisch zu deutende Handlung des ‚Traumspiels‘ (1902)
rahmte der Dichter mit einer indischen Legende ein. Der Titel der Trilo-
gie ‚Nach Damaskus‘ (1898–1904), deren zweiter Teil 1916 in München
uraufgeführt wurde, deutet auf die Bekehrung des Apostels Paulus hin.
Jedoch gelangt die Mittelpunktsfigur des Stückes, der „Unbekannte“,
nicht zur Erlösung im Glauben; vielmehr wandert er wie ein suchender
Pilger rastlos durch das Leben, in dem er immer wieder scheitert, bis er
nur die Erlösung von sich selbst in Resignation und Tod findet. Dieser
Lebensweg, der den Menschen in Kreisen immer wieder zu sich selbst
und seinem Unglück zurückführt, wird in symbolischen Einzelbildern, in
Stationen, dargestellt, die zwar als Lebenssituationen realistisch vorge-
führt, aber durch hintergründige Bedeutungen der Orte, der Personen
und der Reden symbolisch transzendiert werden. Die Realitätsbilder
entnimmt Strindberg der alltäglichen Beobachtung und der eigenen
Lebenserfahrung, den Symbolismus teilweise der Tradition. So ist das
Asyl, das Altersheim, Krankenhaus oder Obdachlosenasyl, ein altes
Gleichnis für die Hinfälligkeit des Lebens. Die Zentralfigur des Unbe-
kannten entspricht dem „Jedermann“ des mittelalterlichen geistlichen
Theaters; viele andere Figuren verkörpern das Gute und das Böse, den
Glauben, die Liebe usw. Wie im Mysterienspiel und Welttheater gibt es
keine dramatisch zugespitzte Handlung, sondern nur die Folge gleichnis-
hafter Lebensstationen. Strindberg hat die alten Formen ebenso wie die
realen Bilder mit modernen dramaturgischen Mitteln verfremdet. Reales, Groteskes und Surreales, einschließlich der Erscheinung von
„Schatten“, wechseln einander ab. Mit der Wiederkehr des Gleichen
wird das Leben trostlos; es erscheint nicht mehr als Weg zu Gott, die
Welt ist keine hierarchische Daseinsordnung, der Schluß keine Lösung,
und wäre es auch nur die Katastrophe der klassischen Tragödie, in der
immerhin sich ein höherer Sinn offenbart.

5.2 Expressionistische Experimente und Weltanschauungsdramen

Experimente:
Wassily Kandinsky: Der gelbe Klang. Bühnenkomposition (1909/12)
Oskar Kokoschka: Mörder Hoffnung der Frauen. Schauspiel
(1907–13)
August Stramm: Sancta Susanna. Rudimentär. Die Haidebraut
(1912/14)   Erwachen. Kräfte (1914/15)

Weltanschauungsdramen:
Ernst Barlach: Der tote Tag. Drama (1907/12)   Der arme
Vetter. Drama (1918)   Die echten Sedemunds. Drama (1920)
Der blaue Boll. Drama (1926)
Alfred Brust: Der ewige Mensch. Drama in Christo (1919)
Walter Hasenclever: Der Sohn. Drama (1913/14)
Der Retter. Dramatische Dichtung (1915/19)   Die Menschen.
Schauspiel (1918)
Hans Henny Jahnn: Pastor Ephraim Magnus. Drama (1919)
Hanns Johst: Der junge Mensch. Ein ekstatisches Szenarium
(1916)   Der Einsame. Eine Menschwerdung (1917)
Georg Kaiser: Hölle, Weg, Erde. Stück in drei Teilen (1919)
Paul Kornfeld: Die Verführung. Tragödie (1913/16)
Reinhard Johannes Sorge: Der Bettler. Eine dramatische Sendung
(1912)
Fritz von Unruh: Ein Geschlecht. Tragödie (1916/17)
Friedrich Wolf: Der Unbedingte. Ein Weg in drei Windungen und
einer Überwindung (1919)

Das expressionistische Theater gewann seine Impulse hauptsächlich aus
drei Quellen: dem Symbolismus, den Formexperimenten der künstlerischen Avantgarde und den Krisenerfahrungen vor und im Weltkrieg.
Letztere drängten viele der jungen Dichter zu dramatischen Bekenntnissen und weltanschaulichen Auseinandersetzungen im Drama, wozu sie
sich weitgehend symbolistischer Stilmittel bedienten. Daneben experi-
mentierten sie aber auch mit den künstlerischen Möglichkeiten des
Theaters, und davon ging auf Dauer die stärkere Wirkung des expressionistischen Theaters aus.

5.2.1 Experimente der Bühnenkunst
Solche Experimente führten in besonders radikaler Form auch Außen-
seiter durch. Der expressionistische, später abstrakte Maler *Wassily
Kandinsky* (1866–1944) entwarf eine „Bühnenkomposition" aus Figu-

ren, Klängen, Farben und nur wenigen Sprachteilen, ,Der gelbe Klang'
(1909), eine Art abstraktes und synästhetisches Ballett, in dem bereits
viele ästhetische Wirkungen einer absoluten szenischen Kunst vorweggenommen sind. Vergleichbare Versuche mit dem Bühnenraum wurden
in Berlin an Herwarth Waldens ,Sturm'-Bühne angestellt, unter anderem mit gestisch-abstrakten Texten von August Stramm (vgl. S. 95f.),
und am Bauhaus in Weimar, später Dessau, mit kubistischen
Figuren von Oskar Schlemmer. Ganz frühe Erprobungen einer Synthese
aus Symbolismus, ekstatischem Expressionismus und archaisch stilisie-
render Dramaturgie sind die Einakter des Wiener Malers *Oskar
Kokoschka* (1886–1980), ,*Mörder Hoffnung der Frauen*' (mehrere Fassungen von 1907 bis 1913) und ,*Der brennende Dornbusch*' (1911 bis
1917), in denen er das Verhältnis der Geschlechter als eine Grundform
des Lebens darstellt.

5.2.2 Expressionistische Verkündigungsdramen

Der Schwerpunkt der expressionistischen Dramenproduktion aber lag
zunächst im symbolistisch-weltanschaulichen Bereich. Eine neue
„Bühne für Kunst, Politik und Philosophie" versprach 1916 Walter
Hasenclever in einem Aufsatz mit dem Titel ,Das Theater von morgen'
(Die Schaubühne, Jg. XII, S. 476f., 501). Die Philosophie war ihm das
umfassende Geistige, das sich im menschlichen Handeln, in Kunst und
Politik, „aktivierte". Dem Theater kam die Aufgabe der Vermittlung
zu: „Hier tritt die Bühne als Medium zwischen Philosophie und Leben."
Die Leitideen des programmatischen Expressionismus – Geist und
Leben, kreative und politische Aktivität – sollten in einem Theater
menschlicher Totalität verwirklicht werden. Diese Idee hatte schon vor-
her im Drama selbst *Reinhard Johannes Sorge* (1892–1916) dargestellt,
in seinem Bekenntnis zum missionarischen Auftrag des Dichters: ,*Der
Bettler. Eine dramatische Sendung*' (1912). Nach dem Muster des Strind-
bergschen Stationendramas macht hier der junge Mensch als Dichter,
Sohn, Freund, Liebender und wiederum opferbereiter Dichter seinen
Weg durch exemplarische Stationen des Lebens, damit zugleich einen
Weg der „Wandlungen", der „Opfer" und der „Läuterung"; anders als
Strindbergs Unbekannter vervollkommnet er sich dabei zum Vorbild
und Verkünder der „Ewigkeit". Das Theater wird im Stück selbst
gedeutet als „Heilende Stätte zur Heiligung" für alle Schichten des Volkes. Neben epigonalen Zügen zeigt das Stück stellenweise eine erstaun-
lich moderne Verwendung dramaturgischer Mittel, z. B. ineinander
montierter Szenen, einer funktional flexiblen Simultanbühne als Stufen-
bühne, der Verengung und Erweiterung des Bühnenraums durch Vor-
hänge, der Farb- und Lichtregie und einer stilisierten Figurenchoreogra-
phie. Inhaltlich erscheint es als Prototyp des metaphysischen Verkündi-
gungs- und Menschheitsdramas, als allegorisch-symbolisches Protagoni-

sten- und Figurenstück und als Stationen- und Wandlungsdrama mit dem Ziel der Erlösung des Menschen durch die Kunst.
Die meisten expressionistischen Dramen wurden erst nach dem Weltkrieg aufgeführt. In den ersten Aufbruchsjahren der Weimarer Republik hatten sie eine starke Wirkung; in ihnen sah man den Ausdruck einer neuen Weltanschauung und der Abrechnung mit der alten Welt. Der erste große Theatererfolg in diesem Sinne war ‚Der Sohn' (1913/14, Uraufführung 1918) von *Walter Hasenclever* (1890–1940). Eigentlich kein politisches Stück, erschien seine Handlung vom moralischen Sieg eines Jünglings über seinen bürgerlichen Vater dem Publikum wie ein Gleichnis revolutionärer Befreiung. Dazu trug vor allem eine Szene im 3. Akt bei, in der der Sohn eine Versammlung junger Männer zur Gründung eines revoltierenden Jugendbundes begeistert:

„[. . .] Er ruft zum Kampf gegen die Väter – er predigt die Freiheit –!
[. . .] Er hat den Bund gegründet der Jungen gegen die Welt!“

Hasenclever selbst betonte in einem Aufsatz zwar den Primat der „philosophischen“ Deutung des Stücks, schloß aber die politische damit nicht aus. Tatsächlich stellt das Stück die Leiden eines im bürgerlichen Vaterhaus eingeschlossenen Sohnes und seine schrittweise erfolgende Emanzipation bis hin zur Bereitschaft zum Vatermord dar. Am Ende stirbt das Alte von selbst, und die Jugend ist erlöst. Dramaturgisch ist das Stück eher traditionell angelegt, jedoch sind die relativ realistischen Szenen durchsetzt von expressiven und lyrischen Reden.
Mit dem ‚Sohn' von Hasenclever öffneten sich die Bühnen für eine ganze Welle expressionistisch-weltanschaulicher Dramen bis in die frühen zwanziger Jahre, von Kornfeld, Hasenclever, Johst, von Unruh, Brust, Jahnn und anderen. Generationenkonflikt, Selbstfindung und der Protest idealer Ethik gegen eine unsittliche oder in Konventionen erstarrte Welt sind bevorzugte Themen; neben allgemein idealistischen und religiösen Bekenntnissen gibt es solche zum Pazifismus und zur sozialen oder nationalen Verantwortung. Eigentlich politische Dramen sind zunächst selten; die gesellschaftliche Realität erscheint fast nur als stilisierte oder satirisch dargestellte Gegenwelt zu Geist, Lebenssinn und Menschlichkeit.

5.2.3 Barlachs Dramen von Zweifel und Wandlung

Eine Sonderstellung nahm *Ernst Barlach* (1870–1938) ein. Er schöpfte aus der Religiosität eines zweiflerischen Protestantismus. Seine Titelfiguren spüren meist von Anfang an ihre Entfremdung von den Menschen, von sich selbst und von Gott; schwerfällig und grüblerisch ringen sie dann um ihre Selbstüberwindung zu einem wesentlichen Sein, meist ohne endgültige Erlösung am Ende, jedoch mit einem Fortschritt an Erkenntnis. Barlach stellt sie entweder in eine legendenhafte Zeichenwelt (,*Der tote Tag*', 1912) oder aber in das ländlich-kleinstädtische Milieu seiner mecklenburgischen Heimat. Die handfeste und alltägliche Wirklichkeit dieses Milieus, der der innere Mensch eigentlich entrinnen will, wird dabei hintergründig, brüchig und durchsichtig für die religiöse Thematik. So ergeht es den Kleinbürgern im Drama ,*Der arme Vetter*' (1918). Ein Fremder in ihrer versippten Gemeinschaft, Hans Iver, begeht an einem Ostersonntag einen vergeblichen Selbstmordversuch; damit konfrontiert, reagieren viele überhaupt nicht, manche betroffen, aber mit Versuchen der Beschwichtigung, und nur ein Fräulein begreift, worum es geht: darum, ob der Mensch sich wandeln und von seiner sündhaften Existenz befreien kann. Darin besteht der Zusammenhang zwischen dem Fall Iver und dem Sinn der Ostern. Als Iver den Selbstmord schließlich doch noch vollendet, erscheint er, wenigstens für das Fräulein, als Opfertod (Karfreitag), der sie zum Aufbruch in ein anderes Leben veranlaßt. Diese religiöse Deutung wird aber nicht verkündet, sondern nur angedeutet. Die Transzendenz der teilweise recht derb gezeichneten Realität erscheint nur als Doppeldeutigkeit der Vorgänge und Personenreden, die aus den Reflexionen der Menschen über sich und die anderen aufscheint:

„Du monologisierst, solange wir unterwegs sind; mir ist dabei, als sprächest du mit einem Dritten, der aus Luft ist, aber er hält Schritt mit uns" (Bild I).

Anders als die meisten Expressionisten überläßt Barlach sich fast nie dem rhetorischen Pathos oder dem Sprachexperiment. Die andeutend-verrätselnde Bildlichkeit seiner Sprache entsteht unmittelbar aus der Normalprosa, ja dem konventionellen oder volkstümlichen Reden, manchmal sogar aus Mutterwitz und Humor. So entsteht der Eindruck, daß wirkliche Menschen sprechen, die allerdings ein innerer Zwang zum Reden bringt – bei einzelnen der Zwang, sich zu wandeln und zu transzendieren, bei vielen der Zwang, sich in ihrem gewohnten Sein zu verteidigen oder herauszureden. Auch in Barlachs späteren Dramen, z. B. ,*Die echten Sedemunds*' (1920) und ,*Der blaue Boll*' (1926), geht es um diese Auseinandersetzung zwischen vordergründiger Selbstsicherheit und einer inneren Verunsicherung, die zu einer neuen Selbstvergewisserung drängt. Die Auseinandersetzung vollzieht sich zwischen dem Protagonisten und den anderen, aber auch zwischen dem Protagonisten und sich selbst. Sie durchsetzt die Alltagskommunikation mit einer – immer wieder in Sprachnot geratenden – existentiellen Kommunikation. Die expressionistische Thematik der Wandlung zum wesentlichen Menschen wird hier nicht plakativ verkündet, sondern in den Gesprächen und Selbstgesprächen gewöhnlicher Menschen als Problem ihres Lebens entfaltet.

5.3 Einzelgänger der Gesellschaftskritik: Sternheim und Kraus

Carl Sternheim :
Die Hose. Komödie (1911)   Die Kassette. Komödie (1912)
Bürger Schippel. Komödie (1913)   Der Snob. Komödie (1914)
1913. Komödie (1915)   Tabula rasa. Drama (1916)
Das Fossil. Drama (1922)
Karl Kraus: Die letzten Tage der Menschheit. Tragödie (1918–22)

Gesellschaftskritik blieb in den meisten expressionistischen Weltanschauungsdramen allgemein ethisch. Abgesehen von den Expressionisten Kaiser und Toller füllten die Lücke zwischen den gesellschaftskritisch engagierten Dramen des Naturalismus und Wedekinds und dem politischen Theater der Weimarer Republik nur Sternheim und Kraus, Autoren, die keine Wortführer des symbolischen Expressionismus waren.

5.3.1 Doppeldeutigkeit der Bürgersatire: Carl Sternheim

Von den seit etwa 1910 produzierenden Dramatikern ist Carl Sternheim (1878–1942) der einzige bis heute mit seinen Stücken auf dem Theater sehr erfolgreich gebliebene. Einige seiner Stücke faßte er 1918 unter dem Titel *,Aus dem bürgerlichen Heldenleben'* zusammen. Auf den ersten Blick scheinen sie den Bürger der Wilhelminischen Ära satirisch zu entlarven, auf den zweiten Blick allerdings scheint Sternheim mit diesem Bürger insgeheim zu sympathisieren.

So erinnert seine Komödie *,Bürger Schippel'* (1913) zunächst an Heinrich Manns Roman ,Der Untertan': Die Bürger bewegen sich mit ihren menschlichen Schwächen in den gesellschaftlichen Konventionen und Ideologien, suchen so Erfolg und Selbstbestätigung und kaschieren auch ihre Seitensprünge mit Anpassung.

Einem kleinbürgerlichen Männerquartett ist der Tenor weggestorben, der zugleich mit der Tochter des Chefs, des Goldschmieds Hicketier, verlobt war. Damit gerät der erhoffte Sieg im Gesangwettstreit vor dem Fürsten in Gefahr. Als Nachfolger kommt wegen seiner schönen Stimme nur Schippel in Frage, der aber ein „dreckiger Prolet" und ein uneheliches Kind ist. Trotz schwerer Bedenken nimmt man Schippel auf, nachdem er versprochen hat, sich wie ein anständiger Bürger zu benehmen. Das Quartett siegt, und Schippel darf sogar die Goldschmiedstochter Thekla heiraten, derer sich gerade der Fürst in einem Rendezvous angenommen hat. Zuvor allerdings muß Schippel in einem Duell seinen bürgerlichen Nebenbuhler ausschalten; erst damit hat er bewiesen, daß er „der höheren Segnungen des Bürgertums voll und ganz würdig" ist. Eine doppelbödige Moral verhilft dem Proleten zum Aufstieg ins Bürgertum, den kunstliebenden Bürgern zur Anerkennung durch den Monarchen und Thekla zu einem Mann.

Man erkennt hier die Versatzstücke sowohl einer schwankhaften Komödie als auch einer sozialen und ideologischen Satire; Kernstück der letz-
teren ist der Männergesang, Pseudokunst des deutschen Spießers.

Sternheim hat aber den Bogen des „bürgerlichen Heldenlebens" noch
weiter gespannt. In vier Stücken der Sammlung lösen sich die Generationen einer Familie ab, in denen sich die Stadien des wirtschaftlichen
und gesellschaftlichen Aufstiegsstrebens des Bürgertums spiegeln:
zuerst vom kleinbürgerlichen Beamten Theobald Maske im Erotik-
Schwank ‚Die Hose' (1911), der einen pikanten Unfall seiner Frau zu
seinem Vorteil nutzt, zu seinem Sohn Christian Maske in der Komödie
‚Der Snob' (1914), der mit allerlei Machenschaften die Tochter eines
Grafen ergattert und in die Aristokratie aufsteigt. In dem Schauspiel
‚1913' (1915) ist der alt gewordene Maske Kapitalist und Großunterneh-
mer, muß sich aber nun der hart auf hart ausgetragenen Geschäftskon-
kurrenz seiner Tochter Sofie von Beeskow erwehren, was ihm mit einem
schlauen Coup gelingt, den er allerdings nicht überlebt. Nach dem Weltkrieg fügte Sternheim der Serie noch ‚Das Fossil' (1922) hinzu, in dem
Sofies Schwiegervater, General a. D. von Beeskow, als Fossil der
monarchischen Ära fremd in der demokratischen Nachkriegsgesellschaft
steht.

Die Stücke zeigen so Aufstieg und Verfall der Wilhelminischen Gesellschaft, neben deren Stützen Sternheim auch Sozialdemokraten und
Revoluzzer nicht schont. Anders als Wedekind in seinen Dramen oder
Heinrich Mann in seinem ‚Untertan' geißelt Sternheim aber den sozialen Egoismus nicht nur, sondern er verteidigt ihn auch als Recht des
einzelnen, sich gegenüber gesellschaftlichen Zwängen mit der „eigenen
Nüance" zu behaupten und „einmaliger, unvergleichlicher Natur zu zu
leben". Theobald Maske erklärt deutlich genug:

„Meine Unscheinbarkeit ist eine Tarnkappe, unter der ich meinen Neigungen,
meiner innersten Natur ungehindert frönen kann."

Anpassung ist die „Maske" der Selbstverwirklichung. Und der Macht-
trieb des Unternehmers Christian Maske in ‚1913' erscheint zwar in
seiner ganzen Gefährlichkeit, aber auch als Ausdruck individueller Sou-
veränität. Sternheim hat damit die Doppeldeutigkeit seiner Zeit und
ihrer Werte freigelegt, zugleich aber nicht aus ihr hinausgefunden – daß
er letzteres kaum versucht hat, trennt ihn von den Expressionisten.

Das eigentlich Bedeutende ist Sternheims konsequente Ideologiekritik.
Er lehnte es ab, „den Deutschen weiter mit Ideologie zu mästen". Im
Gegensatz zu den meisten Zeitgenossen wollte er „keinen kategorischen
Imperativ", „keine metaphysische Sehnsucht", sondern verschrieb sich
allein dem „Zugriff in Wirklichkeit". Die Rolle des Dichters als „Arzt
am Leibe seiner Zeit" beschränkt sich damit auf die Diagnose, obwohl
Sternheim das nicht immer wahrhaben wollte.

5.3.2 Panorama des politischen und geistigen Bankrotts: ‚Die letzten Tage der Menschheit' von Karl Kraus

Dieses zeitkritische Stück, das auch den Auseinandersetzungen der Expressionisten nahestand, hatte eine starke Wirkung auf die Literatur nach dem Weltkrieg, obwohl es – als Ganzes unspielbar – erst 1964, gekürzt, aufgeführt wurde. Es beruht auf der unermüdlichen und scharfsinnigen Beobachtung des kulturellen, gesellschaftlichen und politischen Lebens vor und während des Weltkriegs durch den Autor als Journalist und Kritiker der öffentlichen Meinung.

Karl Kraus (1874–1936) lebte fast sein ganzes Leben in Wien als Journalist und Kritiker, schrieb Lyrik, Dramen und Essays und war sowohl mit der traditionellen wie auch mit der modernen Literatur vertraut; so kannte er alle Literaten der Wiener Moderne und förderte u. a. die Lasker-Schüler, Trakl, Werfel und Kokoschka. Große Wirkung über Wien hinaus hatte er mit Vortragsreisen, auf denen er Dramen der Weltliteratur vortrug und so dem üblichen Theater, dem er mißtraute, eine Art Ein-Mann-Lesetheater entgegensetzte. Sein umfangreichstes Lebenswerk ist die kleine Zeitschrift ‚Die Fackel', die er 1899 gründete, als er mit der etablierten Presse und dem Caféhaus-Literatentum verfallen war, und die er seit 1911 alleine schrieb, bis 1936.

Kraus' Lebensberuf war die Sprachkritik als Gesellschafts- und Ideologiekritik. Sie ist auch die Grundlage seines Monumentalwerks vom Untergang der Menschheit im Weltkrieg.

In 220 Szenen mit mehreren hundert Figuren entfaltet sich hier ein Panoptikum des Ersten Weltkriegs. Es sind aneinandergereihte Momentaufnahmen und Dialoge in den Straßen der Städte – vor allem Wiens –, in Ministerien, Dienststellen, Redaktionen, Lokalen, Wohnungen und Hinterhöfen usw. sowie an verschiedenen Kriegsschauplätzen. Es treten historische Personen und gesellschaftliche Typen aller Schichten auf, aber auch die Kommentar-Figuren des „Nörglers" (Kraus?) und des „Optimisten" und allegorische Figuren. Politische und Kriegsereignisse erscheinen vor allem gespiegelt in den Denk- und Verhaltensweisen der Menschen; die Schuld an der Katastrophe gibt Kraus der Dummheit und dem Egoismus der Menschen, ihren Gewohnheiten und Vorurteilen. Vom „Vorspiel" an, das die Stimmung in Wien unmittelbar vor Kriegsbeginn zeigt, entwickeln sich in fünf Akten die Phasen des Krieges mit zunehmendem Wahnsinn des Tötens oder Elend des Sterbens. Als letzter bittet der „ungeborene Sohn", nicht geboren zu werden! Danach: „Völlige Finsternis. Dann steigt am Horizont die Flammenwand empor. Draußen Todesschreie" – eine Andeutung des Jüngsten Tages, der dann im „Epilog" in weiteren Vers-Allegorien mit Bildern des Krieges vergegenwärtigt wird. In das letzte Schweigen fällt der berüchtigte Satz Kaiser Wilhelms II. aus seiner Kriegserklärung: „Ich habe es nicht gewollt" – aber als „Stimme Gottes"!

Ein großer Teil des Werks ist eine Art dokumentarischen Theaters; etwa ein Drittel ist aus authentischen Zitaten montiert, nach Kraus sind es gerade „die unwahrscheinlichsten Gespräche". Fast naturalistisch wiedergegebene Dialoge, in denen Kraus die Mentalität der Zeitgenossen entlarvt, werden verbunden mit den typisierenden, grotesken und allegorischen Formen des Expressionismus. Die Todesbilder am Schluß der eigentlichen Tragödie sind auf winzige pantomimische Szenen reduziert:

„Ein Ulanenoberleutnant läßt einen Popen an den Steigbügel eines Ulanen binden. Man zieht ihm den Mantel aus.
(Oberleutnant:) Sie werden Ihren Mantel kaum mehr brauchen.
Der Reiter entfernt sich in leichtem Trabe. (Die Erscheinung verschwindet.)"

Bedient sich Kraus hier der Dramaturgie des Films, so in den Allegorien traditioneller poetischer Formen, die er aber, ähnlich wie später u. a. auch Brecht, zynisch verfremdet:

„Zwei Kriegshunde, vor ein Maschinengewehr gespannt:

Wir ziehen unrecht Gut. Und doch, wir ziehn.
Denn wir sind treu bis in die Todesstund.
Wie war es schön, als Gottes Sonne schien!
Der Teufel rief, da folgte ihm der Hund."

Gemeinsam ist allen Formen das Moment der Satire – sogar noch in den trauernden und anklagenden Stellen. Der Wahnsinn des Krieges wird als Auswuchs des inhumanen Ungeistes gedeutet. Und das ist nicht nur als Zeitkritik gemeint, sondern – wie schon der expressionistische Titel anzeigt – als apokalyptisches Menschheitsbild.

5.4 Das politische Drama des Expressionismus

Hanns Johst: Die Stunde der Sterbenden (1914)
Reinhard Goering: Seeschlacht. Tragödie (1917)
Georg Kaiser: Von morgens bis mitternachts. Stück in zwei Teilen (1912/16)   Die Bürger von Calais. Bühnenspiel (1912–23)
Die Koralle. Schauspiel (1917)   Gas. Schauspiel (1918)
Gas Zweiter Teil. Schauspiel (1919)
Ernst Toller: Die Wandlung. Das Ringen eines Menschen (1917)
Masse-Mensch. Ein Stück aus der sozialen Revolution des Zwanzigsten Jahrhundert (1919)   Die Maschinenstürmer. Ein Drama aus der Zeit der Ludditenbewegung in England (1921)
Hinkemann. Eine Tragödie (1923)   Hoppla, wir leben! (1927)
Fritz von Unruh: Ein Geschlecht. Tragödie (1916)

Der Weltkrieg und die Novemberrevolution von 1918 politisierten den weltanschaulichen Expressionismus. Der Krieg gab der allgemeinen Idee von Menschlichkeit das extreme und empirische Gegenbild der

Unmenschlichkeit, der Idealismus äußerte sich im Pazifismus. Schwieriger war es für die Expressionisten, die soziale Realität zu gestalten. Zwei für ihre Menschheitsthematik wesentliche Erfahrungen brachten sie auf die Bühne: die Vermassung und die Verlorenheit des einzelnen in der Masse sowie das aktivistische Ideal der Revolution.

5.4.1 Das Anti-Kriegsstück: Reinhard Goering

Die Anfänge des pazifistischen Dramas waren noch dem pathetischen Weltanschauungsexpressionismus verpflichtet, so Hanns Johsts ‚Die Stunde der Sterbenden' (1914) und die symbolistische Tragödie ‚Ein Geschlecht' (1916) von Fritz von Unruh. Großes Aufsehen erregten noch vor dem Kriegsende 1918 Aufführungen der einaktigen Tragödie ‚Seeschlacht' (1917) von *Reinhard Goering* (1887–1936).

Hier wird das Grauen des Krieges in strenger Form thematisiert, z. B. mit konsequenter Einheit des Ortes und der Zeit. Einziger Schauplatz ist ein beklemmender geschlossener Raum, die Akteure sind äußerlich kaum zu unterscheidende Figuren; in der szenischen Vorbemerkung heißt es:

„Die Handelnden sind sieben Matrosen, die im Panzerturm eines Kriegsschiffs in die Schlacht fahren. [. . .] Das Stück beginnt mit einem Schrei."

Das Sujet ist realistisch und aktuell: die Skagerrakschlacht, ein modernes Kriegsschiff, in dem die Männer eingeschlossen sind. Das Geschehen spielt sich also in einer isolierten Innenwelt ab, in den Reden der Matrosen, die teils wachend, teils im Traum vom Leben und über die Schlacht sprechen. Mit der beginnenden Schlacht dringt die Außenwelt verfinsternd und tödlich ein: Explosionen erschüttern den Raum, Rauch und Gas vergiften ihn, Gasmasken, die hereingeworfen werden, entindividualisieren und entmenschen die uniformierten Männer vollends. Nach und nach sterben die meisten; als das Stück endet, ist die Schlacht noch nicht zu Ende. In den Reden konfrontiert Goering die verschiedenen menschlichen Einstellungen: Gläubigkeit und Zweifel, Gehorsam und Meuterei, Patriotismus und Pazifismus. Der fünfte Matrose hat die Sinnlosigkeit des Krieges erkannt und fordert die Meuterei; aber er kann die anderen nicht ganz überzeugen, und als die Schlacht beginnt, reißt der Kampfesrausch auch den Meuterer mit – er stirbt, und mit ihm unterliegt der Friedenswille:

„Ich habe gut geschossen, wie?
Ich hätt' auch gut gemeutert! Wie?"

In ‚Seeschlacht' wird der Krieg nicht politisch analysiert, aber die Anti-Kriegs-Symbolik und der psychologische Zweifel am Patriotismus sind deutlich genug. Trotzdem macht Goering als Expressionist eine allgemeinmenschliche Aussage: Die in der Realität des modernen Lebens eingeschlossene Menschlichkeit vermag sich nicht zu befreien, weil die Menschen sich nicht wandeln können. Das rhythmisierte expressionistische Pathos ist in der Diktion verknappt, weniger rhetorisch-lyrisch als plakativ:

„Komm mit uns, Bruder! / Komm, lebe! – / Komm mit uns, Bruder! /Komm! Siege! – / Komm einfach mit uns sterben, Junge!"

So werden im Modell des geschlossenen Raumes verschiedene Möglichkeiten des Verhaltens durchprobiert und zugleich mit einer Kritik herausfordernden Überzeichnung dem Zuschauer präsentiert. Das ist schon eine Vorform des späteren Lehr- und Parabeltheaters.

5.4.2 Mensch – Gemeinschaft – Masse: Georg Kaiser

Die Entwicklung der expressionistischen Dramatik insgesamt und in ihrem Verhältnis zur gesellschaftlichen und politischen Realität läßt sich beispielhaft am Lebenswerk von Georg Kaiser (1878–1945) ablesen.

Kaiser schrieb insgesamt ca. 70 Theaterstücke, darunter auch Tragödien und Komödien, und hatte zwischen 1918 und 1933 als *der* expressionistische Dramatiker den größten Einfluß auf die deutschen Bühnen, unter anderem auch auf den jungen Brecht. 1933 verhängten die Nationalsozialisten über seine Stücke ein Aufführungsverbot; Kaiser emigrierte in die Schweiz, wo er kurz nach dem Ende des Zweiten Weltkrieges als ein nahezu Vergessener starb.

In Kaisers expressionistischen Stücken zeichnen sich zwei Entwicklungen ab: die der Parabel aus dem symbolistischen Stationendrama und die der Darstellung der Menschen als Kollektivwesen. Sein frühes Stück *‚Von morgens bis mitternachts'* (geschrieben 1912, veröffentlicht 1916) stellt in strindbergscher Stationendramaturgie dar, wie ein Bankkassierer sich aus seiner anonymen und sinnleeren Existenz als Angestellter und Kleinbürger zu befreien versucht, indem er eine hohe Geldsumme entwendet, um sich damit das wahre Leben zu erkaufen – sei es als Ausbruch in die große Welt, sei es als Macht über Massen, als Sinnengenuß, als Teilhabe an einer Gesinnungsgemeinschaft oder als kameradschaftliche Liebe. Alle Versuche scheitern, denn alle erstrebten Werte erweisen sich als Trug, und der Kassierer nimmt sich das Leben. Das ist das alte Thema der „Eitelkeit" der Welt; und dementsprechend verwendet Kaiser, mitten im modernen Milieu, mittelalterlich-barocke Vanitas-Allegorien wie das Totengerippe, die geschminkte Hure, die eigentlich ein Invalide ist, das Leben als Rennbahn, Tanz oder Bußstätte usw. Über diese Züge eines symbolistischen Welttheaters hinaus weisen Ansätze der Gesellschafts- und Ideologiekritik. So bedeutet das Leitmotiv Geld gesellschaftskritisch die Grundlage der Macht und der Käuflichkeit; stärker noch erweist sich allerdings in einer Episode die Autorität des Fürsten. Geld und Macht werden dabei in Beziehung gesetzt zur

Masse, und zwar in der eindrucksvollen Mauerschau-Szene des Sechsta-
gerennens, in der der reich gewordene Kassierer mit hohen Preisspen-
den das Showgeschäft des Sports belebt, die Sportler bis zur Erschöp-
fung anspornt und vor allem die Zuschauermassen bis zur Ekstase auf-
peitscht. Dem Geld erliegen sogar die Frommen der Heilsarmee, deren
Bekehrungserfolge Kaiser ideologiekritisch als Praktiken der Demago-
gie entlarvt, und auch die Liebe als Glaube an den guten Menschen. Das
kreuzigungsähnliche Ende des Kassierers läßt ihn als Opfer nicht seines
Fehltritts, sondern der durch und durch verderbten Welt erscheinen.

Kaiser geht es nicht wie Strindberg und den meisten frühen Expressionisten um Seelisches, das in die Welt projiziert wird, sondern um den
objektiven Bestand der Welt, einschließlich ihrer gesellschaftlichen
Mechanismen. Diese Wirklichkeit wird allerdings eingegliedert in eine
überzeitliche Sinngebung des Lebens und der Werte; die Konsequenzen, die sich ergeben, sind ethisch, nicht politisch oder sozial.

Ein Kritiker hat Kaisers Stücke „Denkspiele" genannt. Ein Beispiel
dafür ist sein erfolgreichstes Stück, ‚Die Bürger von Calais' (geschrieben
1912/13, bis 1923 mehrmals umgearbeitet; Uraufführung 1917).

Angeregt von Auguste Rodins Skulptur ‚Die Bürger von Calais', dramatisierte
Kaiser hier, nach einer alten Chronik, ein historisches Ereignis, nämlich die
Kapitulation der Stadt Calais im Hundertjährigen Krieg (1339–1453) zwischen
England und Frankreich. Als die Niederlage der belagerten Stadt nicht mehr
abzuwenden ist, macht der englische König das Angebot, die Stadt zu verscho-
nen, wenn sechs angesehene Bürger sich den Engländern als Opfer ausliefern. Im
Streit um die Frage, ob bewaffneter Widerstand bis zum Letzten oder das Opfer,
mit dem die Stadt zu retten wäre, die sittlichere Handlungsweise sei, überzeugt
Eustache Saint-Pierre die Bürger vom Sinn des Opfers. Der englische König,
beglückt über die Geburt eines Sohnes und beeindruckt von der Haltung der
Freiwilligen, begnadigt diese und verschont die Stadt. Zuvor hat Saint-Pierre die
schwierige Entscheidung, welcher überzählige Freiwillige nicht zu sterben
braucht, mit seinem Freitod den anderen abgenommen.

Kaiser stellt nicht nur den Sieg des Friedens über den Krieg dar, sondern
auch die Gemeinschaftsethik der Opferbereitschaft. Saint-Pierre bringt
das eigentliche Opfer, mit dem er die anderen zur Opferbereitschaft
zwingt, also die Menschen innerlich verwandelt. Der historische Fall
dient als zeitloses Modell für einen Diskurs über ein ethisches Thema.
Dementsprechend vollzieht sich der Wandlungs- und Läuterungsprozeß
der Bürger nicht nur in streng aufgebauten Situationen, sondern in ver-
ästelten Dialogen und Reden; seine sozialethische Bedeutung wird
dadurch hervorgehoben, daß der Schauplatz – der Marktplatz vor der
Kirche – öffentlich ist und das in ekstatischer Choreographie bewegte
Volk am Geschehen teilnimmt. Der politisch-gesellschaftliche Gehalt
des historischen Stoffes geht dabei allerdings auf in die abstrakte Ethik
der Gemeinschaft und deren hochstilisierte ästhetische Gestaltung.

Sozialpolitischer Thematik am nächsten kommt Kaiser in den Stücken ‚Gas' (1918) und ‚Gas Zweiter Teil' (1919), die mit dem auch inhaltlich vorangehenden Stück ‚Die Koralle' (1917) dadurch verbunden sind, daß nacheinander drei Generationen einer Milliardärsfamilie auftreten. Während im ersten Stück die soziale Problematik der Ausbeutung noch von den individualethischen Konflikten des aus sozialem Elend aufgestiegenen Konzernherrn zurückgedrängt wird, hat Kaiser in den beiden ‚Gas'-Stücken mehr und mehr kollektive Prozesse entfaltet, sowohl inhaltlich als auch in der Theaterform.

In einer Art Science-fiction-Perspektive ist in beiden Stücken zunächst das Gas die neue Energiequelle, mit der man die Industrieproduktion vervielfachen kann, aber damit erscheint der technische Fortschritt zugleich in seiner Gefährlichkeit. In ‚Gas I' explodiert das Gas, und die Fabrik wird zerstört. Die Entscheidung, ob man die Gasproduktion – von der die ganze Industrie im Lande abhängt – aufgeben oder das Werk wieder aufbauen soll, wird dadurch erschwert, daß es keine technische oder chemische Möglichkeit gibt, das Gas sicher zu machen, obwohl „die Formel stimmt". Wie die Entscheidung auch fällt, in jedem Falle hat sie verheerende soziale Folgen. Mit der Person des Milliardärssohns – also eines Vertreters der zweiten Unternehmergeneration – und der seines Ingenieurs – also des Technokraten – führt Kaiser schließlich einen weiteren Konflikt ein: Der philanthropisch gesonnene Unternehmer will die industrielle Expansion überhaupt aufgeben und die Arbeiter statt dessen zu Siedlern im „Grünen" machen; die Rückkehr zum einfachen Leben soll die versklavten und physisch wie psychisch ausgebeuteten Arbeiter wieder Menschen in einem natürlichen und humanen Leben werden lassen. Damit stößt er aber nicht nur auf den Widerstand des Ingenieurs, sondern auch auf den der Industriemagnaten und sogar derjenigen, deren Glück er sucht, der Arbeiter selbst. Sie wollen kein Schrebergärtnerdasein führen, sondern Geld verdienen, und sie glauben, dies zu müssen. Die Labilität ihrer Haltung zeigt sich, als sie nun den Ingenieur zum Führer beim Wiederaufbau der Fabrik wählen, den sie zuvor als für die Explosion Verantwortlichen hatten vertreiben wollen. Der Milliardärssohn sieht sich von allen im Stich gelassen. Zuletzt greift der Staat ein, dem nur an der Wiederaufnahme der Produktion liegt; seine Repräsentanten entmachten den Milliardärssohn und übernehmen das Werk in ihre Regie.
In der Fortsetzung ‚Gas II' wird dieser Ansatz weitergedacht. Der Staat als Unternehmer benutzt die Energie im politischen Machtkampf, also im Krieg. Die Arbeiter, die der gesteigerten Ausbeutung nicht gewachsen sind, revoltieren. Ein Versuch, den Krieg zu beenden, mißlingt, die Feinde bemächtigen sich der Fabrik – und setzen die Produktion fort. Noch einmal erheben sich die Arbeiter, im Vertrauen auf eine neue Erfindung des „Großingenieurs": das Giftgas. Im Kampf zwischen Arbeitern und Besatzungssoldaten zerstören beide Seiten die Fabrik und sich gegenseitig – die Geschichte endet mit der apokalyptischen und totalen Selbstvernichtung aller.

Die Handlung der beiden Stücke zeigt, mit welchem geradezu beklemmenden Scharfsinn Kaiser Probleme und Mechanismen der modernen Industrie-, Macht- und Massengesellschaft gesehen hat. Konsequent entwickelt das 'Denkspiel' die Leitfrage: Wohin kann, unter dem Aspekt der Humanität, auf technologischen Fortschritt gegründete Macht im Wechselspiel mit der Proletarisierung führen? Für die Anonymität und Kollektivität der Prozesse fand Kaiser, z. T. unter Verwendung expressionistischer Stilmittel, völlig neue Ausdrucksformen. In ‚Gas I‘ wechseln noch Dialoge zwischen Individuen, Auftritte von Typen und choreographisch arrangierte Massenszenen ab. In ‚Gas II‘ treten nur noch Typen und Ideenträger – wie der Milliardärarbeiter und der Großingenieur – auf, vor allem aber anonyme Figuren und Massen. Die Funktionäre der technischen und militärischen Macht erscheinen nur noch puppenhaft als „Blaufiguren" und „Gelbfiguren"; die Meldeapparaturen und Schalttafeln, die von ihnen bedient werden, führen die eigentlichen Entscheidungen herbei. Die Schauplätze mit verschiedenen geometrischen Formen verkörpern den industriellen, familiären oder sozialen Bereich. Durch die Beteiligung der Technik wirkt das Geschehen aus den Innenräumen hinaus in die Umwelt oder umgekehrt aus der Umwelt in den Innenraum herein. Sicherlich hat Kaiser hier Entdeckungen des Films genutzt oder vorweggenommen; auffallend ist z. B. die Ähnlichkeit des Films ‚Metropolis‘ (1926) von Fritz Lang mit Kaisers ‚Gas‘-Stücken. Das Streben nach monumentalen Effekten überlagert aber auch deren Realitätsbezug. Wenn ‚Gas II‘ endet, ist man zwar Zeuge einer großangelegten Show mit religiöser Untermalung, aber kaum der betroffene Zeuge einer realen gesellschaftlichen Katastrophe. Zum anderen sind die geistigen Gegenpositionen, die Kaiser mit den sozialen Prozessen konfrontiert, kaum überzeugend; ganz schwach wirkt der Appell des Milliardärarbeiters in ‚Gas II‘, die Menschen sollten die äußere Unfreiheit duldend hinnehmen und ein Reich der Innerlichkeit errichten. Aber auch die Idee seines Vorgängers in ‚Gas I‘, die Sozialgeschichte wieder zu einer Idylle des einfachen Lebens zurückzubiegen, wird kaum diskutiert und erscheint nur als persönliches Wunschbild des Philanthropen. Bertolt Brecht, der von Kaiser sehr beeindruckt war, hat 1928 dessen „Idealismus" kritisiert und dann in seinen sozialpolitischen Lehrstücken verworfen.

5.4.3 Revolution als Idee und Erfahrung: Ernst Toller

Der einzige politisch wirklich aktive Revolutionär unter den expressionistischen Dramatikern war der jüngste von ihnen, Ernst Toller (1893–1939). In seinen Werken durchdringen sich Biographie, dichterisches Bekenntnis und politische Erfahrung; ein eindrucksvolles Dokument dafür ist seine Autobiographie ‚Eine Jugend in Deutschland‘ (1933). Zugleich lassen Tollers Bühnenwerke erkennen, wie sich das expressionistische Theater in der Weimarer Republik in die politische Auseinandersetzung einließ, damit aber auch als besondere Kunstform auflöste.

Toller wuchs im damals preußischen Westpolen auf, als Kind jüdischer Kleinbürger. Mitgerissen von der nationalen Begeisterung, meldete sich 1914 der Student aus der Schweiz zum Kriegsdienst, aus dem er aber 1916 nach einem schweren Zusammenbruch an der Front zum Studium nach München dispensiert wurde. Begegnungen mit Max Weber, Gustav Landauer und Kurt Eisner führten Toller zur Politik. Als Mitglied der bayerischen USPD schloß er sich 1919 der Münchener Räterepublik an, nahm in ihr eine führende Stellung ein und geriet in schwere Konflikte mit Sozialdemokraten und Kommunisten. Nach dem Sturz der Räterepublik wurde er zu fünf Jahren Festungshaft verurteilt. Nach der Entlassung 1924 war Toller durch die Theaterstücke, die er in der Haft geschrieben hatte und die auch inzwischen aufgeführt worden waren, als Autor bekannt. Neben seiner Arbeit als Schriftsteller, an Theatern, auf Vortrags-, Lese- und Redereisen im In- und Ausland beteiligte er sich nun als Parteiloser an Schriftstellerkongressen und pazifistischen oder sozialistischen Veranstaltungen. Dabei geriet er zunehmend in die Konfrontation mit den Nationalsozialisten, die ihn bald nach der Machtergreifung 1933 aus Deutschland ausbürgerten. Auch in der Emigration rastlos politisch und literarisch tätig, allerdings mit vielen Mißerfolgen, zermürbte sich Toller. 1939 nahm er sich in New York das Leben.

Seinen Erstling schrieb Toller aus der Erschütterung über das Kriegserlebnis 1917: ‚*Die Wandlung. Das Ringen eines Menschen*‘. In der Form des Stationendramas demonstriert es die „Wandlung" eines jungen Mannes vom Juden, der seinem Glauben entfremdet ist, zum Kriegsfreiwilligen und todesmutigen Soldaten, der aber die Sinnlosigkeit des Krieges begreift, dann auch den Patriotismus verwirft, auf seinem Lebensweg Leid und Unmenschlichkeit wahrnimmt und schließlich seine Berufung findet: die Menschen zur Menschlichkeit zu bekehren. Das typisch expressionistische Werk mit autobiographischen Zügen stellt – trotz vieler Allegorik – gesellschafts- und ideologiekritische Situationen und Figuren entschieden heraus und führt ein neues technisches Medium ein, das dann im politischen Theater viel verwendet wurde: die Bildprojektion auf eine Leinwand. Trotzdem wurden Tollers Dramen erst nach der Revolution eindeutiger politisch.

In der Festungshaft schrieb Toller jedes Jahr mindestens ein Bühnenstück, daneben u. a. auch Lyrik. Das erste große Drama, ‚*Masse-Mensch*‘ (1919), thematisiert die inzwischen gescheiterte Revolution in Deutschland, zugleich damit zwei Konflikte, die Toller selbst während der Kämpfe um die Räterepublik in Bayern erfahren hat: das Verhältnis zwischen dem bürgerlichen einzelnen und der proletarischen Masse und das Dilemma zwischen Gewalt und Pazifismus im Klassenkampf. Eine bürgerliche Frau schließt sich aus humanitärer Gesinnung der Arbeiterschaft und einem Streik an und gibt dafür ihre Ehe und bürgerliche Existenz auf. Weil sie Gewalt ablehnt, gerät sie aber zusätzlich zum Konflikt mit dem Staat in Konflikt mit den militanten Kräften der revoltierenden Massen, was zuletzt zu ihrem Tod führt. Toller bekennt sich damit zum konsequenten Gewaltverzicht, auch im Klassenkampf, und läßt die militante Revolution als tragischen und verhängnisvollen Irrweg erscheinen. Wie in der ‚Wandlung' wechseln Real- und Traumszenen miteinander ab; in ihnen sieht sich das vernünftig denkende und menschlich fühlende Individuum, die Frau, den typisierten Repräsentanten gegensätzlicher gesellschaftlicher Instanzen sowie der Masse gegenübergestellt – und scheitert.

Rezensionen veranlaßten Toller, sich 1921 gegen den Vorwurf des „Leitartikel"-Theaters zu verteidigen. Dabei vertrat er einen Standpunkt, der deutlich die Nahtstelle zwischen politischem Engagement und expressionistischer Weltanschauung erkennen läßt. Er nimmt in Anspruch, daß er „aus der seelischen und geistigen Welt des proletarischen Volkes heraus schafft", und schließt mit der Grundsatzerklärung:

„Daß auch proletarische Kunst im Menschlichen münden muß, daß sie im Tiefsten allumfassend sein muß – wie das Leben, wie der Tod, brauche ich nicht zu betonen. Es gibt eine proletarische Kunst nur insofern, als für den Gestaltenden die Mannigfaltigkeiten proletarischen Seelenlebens Wege zur Formung des Ewig-Menschlichen sind." (Brief an einen schöpferischen Mittler. Vorwort zur 2. Auflage von ‚Masse-Mensch', 1921)

So expressionistisch dieses Bekenntnis klingt – Toller merkte, daß die Darstellung des Menschlichen nicht auf den expressionistischen Stil angewiesen ist, und begann, sich vom Expressionismus zu lösen. In der Gestaltung eines sozialgeschichtlichen Stoffes aus dem frühen 19. Jahrhundert, dem Drama *Die Maschinenstürmer* (1921), nähert er sich der Milieurealistik und Thematik der ‚Weber' von Gerhart Hauptmann und verwendet neben expressionistischen auch traditionelle Stilmittel.

Das letzte große Drama aus der Festungszeit ist *Hinkemann* (ursprünglich ‚Der deutsche Hinkemann', 1923).

Der Proletarier Hinkemann wird im Krieg impotent geschossen; und nach dem Krieg ist er arbeitslos. Sein Selbstvertrauen ist untergraben, sein einziger Halt ist seine Frau Grete, der er sexuell kein Mann mehr sein kann. Während er die entwürdigende Gelegenheitsarbeit ausführt, auf dem Jahrmarkt Ratten und Mäusen die Kehle zu durchbeißen, sucht Grete Trost bei einem anderen Mann, was Hinkemann schließlich bemerkt. In einem Zustand verzweifelten Aufbegehrens will Hinkemann Grete töten, bringt es aber nicht fertig, als er ihr in die Augen schaut. Beide sehen keinen Ausweg für ein sinnvolles gemeinsames Leben, Grete tötet sich, und Hinkemann folgt ihr.

Inhaltlich hat Toller hier seine Grundsätze aus dem Kommentar zu ‚Masse-Mensch' befolgt: Das Allgemeinmenschliche entwickelt sich als ausweglose Schicksal aus dem „proletarischen Seelenleben". Dementsprechend sind allgemeinmenschliche Ideen, milieuorientierte Psychologie und tragischer Fatalismus miteinander verwoben. Die zeit- und sozialkritischen Bestandteile sind zugleich symbolisch-allegorisch gemeint; so die Namen einiger Nebenfiguren und vor allem der des

Protagonisten, der gleichzeitig die körperliche, soziale und seelisch-gei-
stige Invalidität des Menschen anzeigt und überdies auf den tragischen
Ödipus anspielt. An expressionistische Allegorien erinnern eine Jahr-
marktszene und ein „Traumalb" mit dem Streit invalider Leierkasten-
männer und Bettler; auch die Schauplätze Arbeiterschenke oder „West-
end" haben deutende Funktion. Dialoge und Reden bewegen sich zwischen naturalistisch wiedergegebener Alltagssprache und politischen
oder weltanschaulichen Verallgemeinerungen, die sich zu Verkündigun-
gen steigern; das Ineinander der verschiedenen Sprechweisen läßt sich
deutlich an einer Stelle kurz vor dem Schluß erkennen:

„HINKEMANN nach einigen Sekunden: Was ... was starrst du mich so an? Wie
blicken deine Augen drein? ... Ich will kein Mensch heißen, wenn in deinen
Augen ein Falsch ist! ... Die Augen kenne ich! ... Die Augen habe ich gesehen in
der Fabrik ... die Augen habe ich gesehen in der Kaserne ... die Augen habe ich
gesehen im Lazarett ... die Augen habe ich gesehen im Gefängnis. Dieselben
Augen. Die Augen der gehetzten, der geschlagenen, der gepeinigten, der gemar-
terten Kreatur ... Ja, Gretchen, ich dachte, du bist viel reicher als ich, und dabei
bist du ebenso arm und ebenso hilflos ... Ja, wenn das so ist, wenn das so ist ...
dann sind wir Bruder und Schwester. Ich bin du, und du bist ich ... Und was soll
nun werden?"

Toller steht hier nicht mehr im Gegensatz zum Naturalismus, sondern
versucht, ihn mit expressionistischer Symbolik und Rhetorik zu verschmelzen. Politisch ist dieses Drama nur noch in der zeitkritisch-sozia-
len Grundierung der proletarischen Schicksalstragödie.
Während der Festungshaft schrieb Toller auch Bühnenstücke unmittelbar für die politische Praxis, nämlich Festspiele mit Massenszenen für
die Gewerkschaftstage 1922, 1923 und 1924, die auch aufgeführt wurden. Nach der Festungshaft suchte er, gleichzeitig mit seiner regen politischen Tätigkeit, den Anschluß an die Theaterpraxis. Er schrieb Stücke
aller Art – Drama, Komödie, Satire usw. –, ja sogar einen Film (‚Menschen hinter Gittern', 1931), und beteiligte sich an Inszenierungen. Das
Drama als Dichtung wurde dabei mehr und mehr abgelöst durch publi-
kumswirksame Auseinandersetzungen mit dem Gegenwartsgeschehen:
Bühnenstücke als aktualisierende Bearbeitung (‚Bourgeois bleibt Bourgeois' nach Molière, 1929), als Dramatisierung einer Vorlage mit par-
odistischer Absicht (‚Wunder in Amerika', 1931) oder als aktuelles Ten-
denzstück (‚Hoppla, wir leben!', 1927; ‚No more peace!', 1936, USA).
Der Dichter als schöpferischer einzelner trat wiederholt zurück hinter
dem Team, etwa wenn Toller mit anderen Autoren wie Hasenclever und
Kesten zusammenarbeitete oder ein Stück in Zusammenarbeit mit dem
Regisseur, nämlich Piscator, entstand (‚Hoppla, wir leben!'). Damit war
das expressionistische Verkündigungsdrama, aber auch das artistische
Denkspiel Georg Kaisers vom pragmatischen, aktuellen und politischen
Theater der Weimarer Republik abgelöst.

6 Erzählte Krisen – Krise des Erzählens

In der literarischen Prosa nach 1900 ist scheinbar die 'expressionistische Revolution' ausgeblieben. Als bis in die Gegenwart wirksame große Erzähler der Periode betrachtet man Autoren, die nur entfernt oder gar nicht mit dem Expressionismus in Verbindung standen, wie Heinrich und Thomas Mann, Robert Musil, Hermann Hesse, Hermann Broch, Alfred Döblin oder Franz Kafka; als Begründer des modernen Romans gelten ausländische Autoren wie John Dos Passos, James Joyce oder Marcel Proust. Tatsächlich aber zeichneten sich die radikalen Veränderungen des Bewußtseins und der Literatur auch in der deutschen Prosaliteratur seit etwa 1910 ab: inhaltlich mit der Thematisierung gesellschaftlicher oder psychischer Krisen, formal in der Auflösung der tradierten realistischen Erzählweise; als besonderes Merkmal der Moderne erscheint die Tendenz, das Erzählen selbst zu reflektieren und zu problematisieren, bis zu seiner Verwandlung in eine aphoristisch-essayistische Denk-Prosa.

6.1 Erzählte Krisen

Psychologische und satirische Zeitkritik in Novellen und Romanen:
Hermann Hesse: Peter Camenzind. Roman (1904)
Unterm Rad. Roman (1906)
Heinrich Mann (Romane und Novellen seit 1893): Professor
Unrat. Roman (1905)   Stürmischer Morgen. Novellen (1906)
Die kleine Stadt. Roman (1909)   Der Untertan.
Roman (1914/18)   Bunte Gesellschaft. Novellen (1917)
Thomas Mann: Der kleine Herr Friedemann. Erzählungen
(1898)   Buddenbrooks. Roman (1901)   Tonio Kröger.
Novelle (1903)   Der Tod in Venedig. Novelle (1911)
Carl Sternheim: Busekow. Novelle (1914)   Chronik von des 20.
Jahrhunderts Beginn. Novellen (1918, erweitert 1926–28)
Jakob Wassermann:
Caspar Hauser oder Die Trägheit des Herzens. Roman (1908)
Das Gänsemännchen. Roman (1911–13/1915)
Arnold Zweig: Die Novellen um Claudia (1912)
Geschichtenbuch. Novellen (1916)
Stefan Zweig: Erstes Erlebnis. Erzählungen (1911)
(Zu Arthur Schnitzler und Robert Musil vgl. S. 65 ff.)

Expressionismus und Kurzgeschichte:
Johannes R. Becher: Verfall und Triumph. Band 2: Versuche in Prosa (1914)
Martin Beradt: Der Neurastheniker. Erzählung (1913)
Max Brod: Notwehr. Novellen (1913)
Alfred Döblin:
Die Ermordung einer Butterblume. Erzählungen (1913)
Kasimir Edschmid: Die sechs Mündungen. Novellen (1915)
Das rasende Leben. Novellen (1916)   Timur. Novellen (1916)
Leonhard Frank: Die Räuberbande. Roman (1914)
Der Mensch ist gut. Novellen (1918)
Georg Heym: Der Dieb. Novellen (postum 1913)
Alfred Lemm: Mord. Band 2: Versuche (1918)
Fritz von Unruh: Opfergang. Erzählung (1916/19)
Franz Werfel: Nicht der Mörder, der Ermordete ist schuldig. Erzählungen (1920)

6.1.1 Psychologische und satirische Zeitkritik in Novellen und Romanen

Die großen zeitkritischen Erzähler der Periode knüpften noch an die europäischen Roman- und Novellentraditionen an. Krisen der Vorkriegsgesellschaft und ihrer Kultur wurden zunächst vorwiegend in psychologischen Krisen realistisch dargestellt, so z. B. von Arthur Schnitzler (1862–1931), Heinrich Mann (1871–1950), Thomas Mann (1875–1955), Hermann Hesse (1877–1962), Robert Musil (1880–1942), Stefan Zweig (1881–1942) und Arnold Zweig (1887–1968). Psychische und soziale Krisenerscheinungen verbinden sich hier z. B. in den Schicksalen Jugendlicher, der Künstler, problematischer Liebes- und Ehebeziehungen oder einer ganzen Familie. Einen ausgeprägten Sinn für kollektive Bewußtseinshaltungen hatte *Jakob Wassermann* (1873–1934), der in seinen historischen Romanen ideologische Gründe menschlichen Verhaltens, insbesondere der Deutschen gegenüber Juden und anderen Außenseitern, analysierte. In manchen dieser Erzählungen geben die Krisenthematik oder aber Ironie und Symbolik dem Wirklichkeitsbild etwas Hintergründiges, das den Bestand der Wirklichkeit unsicher erscheinen läßt: „Ihm war, als lasse nicht alles sich ganz gewöhnlich an, als beginne eine träumerische Entfremdung, eine Entstellung der Welt ins Sonderbare ..." (Thomas Mann: ‚Der Tod in Venedig'). Auch in der Zuspitzung zur Satire kündigt sich eine Ablösung vom psychologisch-realistischen Erzählen an. So demaskiert *Heinrich Mann* in seinen Romanen ‚Professor Unrat' (1906, unter dem Titel ‚Der blaue Engel' 1931 verfilmt) und ‚Der Untertan' (1914; wegen eines Verbots der Veröffentli-

chung erst 1918 erschienen) das Bürgertum, den Staat und die Ideologien der Wilhelminischen Ära. Die Satire überzeichnet das Individuelle
zum Exemplarischen und verfremdet die Realität in der Komik.
Andere Mittel, um das Exemplarische der Zeit darzustellen, sind typi-
sierte Figuren, extreme Situationen oder ein distanziert-verfremdender
Stil. Sie benutzt *Carl Sternheim* (1878–1942) in den seit 1913 geschriebenen Novellen, die er 1918 unter dem Titel ,*Chronik von des 20.
Jahrhun-
derts Beginn*' publizierte (erweitert 1926–28), ein Gegenstück zu den
Komödien ,Aus dem bürgerlichen Heldenleben' (vgl. S. 118f.). Damit
erhob er den Anspruch, ein Zeitbild zu geben, das allerdings nicht als
umfassendes episches Panorama, sondern als Reihe novellistischer Figu-
ren-Biographien ausgeführt ist. Die Figuren entstammen unterschiedlichen sozialen Schichten – adeliges Fräulein, Rentier und Spekulant,
Bürger, Aufsteiger, erfolgloser Künstler, Polizist, Hausgehilfin –, und
die Zeitgeschichte vom Kaiserreich bis zum Ersten Weltkrieg ist in den
sozialen Typen und dem Milieu entweder angedeutet oder ausdrücklich
in die Handlung einbezogen. Aber auch Sternheim setzt die Tradition
realistischer Zeitkritik nicht fort, sondern verfremdet sie in einem
manieristisch pointierten Stil:

„[. . .] Aller Mahlzeit Beginn und Schluß hieß Gebet. Brot Schwein und Kartoffel
lag inmitten. Das und die Familie war protestantisch. Preuße der liebe Gott.
Evangelisch war Magd Knecht Vieh und alles in den Herrn gekehrt. Über der
Gemüter fader Landschaft lag des Hausherrn Zufriedenheit in Kindern und
Gesinde als Licht, als Sturm und Gewitter sein Unwille. Auf seine Person war
alles Begreifen gedrillt, der Hosen Sitz, des Bartes Schmiß früh allemal Symbol."
(,Ulrike')

6.1.2 Kurzgeschichte und Kinostil als Ausdruck der neuen Zeit
Einen neuen Ausdruck fanden die Krisenerfahrungen der Vorkriegsge-
neration vor allem in zahlreichen kurzen Erzählungen: als Angst und
Ich-Schwäche junger Menschen in einer übermächtigen Umgebung
(Alfred Lichtenstein: ,Der Selbstmord des Zöglings Müller', 1919); als
Vereinsamung des Individuums in der Großstadt (Alfred Lemm: ,Welt-
flucht', postum 1918) oder in der Isolation des Untermieters (Martin
Beradt: ,Der Neurastheniker', 1913); als Situation des verachteten
Juden in einem Europa, das ihm wie ein Warenhaus, eine Maschinen-
halle, ein Lazarett oder ein Irrensaal vorkommt (Arnold Zweig: ,Quar-
tettsatz von Schönberg op.7 d-moll', 1915); schließlich als die Entfesse-
lung anonymer Gewalten im Weltkrieg (Fritz von Unruh: ,Opfergang',
1916/19) oder als Leiden der sozialen Unterschichten (Leonhard Frank:
,Der Mensch ist gut', 1918). Krisenhafte Grenzsituationen werden aber
umgekehrt auch als Momente gesehen, in denen das Individuum sich
steigert und entgrenzt, so immer wieder in den Erzählungen von Kasimir

Edschmid, z. B. denen eines Sammelbandes mit dem bezeichnenden Titel ‚Das rasende Leben' (1916).

Die Breite des Romans und die Geschlossenheit der Novelle schienen diesen Erfahrungen nicht zu entsprechen. Zwar nannten die Autoren ihre Erzählungen oft noch „Novellen", aber mehr und mehr drang die für das 20. Jahrhundert so charakteristische offene Kurzgeschichte vor. Man sah in ihr auch das literarische Pendant zu einem neuen Medium, für das gerade moderne Autoren sich interessierten, nämlich des Kinofilms, vor dem Weltkrieg fast nur bekannt als hastig ablaufender Kurzfilm. Nach Döblin war der „Kintopp" das „Theater der kleinen Leute" und nach Loerke „diese Fülle Leben, dennoch grotesk". Und Georg Lukács beschrieb 1913 die „Weltanschauung" des Kinos, als ginge es dabei um den Expressionismus:

„Es gibt keine Kausalität [. . .], oder genauer: ihre Kausalität ist von keiner Inhaltlichkeit gehemmt oder gebunden. ‚Alles ist möglich': das ist die Weltanschauung des 'Kino', und weil seine Technik in jedem einzelnen Moment die absolute [. . .] Wirklichkeit dieses Moments ausdrückt, wird das Gelten der 'Möglichkeit' als einer der 'Wirklichkeit' entgegengesetzten Kategorie aufgehoben." (‚Gedanken zur Ästhetik des Kinos'. Frankfurter Zeitung Nr. 251 vom 10. 9. 1913)

Absage an positivistische Kausalität, dafür Intensität, ja Verabsolutierung des erlebten Moments und Aufhebung der Grenze zwischen Wirklichem und Möglichem – das ist expressionistisch. Deshalb nannte Kurt Pinthus „die short-story, das gedruckte Kinostück" neben Glosse und Aphorismus als Ausdrucksform einer schnellebigen Zeit (in: März, Jg. VII, 1913). Und Döblin forderte selbst für den Roman einen „Kinostil", in dem die Wirklichkeit „in höchster Gedrängtheit und Präzision", vor allem aber in ihrer „Kinetik" am Leser vorbeizieht: „Rapide Abläufe, Durcheinander in bloßen Stichworten" (‚An die Romanautoren und ihre Kritiker', in: ‚Der Sturm', 1913). Dem entspricht als Gattung ganz besonders die Kurzgeschichte, mit der Erfahrungen in Grenzsituationen und transitorischen Momenten intensiv dargestellt werden können.

6.1.3 Außenseiter: Geballte und zerfallende Wirklichkeit

Exemplarisch für die Erfahrung von Grenzsituationen ist der Menschentyp des Außenseiters in Momenten der Lebens- oder Persönlichkeitskrise. Ludwig Rubiner verstand darunter die sozial oder psychisch Abseitigen, die entweder in der Gesellschaft keinen Platz finden oder sich ihr selbst verweigern:

„Wer sind die Kameraden? Prostituierte, Dichter, Zuhälter, Sammler von verlorenen Gegenständen, Gelegenheitsdiebe, Nichtstuer, Liebespaare mitten in der Umarmung, religiös Irrsinnige, Säufer, Kettenraucher, Arbeitslose, Pennbrüder, Erpresser, Kritiker, Schlafsüchtige, Gesindel. Und für Momente alle Frauen der

Welt. Wir sind der Auswurf, der Abhub der Verachtung. [...] Wir sind der heilige Mob." (‚Der Dichter greift in die Politik'. In: ‚Die Aktion', 1912)

Positiv gesehen, sind nach Rubiner diese Menschen die „Ungeduldigen", die es drängt, „herauszustoßen die Selbstverständlichkeit und Sicherheit des Getragenwerdens von der Umwelt; einen schnellen Augenblick die Intensität ins Menschenleben zu bringen" (s. o.). Negativ gesehen, sind sie nach Döblin „Unzeitliche aus Not: sie sind innerlich gefesselt, ihr Organismus erschöpft sich in Störungen, Reibungen. Sie kommen nicht zu sich, geschweige denn zu anderen." (‚Von der Freiheit eines Dichtermenschen'. In: Die neue Rundschau, 1918)
Ein Musterbeispiel dafür gibt *Johannes R. Becher* (1891–1958) in seiner Kurzgeschichte ‚*Der Dragoner*' (1914). Hier wird eine Prostituierte von dem Dragoner, den sie als Freier mitgenommen hat, erstochen. Das Milieu der kasernierten Soldaten ist wie das der Freudenmädchen unbürgerlich und abseitig. Becher gestaltet aber keine Milieustudie, sondern den „rapiden Ablauf" äußerer, gegenständlicher Eindrücke und innerer, fast halluzinatorischer Vorstellungen des Mädchens, dem im Dragoner entfesselte Gewalt begegnet. Wirklichkeit zerfällt in ein Durcheinander von Innen und Außen, Selbstwahrnehmung und Fremdwahrnehmung, Vergangenheit und Gegenwart. Der sexuelle Akt wird ersetzt durch den Todesstoß mit dem Dragonersäbel, der allerdings eine schon in der Angst Entseelte trifft:

„Sie erstarrte. Ward zur Puppe. Haftete. Zerbrochen. In die Knie geknickt. Schon vorher durchbohrt."

Der inkohärente Stichwortstil spiegelt eine Erfahrung, in der Wirklichkeit sich zugleich im Detail zusammenballt und als Ganzes zerfällt, und ebenso die Atemlosigkeit höchster Erregung, in der Raserei und Entsetzen zusammenfallen.
Prototyp der Außenseiter ist der Psychopath. In ihm sehen wir nicht nur den Zerfall der Persönlichkeit; sondern in seinen defekten Wirklichkeitsvorstellungen spüren wir den Zerfall rationaler Wirklichkeitsbilder überhaupt, in seiner Unfähigkeit zur Kommunikation den Zerfall zwischenmenschlicher Solidarität. So schrieb *Franz Werfel* (1890–1945) die Rede eines Irren an seine imaginären Besucher (‚*Blasphemie eines Irren*', 1918), läßt ihn aber so verständig sprechen, daß nicht er, sondern seine normale Umwelt irre erscheint. Der Ich-Zerfall des Irren äußert sich in der blasphemischen Idee, von der er besessen ist. Diese kann man als religiösen Wahn verstehen, aber auch als Kritik am Individualismus; der Irre identifiziert sich nämlich mit dem Gott, der seine Zehn Gebote mit dem Wort „Ich" begonnen hat und das als Fehler oder Schuld erkennt: „Ich zu sagen ist immer ein Versprechen, das man nicht halten kann" – die Krise des Individuums als Folge einer Verabsolutierung die Ichs!

Ganz anders behandelt *Georg Heym* (1887–1912) dieselbe Rolle in seiner Erzählung *,Der Irre';* sie steht in einer Reihe mit Porträts anderer
Außenseiter-Typen: des Kindes (,Ein Nachmittag'), des Krüppels
(„Jonathan') und des Diebes (in: ,Der Dieb, ein Novellenbuch', postum
1913). Hier ist der Irre aus der Anstalt entlassen. Er erlebt den Glücks-
rausch der Freiheit und den Blutrausch der Rache an denen, die ihn
eingesperrt haben, an deren Stelle er aber vier harmlose Personen
umbringt. Am Ende wird er selbst gejagt und erschossen. Heym erzählt
dies in der Perspektive des Irren, in der objektivierenden dritten Person
und als inneren Monolog. Scheinbar setzt die Identität des Irren sich aus
Paradoxen zusammen, aus Sentimentalität und Brutalität, Angst und
Wut, Scharfsinn und Wahn, Beziehungslosigkeit und Fixiertheit auf
bestimmte Personen. Jedoch kann man sich in diese schizophrene Identität hineindenken, ihre Erfahrungen und Regungen als solche empfinden, die jedem Menschen möglich sind: Die „irre" Wirklichkeit ist der
normalen unheimlich ähnlich – das macht die Erzählung so beklem-
mend.

6.2 Krise des realistischen Erzählens

Phantastik, Groteske und Vieldeutigkeit:
Alfred Döblin:
Die Ermordung einer Butterblume. Erzählung (1910)
Alfred Lichtenstein: Gedichte und Geschichten (postum 1919)
Gustav Meyrink: Der Golem. Roman (1915)
Mynona (Salomo Friedländer): Rosa, die schöne Schutzmannsfrau.
Grotesken (1913)
Kurt Schwitters: Die Zwiebel. Merzgedicht 8 (1919)

Reflexion und Denunziation des Erzählens:
Hermann Broch: Methodologische Novelle (1918)
Ferdinand Hardekopf: Lesestücke (1916)

Der Zweifel an einer 'normalen' Wirklichkeitserkenntnis stellt realisti-
sches Erzählen von Grund auf in Frage, in dem so getan wird, als gäbe es
eine normale Wirklichkeit und als könne man normal darüber sprechen.
Erzähler können daraus unterschiedliche Konsequenzen ziehen, wie
sich gerade auch in der modernen Literatur zeigt: Sie können auf die
Fiktion von Wirklichkeitswiedergabe verzichten und die Phantasie ver-
absolutieren; sie können mit dem Erzählgestus rein artistisch spielen; sie
können aber auch den Zweifel thematisieren und reflektieren – schließlich können sie das Erzählen auch aufgeben. Anders als in der Lyrik

scheint für den Erzähler jedoch die Möglichkeit, den Zweifel auf die
Sprache zu richten und ihre Formen zu sprengen, begrenzt zu sein, weil
dadurch die narrative Kommunikation mit Lesern überhaupt aufzuhö-
ren droht.

6.2.1 Phantastik und Groteske

Phantastische Geschichten über Geister und Wunder, über Genie,
Wahnsinn und Verbrechen, über Okkultismus, Kabbalistik und Para-
psychologie gibt es seit der Romantik in Fülle; teilweise gehört dazu
auch die Science-fiction-Literatur. Geschichten, die an die Stelle der
gewöhnlichen Wirklichkeit die Möglichkeiten des Ungewöhnlichen setzen, befriedigen irrationale Bedürfnisse der Leser, die in deren Alltagsleben unbefriedigt bleiben. Das nutzen gerade auch Autoren der massenhaft verbreiteten 'Trivialliteratur', und ein solcher Bestsellerautor,
der den Expressionisten nahestand, war z. B. *Hanns Heinz Ewers*
(1871–1943), der seit 1901 groteske Romane des Grausigen veröffentlichte (u. a. ,Alraune', Roman, 1911). Starke Wirkung hatte derart
phantastische Literatur auf den deutschen expressionistischen Film bis
in die zwanziger Jahre, beispielhaft im Falle des in Prag spielenden
Okkultismus-Romans ,*Der Golem*' (1915) von *Gustav Meyrink*
(1868–1932).

Mit einer kolportagehaft verwickelten Traumhandlung und mit Schauereffekten
symbolisiert Meyrink im alten Judenviertel Prags mit seinen kabbalistischen
Sagen das Labyrinth der Seele; in Ich-Spaltung und Doppelgängermotiv, in wirren Personenbeziehungen sowie der Austauschbarkeit der Zeiten verwischen sich
die Grenzen zwischen äußerer und innerer Wirklichkeit.
Noch im Jahr der Buchpublikation wurde der ,Golem' verfilmt. Vorausgegangen
war 1913 ein Film ,*Der Student von Prag*', die Geschichte einer Identitätsspal-
tung. Der Erfolg dieser Filme löste eine ganze Reihe weiterer aus, bis hin zum
berühmtesten: ,*Das Kabinett des Dr. Caligari*' (1920). Hier verleitet der Direktor
einer Irrenanstalt durch Hypnose seine Patienten zu einer Serie von Morden, bis
er entlarvt wird und sein Wahnsinn offen ausbricht. Die Angst- und Irrenatmo-
sphäre des Films ist mit einer kubistisch-expressionistischen Ausstattung zum
surrealen Traumbild stilisiert.

Weniger Breitenwirkung erzielten expressionistische Erzähler, die mit
den Elementen realistischen und phantastischen Erzählens ironisch
spielten, um sich damit entweder von den Trivialitäten der Kunst oder
den Trivialitäten des Lebens zu distanzieren. *Alfred Lichtenstein*
(1889–1914) umgibt in einer Erzählung ,*Café Klößchen*' (postum 1919)
die tragische Außenseiterexistenz eines Buckligen mit einer Liebesgeschichte, deren Handlung aus stereotypen Romanmotiven – wie Großstadt, bürgerliche Spießigkeit, Boheme, Leidenschaft und Seelenliebe –
teils grotesk, teils ironisch zusammengeklittert ist. *Salomo Friedländer*
(1871–1946) veröffentlichte 1913 unter dem Pseudonym Mynona eine

Sammlung grotesker Erzählungen, deren eine *Der Schutzmannshelm als Mausefalle*' heißt. Die Handlung ist absurd: Ein Kolibri wird im Neureichenmilieu das Opfer komischer Verwicklungen. Man kann den Jux allerdings auch als verschlüsselte Kritik der Kunst an der Gesellschaft auffassen: Die neureichen Bürger halten sich Kunst (den Kolibri) als Einrichtungsgegenstand, aber können mit ihr nichts Sinnvolles anfangen; die Organe des Staates (Schutzmann) sind tölpelhaft und werden zur 'Falle' der Kunst. Darüber hinaus kennzeichnet die groteske Erzählweise das Mißverhältnis zwischen Literatur und Wirklichkeit überhaupt: „... nein, die Literatur ist kein Kolibri; sie ist weit, weit eher eine Verbalinjurie, an der ganzen lieben Welt begangen."

Im Umkreis des Dadaismus stieß die phantastisch-groteske Erzählung bis zum alogischen Text vor, so in den Unsinn-Märchen von Hans Arp (vgl. S. 110f.) oder Textmontagen wie *Die Zwiebel*' (1919) von *Kurt Schwitters* (1887–1948); hier löst sich das Erzählen im absurden Sprachspiel auf.

6.2.2 Vieldeutigkeit des Erzählten

Die berühmteste expressionistische Groteske ist *Die Ermordung einer Butterblume*' (1910) von *Alfred Döblin* (1878–1957).

Ein pedantischer Kaufmann, Michael Fischer,'köpft' gedankenlos auf einem Spaziergang eine Butterblume, empfindet dies aber nachträglich als Mord, beschwichtigt sein Schuldbewußtsein mit Sühnehandlungen, um sich von seinem Opfer zu distanzieren, und sieht sich schließlich durch einen Zufall von seiner fixen Idee befreit, so daß er sein Spießerleben weiterführen und auch weiter Unkraut 'köpfen' kann.

Grotesk wirkt diese an sich traditionell erzählte Geschichte schon durch ihre komischen Einzelheiten:

„Er lächelte verschämt. Vor die Blumen war er gesprungen und hatte mit dem Spazierstöckchen gemetzelt, ja, mit jenen heftigen, aber wohlgezielten Handbewegungen geschlagen, mit denen er seine Lehrlinge oft zu ohrfeigen gewohnt war, wenn sie nicht gewandt genug die Fliegen im Kontor fingen und nach der Größe sortiert ihm vorzeigten."

Grotesk ist vor allem das durchgehende Mißverhältnis zwischen der pedantischen Spießigkeit Fischers, seinem psychologisch konsequent entfalteten Schuldbewußtsein und dem Mordopfer, einem ordinären Unkraut. Der Widerspruch zwischen absurder Handlung und genauem, realistischem Erzählen läßt die Geschichte zunächst sinnlos erscheinen, bis man merkt, daß sie mehrere Bedeutungsebenen hat und jede von ihnen in sich sinnvoll ist. Autobiographische Elemente aus Döblins Zeit des Medizinstudiums, zu denen auch das zwiespältige Verhältnis des Städters zur Natur gehören, erlauben, sie als verschlüsselte Selbstdarstellung zu lesen. Eine zweite Bedeutungsebene ist die psychopathologi-

sche: Fischers Persönlichkeit ist schizoid – sie zerfällt in unbeherrschte
Emotionalität und pervertierte Rationalität; sein Handeln wie sein Denken beziehen sich auf eine bloß imaginäre Wirklichkeit. Durch die Verbindung des realistischen Stils mit der Perspektive des Wahns erscheinen
sodann Mensch und Wirklichkeit überhaupt verzerrt und desintegriert.
Schließlich aber kann man die Geschichte auch als satirische Parabel
deuten: auf den Bürger, dessen Lebensinhalt, die Ordnung, durch einen
Einbruch der Natur gestört und verwirrt ist, was alle möglichen Mechanismen der Selbstberuhigung auslöst, bis die inhaltleere Ordnung
wiederhergestellt wird. In dieser Parabel finden sich erschreckende Ent-
hüllungen spießbürgerlicher, ja faschistoider Rechtfertigungsmuster:

„Ich erinnere mich dieser Blume nicht, ich bin mir absolut nichts bewußt. [...]
Man muß diesem Volk bestimmt entgegentreten. [...] Nach Kanossa gehen wir
nicht. [...] Es war sein Recht, Blumen zu töten. [...] Es konnte ihm niemand
etwas nachsagen. [...] Er konnte morden, so viel er wollte!"

Die Erzählung demonstriert einen für die Moderne sehr wichtigen Weg,
über die Konventionen des realistischen, aber auch des phantastischen
Erzählens hinauszugelangen: den der vieldeutigen Parabolik, in der sich
zugleich die Vieldeutigkeit der Erfahrung ausdrückt. Diesen Weg ist
Döblin weitergegangen, in anderer Weise aber auch Franz Kafka (vgl.
S. 149ff.).

6.2.3 Reflexion und Denunziation des Erzählens in der Erzählung
Die expressionistischen Grotesken zeigen, daß der Zweifel am realistischen Erzählen die psychologische Einheit der Person, die kohärente
Beschreibbarkeit der Realität und die Kausalität der erzählten Handlung in Frage stellt:

„Jede Handlung kann auch anders endigen. [...] Also ist das Kunstwerk eine
Sache der Willkür." (Carl Einstein: ‚Über den Roman', 1912)

Dementsprechend haben moderne Erzähler – wie auch manche Romantiker – die ‘Willkür' des Erzählens entlarvt. *Ferdinand Hardekopf*
(1876–1954) schrieb 1912 eine psychologisch-gesellschaftskritische
Erzählung ‚*Der Gedankenstrich*', in der der Gedankenstrich zwei alter-
nativ angebotene Schlüsse der Handlung trennt: „Aber hier spaltet sich
die Erzählung in zwei Gleise." Der eine Schluß ist tragisch, der andere
endet als „Idyll, als freundlichere, deutschere Fassung". Der Erzähler
kann sich für keine Version entscheiden, beiden mißtraut er; denn die
tragische „war vorauszusehen", also ein Klischee der Erzähltradition,
die andere, untragische, täuscht eine heile Welt vor, hinter der sich
bürgerlicher Egoismus versteckt. Das Spiel mit beiden Schlüssen beruht
auf einem doppelten Mißtrauen: gegenüber den Klischees der Literatur

wie gegenüber den Klischees bürgerlicher Ideologie in der gesellschaftlichen Realität.

Ganz ähnlich hat *Hermann Broch* (1886–1951) das Spiel mit verschiedenen Versionen einer Handlung als Mittel der Zeit- und Literaturkritik verwendet, es aber noch ausdrücklicher kommentiert, und zwar in der ‚Methodologischen Novelle‘ (1918; unter dem Titel ‚Methodisch konstruiert‘ Teil des Romans ‚Die Schuldlosen‘, 1950). Es ist die Liebesgeschichte eines Gymnasiallehrers als Satire auf bürgerliche Konvention und Ideologie und als Parodie auf triviale Romane, vielleicht auf die erzählerische Stilisierung des Lebens überhaupt:

„[...] kniet der Pensionsfähige auf dem grünlich schimmernden Linoleumboden nieder, den mütterlichen Segen zu empfangen."

In die Erzählung sind Kommentare eingestreut, u. a. über Naturalismus und Expressionismus: Das Erzählen selbst wird in der Erzählung kommentiert. Und so merkt der Erzähler nach dem übertrieben tragischen Schluß an:

„Ja, so war das Geheimnis denkbar, so war es konstruierbar, so ist es rekonstruierbar, doch es hätte auch anders sein können."

Nach allerlei Erwägungen, wie die Geschichte hätte enden können, bietet Broch ein Happy-End an. Aber alle denkbaren Schlüsse sind für ihn nur Varianten derselben gesellschaftlichen und ideologischen Voraussetzungen; jede erzählte Handlung ist „nur zufällige Lösung aus der Fülle zur Verfügung stehender Lösungsmöglichkeiten". Statt der Fiktion einer wirklichen Handlung stellt Broch die Erzählung deshalb von Anfang an als „methodisch konstruierte" Versuchsanordnung dar:

„[...] Annehmend, daß Begriffe mittlerer Allgemeinheit eine allseitige Fruchtbarkeit zeitigen, sei der Held im Mittelstand einer mittelgroßen Provinzstadt [...] – Zeit 1913 – lokalisiert, sagen wir in der Person eines Gymnasialsupplenten. Es kann ferner vorausgesetzt werden [...]"

Der axiomatischen Einleitung entsprechen die weiteren Kommentare und verschiedenen Schlüsse: Fiktionales Erzählen dient als Denkmodell. Damit ist die Selbstverständlichkeit auktorialen wie personalen Erzählens in Frage gestellt. Nur indem Broch die Erzählung als spekulative Konstruktion transparent macht, glaubt er etwas Wahres aussagen zu können, in diesem Falle seine Ideologiekritik am Bürgertum und an seiner Literatur.

6.3 Krise der Künstler und Intellektuellen

Gottfried Benn: Gehirne. Novellen (1916)
Diesterweg. Novelle (1918)   Das moderne Ich. Essays (1919)
Die gesammelten Schriften (1922)
Albert Ehrenstein: Tubutsch. Erzählung (1911)
Der Selbstmord eines Katers. Erzählung (1912)
Carl Einstein:
Bebuquin oder Die Dilettanten des Wunders. Roman (1912)

Es ist auffällig, welche Unmenge von Essays und Proklamationen
Schriftsteller in den ersten Jahrzehnten dieses Jahrhunderts veröffent-
licht haben. Die literarische Produktion scheint mehr und mehr der
Reflexion und des Kommentars zu bedürfen, und darin scheint sich ein
Rechtfertigungsbedürfnis ebenso wie eine Verunsicherung zu äußern.
Das Erzählen wird in diesem Zusammenhang ein Prozeß der Auseinan-
dersetzung des Autors mit sich selbst, mit dem Schreiben oder mit der
Problematik seiner Intellektuellen-Existenz.

6.3.1 Carl Einstein: „Der Aberglaube an ein unbedingtes Individuum"
Die problematische Existenz des Intellektuellen ist ein immer wieder
aufgegriffenes Thema des Kunsthistorikers und Schriftstellers Carl Einstein. In einem Essay ‚Über den Roman' schrieb er 1912:

„Denken ist eine Leidenschaft ersten Ranges, die, von den Philosophen, der
Schule, dem Militär, dem Staat, vor allem der Ehe, vergewaltigt, nur mühsam im
Religiösen fortbesteht. Wer hätte nicht ein philosophisches System? – Wer aber
weiß um die Menschen, die nicht anwandten, die Gedanken erfanden, an ihnen
beteten, Tee tranken, rauchten, ja starben ." (In: Die Aktion, 1912)

Das Zitat stellt „Denken" in einen gesellschaftlichen Gegensatz: Als
„angewandtes" Denken wird es von den gesellschaftlichen Institutionen
„vergewaltigt"; Partei ergreift Einstein für das Denken als „Leidenschaft", also als nicht Verwaltetes und Verwertetes. Dieses Denken ist
nicht „System", sondern geglaubt, erlebt und erlitten, und es ist kreativ.
Diejenigen, die so denken, arbeiten nicht für die gesellschaftlichen Institutionen, sondern scheinbar zwecklos – es sind die freischaffenden
Künstler und Intellektuellen. Etwa zwanzig Jahre später ging Einstein
jedoch mit diesen „Literaten" streng ins Gericht und kritisierte ihr Tun
als „Fabrikation der Fiktionen" und als Flucht vor „Fakten". Die Ursa-
chen dafür sieht er nach wie vor in der Sonderstellung, die sie in der
Gesellschaft einnehmen, von der sie aber abhängen:

„Die Literaten von heute fühlen sich an kein formiertes Milieu gebunden. Hierdurch erhoffen sie die letzte Individualisierung zu retten. Der frühantike oder primitive Mensch fürchtete die Götter, die Modernen ängstigen sich vor der konkreten Welt und fliehen in die Bezirke der Schatten und Zeichen."
(‚Die Fabrikation der Fiktionen‘, postum 1973)

1906 bis 1909 schrieb Einstein einen kleinen „Roman" über den Intellektuellen: ‚*Bebuquin oder Die Dilettanten des Wunders*‘ (veröffentlicht 1912). Es ist eine Folge grotesker Szenen und absurder Gespräche, die man nicht als Handlung nacherzählen kann.

Schauplätze werden zwar skizziert – z. B. Bar, Zirkus, Straßen, Landschaften, ein Kloster, ein Friedhof und immer wieder das Zimmer, in dem Bebuquin haust –, aber eine klare räumliche Orientierung entsteht ebensowenig wie ein zeitliches Kontinuum. Personen mit seltsamem Aussehen oder Gebaren treten auf, führen Gespräche mit Bebuquin, werden von anderen abgelöst. Fast alles Wirkliche erscheint künstlich verfremdet: Spiegel und künstliches Licht sind wiederkehrende Motive, Zirkusaufführungen oder Kinofilme werden genauso erzählt wie echte Erlebnisse. Personen werden durch Künstliches charakterisiert, z. B. die erotischlebensvolle Euphemia durch ihren Schmuck, der Denker Nebukadnezar Böhm, der viel von Logik redet und unfähig ist, Realität zu erfassen, durch sein silbernes Gehirn. Am Ende scheint Bebuquin zu sterben.

In diesem Durcheinander kreisen die Gedanken Bebuquins um ein Problem, das Einstein später in den Satz gefaßt hat: „Die Genies suchen den Aberglauben an ein unbedingtes Individuum zu erhalten" (‚Die Fabrikation der Fiktionen‘). Zusammengesetzt, ergeben Bebuquins Aphorismen das Bild des beziehungslosen Menschen, der sich nicht verwirklichen kann:

„Ich will nicht eine Kopie, keine Beeinflussung. Ich will mich, aus meiner Seele muß etwas Eigenes kommen, und wenn es Löcher in privater Luft sind …" – „Beinahe wurden Sie originell, da Sie beinahe wahnsinnig wurden. […] Ihre Sucht nach Originalität entspringt Ihrer beschämenden Leere; meine auch …" – „Traurig, welch schlechter Romanheld ich bin, da ich nie etwas tun werde, mich in mir drehe; ich möchte gern über Handeln etwas Geistreiches sagen, wenn ich nur wüßte, was es ist. Sicher ist mir, daß ich noch nie gehandelt oder erlebt habe." – „Herr, laß mich einmal sagen, ich schuf aus mir. Sieh mich an, ich bin am Ende, laß mich eine unabhängige Tat, ein Wunder tun …"

Der unentwegt ästhetisch wahrnehmende und in Gesprächen philosophierende Mensch ist zum Leben und Handeln, erst recht zur Kreativität unfähig, gelangt aber auch mit seinem Denken nirgendwohin, denn „das Denken bewegt sich in Tautologien". Am Schluß wird die Erzählung unvermittelt realistisch und nüchtern; es ist – vergleichbar dem Schluß des ‚Werther‘ – der „Bericht der drei letzten Nächte", nach deren letzter vitale und geistige Existenz aufhören:

„Gegen Morgen wachte er auf, war unfähig zu reden und konnte nicht mehr allein essen. Nur einmal schaute er kühl drein und sagte: Aus."

6.3.2 Albert Ehrenstein: „Die eigene Leere übertönen"

Eine ganz ähnliche Thematik behandelte in anderer Form Ehrenstein in seiner Erzählung ‚Tubutsch' (1911). Anfang und Ende bestehen darin, daß eine Person sich förmlich vorstellt: „Mein Name ist Tubutsch, Karl Tubutsch." Dazwischen plaudert der Ich-Erzähler von seinem Leben, von lauter kleinen Begebenheiten und meist armseligen Leuten. Alles, was er erzählt, umschreibt aber nur „die Leere, die Öde" um ihn herum und „die Leere in mir". In der „ewigen Wiederkehr" des Banalen kann auch Tubutsch nichts werden, und er erschrickt vor der eigenen Unwandelbarkeit:

„Und als ich im Schein des zusammensinkenden Wachsstengels aus der Visitenkarte, die auf der Tür meines Kabinetts mit separiertem Eingang prangt, las, daß ich der Herr Karl Tubutsch war, da sagte ich leise, niedergeschmettert, nichts als: ‚Scho wieder!' "

Das Zitat zeigt Ehrensteins Kunst, die Sinnlosigkeit im präzise beschriebenen Gewöhnlichen erscheinen zu lassen – darin steht er Kafka nahe. Kafka ähnlich sind auch viele Motive: Tubutsch will dauernd etwas unternehmen, tut aber dann doch nichts; er befaßt sich mit dem Plan einer absurden Dissertation, mit „Welträtseln", mit Statistik – alles führt zu nichts. Oder er will einen Gastwirt besuchen, trifft ihn nicht an und ärgert sich darüber, daß dieser seinerseits einen Gastwirt besucht. Er hat viele Bekannte, aber keinen echten Gesprächspartner und redet deshalb mit seinem Schuhauszieher; dabei denkt er sich phantastische Lebensrollen aus – „Wandlungen", um nur nicht mehr er selbst zu sein. Da es ihm in Wirklichkeit nicht gelingt, ein anderer zu werden, sehnt er sich nach dem Tod, fürchtet aber zugleich, daß „mich auch noch der Tod mit einer Enttäuschung abspeist".

Das alles läßt sich nicht nur auf den Menschen überhaupt verallgemeinern, sondern auch speziell auf Schriftsteller und Intellektuelle beziehen. Tubutsch ist nirgendwo gesellschaftlich gebunden, und er existiert als Figur nur im Reden und Reflektieren; außerdem sagt er von sich: „Früher habe ich geschrieben", und erklärt, warum er nicht mehr schreibt. Unmittelbar vor seinem letzten Monolog über Leben und Tod redet er darüber, wie wenig das Dichten Realität schaffen oder ein Leben erfüllen kann:

„Und wenn man ein Dichter wäre, man ist noch immer nicht mehr als ein geborener Tierstimmenimitator [...] – alle Stimmen läßt du aus dir erschallen, o Tierstimmenimitator, um die eigene Leere zu übertönen, deinen Mangel an eigener Stimme [...]"

6.3.3 Gottfried Benn: „Es geschieht alles nur in meinem Gehirn"

In Gottfried Benns Prosa schließlich lassen sich Erzählen und Denken überhaupt nicht mehr unterscheiden. Sein Essaywerk ist umfangreicher als sein Erzählwerk, und seit den späten dreißiger Jahren schrieb er keine Erzählungen mehr. Auffallend ist die Zahl autobiographischer Essays, und das verbindet die Essayistik wiederum mit seinen Erzählungen: Erzählen ist für Benn Selbstreflexion und Auseinandersetzung mit den intellektuellen und emotionalen Erfahrungen seiner Zeit. So verschmelzen Dichtung, Reflexion und Autobiographie in einer neuartigen Denk-Prosa; erzählenswert ist allemal nur der ‚Lebensweg eines Intellektualisten‘ (1934) oder sein ‚Doppelleben‘ (1950/55) als Arzt und Dichter. In diesem Doppelleben erkennen wir Einsteins zwei Arten des Denkens wieder: das angewandte Denken im Beruf und in den Institutionen, das leidenschaftliche Denken des unabhängigen Intellektuellen in seiner Einsamkeit. Benns Erfahrung in beiden Bereichen war schon früh, daß ihm als „modernem Ich" sowohl die Wirklichkeit als auch die Einheit des Ichs, vor allem aber die Synthese aus beiden zu zerfallen schienen (vgl. S. 93 f.). Das ist auch das Thema der frühen Erzählungen.

1916 veröffentlichte Benn einige seiner seit 1915 geschriebenen Prosastücke unter dem Titel ‚Gehirne‘, denen 1918 und in den zwanziger Jahren noch einige ähnliche folgten. Die handlungsarmen Personenskizzen sind montiert aus Erlebnissen Benns, aus Erinnerungen, Eindrükken, ferner Zitaten aus Notizbüchern, Gesprächen, gelesenen Büchern oder Benns eigenen Werken – ganz ähnlich wie seine autobiographischen Essays. Aus diesen Erfahrungssplittern ‘entstand’ die fiktive Rolle eines Arztes, meistens mit dem Namen Rönne, der aber nur ein Deckname ist, mit Hilfe dessen Benn sich selbst in der dritten Person darstellen konnte. Der Übergang zur Ichform (‚Weinhaus Wolf‘, 1937) markiert dann Benns endgültige Wendung vom scheinbar fiktionalen zum offen autobiographischen Schreiben.

Die Auflösung traditionellen Erzählens läßt sich deutlich an der Titelerzählung von 1916 beobachten: ‚Gehirne‘, in der noch ein Rest an äußerer Handlung besteht.

Der Arzt Rönne vertritt für einige Zeit den Chefarzt einer Privatklinik. Er arbeitet nur lässig, aber sein Blick ruht oft auf den hinfälligen Körpern der Patienten. Auffällig ist seine Gewohnheit, gedankenverloren mit beiden Händen eine Geste zu machen, als halte er etwas darin. Mehr und mehr zieht er sich allein in sein Zimmer zurück. Als der Chefarzt zurückkommt, empfängt ihn Rönne mit einer wirren Rede über seine Hände, die immer Gehirne gehalten und auseinandergenommen hätten, und bittet um seine Freiheit.

Die Erzählung beginnt konkret mit der Anreise Rönnes; die Fakten gehen aber bald in den inneren Monolog des Arztes über: „Es geht also durch Weinland, *besprach er sich* ..." (Hervorhebung nicht original). Und so lösen sich alle faktischen Ansätze der Erzählung alsbald in Reflexion und innere Bilder auf. Die Handlungsbruchstücke werden nur mit ganz vagen Formulierungen verknüpft: „Oft ..., allmählich ...,

wenn er lag ..., auch in der Folgezeit ..., eines Abends ..." usw. Das
zeitliche Nacheinander vewandelt sich so in ein fast simultanes Nebeneinander von wiederholten oder wiederholbaren Erfahrungsfragmenten.
Darin verebbt jeder Anlauf konkreten Erzählens. Äußere Wahrnehmungen werden zu Spiegelungen des Ichs, so vor allem die unheilbaren
Patienten: „Er sei keinem Ding mehr gegenüber [...], äußerte er einmal." Das Leitmotiv der Chirurgenhände, die ein Gehirn auseinander-
nehmen – ein Tick als einziges markantes Persönlichkeitsmerkmal! –, ist
eine ebensolche Projektion des Ichs:

> „Sehen Sie, in diesen meinen Händen hielt ich sie, hundert oder auch tausend
> Stück [...]. Nun halte ich immer mein eigenes in meinen Händen und muß immer
> danach forschen, was mit mir möglich sei."

Rönne faßt keine Wirklichkeit mehr, weil er auf sich selbst zurückge-
worfen ist und auch sich selbst nicht fassen kann. Benn hat das selber so
kommentiert:

> „Das Problem, das Rönne diese Qualen bereitet, heißt also: Wie entsteht und
> was bedeutet eigentlich das Ich? [...] Wir erblicken hier also einen Mann, der
> eine kontinuierliche Psychologie nicht mehr in sich trägt."
> (‚Lebensweg eines Intellektualisten‘, 1934)

Mit seinem Realitätszweifel und seinem Ich-Verlust gehört Rönne/Benn
zur Generation der Expressionisten, aber auch zu den Liquidatoren des
realistischen Erzählens. Denn Ich und Realität bestehen für ihn nicht in
Handlungen, nicht im ‘Geschehen’: „Manchmal eine Stunde, da bist du;
der Rest ist das Geschehen" (‚Die Reise‘). Und der Zweifel am Geschehen ist notwendigerweise ein Zweifel am Erzählen: „Was sollte man
denn zu einem Geschehen sagen? Geschähe es nicht so, geschähe etwas
anderes" (‚Gehirne‘). ‘Erzählen’ kann man eigentlich nur von sich
selbst, den inneren Erfahrungen, und die sind ein Leiden am Denken,
das man dennoch nicht lassen kann, wenn man sein Ich sucht. Nur im
Rausch der Selbstvergessenheit – „Zerstäubungen der Stirn – Ent-
schweifungen der Schläfe" (‚Gehirne‘) – gibt es unzweifelhaftes Sein:
„Manchmal eine Stunde, da bist du." Die überwiegenden Erfahrungen
aber sind leeres Geschehen und unwirkliches Bewußtsein:

> „Bis mich die Seuche der Erkenntnis schlug: es geht nirgends etwas vor; es
> geschieht alles nur in meinem Gehirn."
> (Aus Benns Prosaskizze ‚Heinrich Mann. Ein Untergang‘, 1913)

6.4 Vorgriffe des modernen Bewußtseins im Rückgriff auf die Tradition

Alfred Döblin: Die drei Sprünge des Wang-Lun (Roman. 1915)
Wadzeks Kampf mit der Dampfturbine (Roman. 1918)
Robert Walser: Fritz Kochers Aufsätze (Erzählungen. 1904)
Geschwister Tanner (Roman. 1906)   Der Gehülfe (Roman. 1907)
Jakob von Gunten (Roman. 1908)   Geschichten (Erzäh-
lungen. 1914)   Kleine Dichtungen (1914)   Kleine Prosa (1917)
Der Spaziergang (Novellen. 1917)   Poetenleben, Bericht (1918)

Das Erzählen im traditionellen Stil hatte trotz allen Krisen nach 1900 nicht aufgehört. Selbst in den Traditionsbrüchen der Avantgarde gingen teilweise modernes Bewußtsein und tradierte Formen neue Verbindungen ein; erst recht so bei Autoren, die gar nicht mit der Tradition brechen wollten, wie z. B. die Brüder Mann, Robert Musil und Arthur Schnitzler – Autoren, die noch lange über den Ersten Weltkrieg hinaus publizierten und die moderne Prosa beeinflußten. Unter ihnen nahm Alfred Döblin (vgl. Seite 137f.) eine wichtige vermittelnde Position zwischen Avantgarde und Erzähltraditionen ein. Andere blieben zu ihrer Zeit Einzelgänger und erzielten nur eine indirekte oder sich erst langsam entfaltende Wirkung wie Robert Walser und vor allem Franz Kafka.

6.4.1 Alfred Döblin: Vieldeutigkeit und Tatsachenphantasie

Anders als viele Zeitgenossen sah der frühe Alfred Döblin (1878–1957) die Widersprüche der Zeit nicht nur als Symptome des Verfalls, sondern auch als Potential der Kreativität. Das Erzählen war ihm nicht fragwürdig geworden, auch nicht zur bloßen Selbstbespiegelung, Krisenanalyse oder Antikunst, sondern bedeutete ihm schöpferische Auseinandersetzung mit der Wirklichkeit. In der „Tatsachenphantasie" des Erzählens sah er eine besondere „Art Denken", in der Wirklichkeitsbezug, Bewußtheit und Kreativität sich vereinen (‚An die Romanautoren und ihre Kritiker', 1913). Diese Tatsachenphantasie entspricht auch der Vielfalt und Vieldeutigkeit der Welt. Dem Futuristen Marinetti hielt Döblin energisch die Frage entgegen: „Sie meinen doch nicht etwa, es gäbe nur eine Wirklichkeit …?" (‚Futuristische Wortkunst. Offener Brief an F. T. Marinetti', 1913.) Döblin verwarf jedes Wirklichkeitsbild psychologischer und kausaler Eindeutigkeit in geschlossenen Romanhandlungen mit „klarer Problemstellung". Dagegen setzt er wieder auf die dynamische Tatsachenphantasie – „Im Roman heißt es schichten, häufen, wälzen, schieben" – und auf einen umfassenden, letztlich irrationalen Lebensbezug; denn ein Roman solle in jedem seiner Teile zeigen, „wie jeder Augenblick unseres Lebens eine vollkommene Realität ist" (‚Bemerkungen zum Roman‘, 1917). Damit, glaubt Döblin, entspreche der Roman den großen Epen seit frühester Zeit – der Gegensatz zwischen Tradition und Moderne erscheint aufgehoben.

Auch in Döblins Œuvre zeigen sich Auflösung und Weiterwirken der Tradition zugleich. Aufgelöst sind die inhaltlichen und formalen Konventionen, denen jedoch keine ein für allemal gültige neue Norm entgegengesetzt wird. So griff Döblin mit fast jedem Roman nach neuen Themen, Stoffen und Gestaltungsmitteln, und er bekannte am Ende: „Jedes Buch endet (für mich) mit einem Fragezeichen" (‚Epilog‘, 1948). Die Stoffe und Ideen konnten dabei auch ganz alt sein, sogar alter Formen bediente er sich, freilich mit modernen Ausdrucksmitteln durchsetzt oder umgeformt; dies zeigt gerade auch sein berühmtester und seinerzeit als revolutionär empfundener Roman ‚Berlin Alexanderplatz‘ (1929). Die Tradition wird also weder verteidigt noch verworfen; sie ist vielmehr, ebenso wie zeitgenössische Wirklichkeit, Phantasie und Experiment, ein Medium neben anderen, in dem das Ich sich „aufrollt", das heißt sich der Selbstbefragung öffnet und in der Tatsachenphantasie immer wieder neu entwirft. Das erste und seinerzeit sehr wirksame Beispiel für die so verstandene Epik war der Roman ‚*Die drei Sprünge des Wang-Lun*‘ (1915).

Der Roman spielt im China des 18. Jahrhunderts, in einer zugleich historisch verbürgten und doch in der Phantasie aus der Ferne herangeholten Welt. Der (erfundene) Fischersohn Wang-Lun wird aus Empörung gegen soziales Unrecht zum Dieb, Räuber und Mörder, bekehrt sich aber – im ersten „Sprung" seines Lebens – zur taoistischen Lehre des „Wu-Wei", des Nichthandelns. Den Widerspruch zwischen dem Prinzip der Gewaltlosigkeit und dem Mitleid mit den Leidenden überwindet Wang-Lun durch die Gründung und Führung der historisch belegten Sekte der „Wahrhaft Schwachen", die zunächst friedlich durchs Land zieht, aber durch den massenhaften Zulauf von Armen, Krüppeln und anderen Außenseitern zur gewaltigen Demonstration gegen die Herrschenden, die Reichen, den Staat und die Staatsreligion wird. Innere Auseinandersetzungen in der Sekte, von der sich ein anarchistischer Rebellenhaufen abspaltet, und brutale Militäraktionen der Regierung vernichten die Bewegung schließlich. Wang-Luns Leben ist in diese Vorgänge verstrickt und ein Leben der Wandlungen („Sprünge"): vom ohnmächtig Aufbegehrenden zum mächtigen Führer der Ohnmächtigen, dann notgedrungen zum Anführer gewaltsamen Widerstands und zuletzt wieder zum Gewaltlosen.

Historischer Vorgang, fiktiver Lebenslauf und weltanschauliche Legende sind hier ineinander verflochten und zugleich von ganz aktuellen Problemen durchsetzt. Das Individuum mit seinen persönlichen Konflikten ist zugleich verstrickt in die kollektiven Vorgänge der Volksbewegung und der Gegenaktionen des Staates, aus denen andere Individuen zeitweise als Leitfiguren hervortreten. Nie zuvor wurde in einem deutschen Roman das Handeln und Fühlen der Massen so eindrucksvoll dargestellt. Die Fragen des einzelnen nach dem Sinn des Lebens verknüpfen sich mit sozialen und politischen Problemen, diese wiederum mit religiöser Sehnsucht und Aberglauben, mit Leidenschaft und Triebhaftigkeit der Menschen. Massen, Held und Leser finden keine endgültigen Lösungen, weder der konkreten Probleme noch der Lebensrätsel. Zwar scheint am Ende die Botschaft der Ohnmacht zu siegen, aber das Gleichnis der „drei Sprünge" besagt nur, daß der Mensch immer wieder von einer Seite des Baches auf die andere springen muß – einen endgültigen Standort gibt es nicht.

Auch formal ist der Roman „vieldeutig". Eine Fülle von Haupt-, Teil- und Nebenhandlungen, anekdotisch oder breit erzählt, wird entfaltet, „geschichtet" und „gewälzt". Epischer und raffender Bericht, hektische oder ausschweifende Schilderungen, ernster, schwankhafter und lyrisch-mystischer Ton, auktoriale und personale Erzählperspektiven, Gespräch und innerer Monolog breiten den Lebenskosmos aus. Dank seiner Vorstudien verfügt der Autor über sinologische Details in Fülle, er ergänzt sie aber mit seiner Imagination und macht aus dem tatsächlichen China ein sagen- oder legendenhaftes Land Immer und Überall.

6.4.2 Robert Walser: Das Ungeheure im Kleinen

Im Unterschied zu Döblin war Robert Walser (1878–1956) dem Stilgefühl der Jahrhundertwende und des Impressionismus verbunden; sein nicht selten preziöser Stil erinnert sogar an noch ältere Vorbilder wie Goethe, Kleist und die Romantiker. Nach einigen Erzählungen und drei Romanen schrieb Walser fast nur noch kleine Prosastücke, Feuilletons und erzählende, schildernde oder essayistische Skizzen, wie sie von Impressionisten gepflegt wurden (z. B. von Peter Altenberg, 1859–1919), die Kafka sehr beeindruckten und zu einigen seiner Prosastücke anregten.

In den Romanen stellt Walser die Alltagswelt aus der Perspektive junger Männer dar, die eine untergeordnete Position einnehmen – als Angestellter, „Gehülfe" oder Schüler –, die das Treiben der Etablierten mit Ironie betrachten und – wie Eichendorffs Taugenichts – ihr bescheidenes Glück mit wenig Anstrengung suchen. Wie Walser selbst sind sie zwar keine Boheme-Charaktere, bewegen sich aber „an der Peripherie der bürgerlichen Existenzen" und brechen ab und zu ins ungebundene Leben aus. Es sind Diener-Naturen wie Figaro oder die Helden barocker Schelmenromane, vor deren naiv-geistvoller Lebenskunst die enge bürgerliche Welt teils komische, teils verstörte Züge annimmt und als geordnete Unordnung erscheint. Mit skeptischem Humor werden so Herrschaftsansprüche und Normen relativiert, ja in Frage gestellt.

Im Tagebuch-Roman *Jakob von Gunten* (1908) geht das ironische Wirklichkeitsbild in ein fast utopisches Modell über.

Der unheroische Held ist Internatsschüler im Institut Benjamenta, einer Dienerschule, in der die Schüler nichts lernen außer den Institutsvorschriften. Hier und im Umgang mit den Schülern wird Jakob zunächst sich selbst zum „Rätsel", die Schule erscheint ihm als „Schwindel", in den er sich gleichwohl einlebt. Sein Tagebuch spiegelt fortlaufend, was Jakob hier eigentlich lernt: das Leben der Menschen miteinander zu begreifen, gerade auch in seinen komischen und ernsten Widersprüchen. Im Institut sollen die „Zöglinge" zu „Dienern" erzogen werden, wie sie der Musterschüler Kraus verkörpert, „der brauchbare Mensch". Die Dialektik der Lebenserfahrung zeigt sich nun darin, daß Jakob Kraus liebt, obwohl er das Gegenteil zu ihm verkörpert, den „Schelm". Nach und nach finden alle Schüler Stellen, die Schule verkümmert, die Schwester des Vorstehers und eigentliche Pädagogin stirbt – das Institut löst sich auf. Der entmachtete, verarmte und vereinsamte Vorsteher bricht aber nicht zusammen, sondern fühlt sich befreit von der Gefangenschaft im Institut. Er, der Ältere, fordert den jungen Jakob, der allein mit ihm übriggeblieben ist, auf, als sein „Kamerad" mit ihm ins wahre und freie Leben aufzubrechen. Nachdem Jakob im Traum dieses Leben als Phantasiewelt des Abenteuers gesehen hat, sagt er zu. Die befreiende Selbstprojektion ins Utopische ist freilich von selbstzweiflerischer Melancholie unterlegt: „Und wenn ich zerschelle und verderbe, was bricht und verdirbt dann? Eine Null. Ich einzelner Mensch bin nur eine Null."

Das Besondere dieses Buches besteht darin, daß es in verschlüsselter Form Probleme der Zeit behandelt – vor allem die Paradoxien der Erfahrung, die Entfremdung im Institutionellen, Selbstentwurf und Selbstproblematisierung –, aber im Unterschied zur überwiegenden Literatur der Zeit mit einem Humor, der bald spielerisch, bald ernsthaft wirkt. Die sehr frei verwendete Tagebuchform nutzt Walser dazu, um sich in unterschiedlichen Spielarten der Prosa zu äußern: erzählend und essayistisch, subjektiv erlebt oder distanzierend stilisiert, naiv und ironisch. Die satirische Kritik an erstarrten Ordnungen wird dabei aufgefangen durch die Zuversicht, daß selbst in ihnen noch Verständigung und Liebe möglich sind; die Hoffnung auf Selbstbefreiung andererseits kann sich von ironischer Skepsis nicht ganz lösen. Der Mensch erfährt sich als Möglichkeit, aber nicht als Gewißheit.

Walsers kleine Prosastücke lassen erkennen, wie aus der Preisgabe wohlgebauter epischer Gattungen an die unscheinbare Kleinform eine neue Intensität des Stils und der Aussage hervorgehen kann. In der Prosa-Miniatur wird das Einzelbild zum konzentrierten Lebensausschnitt, in dem ebenso die Schönheit des ganzen Lebens (vgl. ‚Der Tänzer', ‚Ovation' u. a. m.) aufscheinen kann wie seine innere Unordnung (vgl. ‚Eine Ohrfeige und sonstiges') oder seine Gefährdung (vgl. ‚Das Götzenbild'). In diesen Miniaturen reflektiert der Dichter sich auch selbst, sogar in anderen Dichterfiguren. Kunst und Dichtung vermitteln dabei die Wahrnehmung des Abgründigen im Schönen:

„Wie ist dir, fragt die Schwester. Kleist zuckt mit dem Mund und will ihr ein
wenig zulächeln. Es geht, aber mühsam. Es ist ihm, als habe er vom Mund einen
Steinblock wegräumen müssen, um lächeln zu können." (‚Kleist in Thun'. Vgl.
auch ‚Brentano' I und II, ‚Der Dichter' u. a. m.)

6.5 Kafkas Werk – eine Chiffre des Jahrhunderts?

Tagebücher (geschrieben seit 1909)
Entwürfe vor den ersten Veröffentlichungen:
Beschreibung eines Kampfes (1904/05)
Hochzeitsvorbereitungen auf dem Lande (1907)
Der Verschollene/Amerika (1911/12–1914)
Veröffentlichungen zu Lebzeiten Kafkas:
Der Heizer (erstes Kapitel des ‚Verschollenen'; 1913)
Das Urteil (1913)   Die Verwandlung (1915)
Ein Landarzt (1919)   In der Strafkolonie (1919)
Ein Hungerkünstler (von Kafka zum Druck eingereicht 1922; ver-
öffentlicht postum 1924)
Postume Veröffentlichungen (durch Max Brod):
Der Prozeß (1925; geschrieben 1911/12–1914)
Das Schloß (1926; geschrieben 1922)
Amerika (1927; geschrieben 1914/15)
Weitere Schriften aus dem Nachlaß (1931–37)
Erste Gesamtausgaben: in 5 Bänden, New York, 1946; in 11 Bän-
den, Frankfurt, 1950ff.

6.5.1 Kafkas Wirkung bis in die Gegenwart

Etwa gleichzeitig mit dem expressionistischen Jahrzehnt, vor und nach
dem Ersten Weltkrieg, schrieb ein jüdischer Versicherungsbeamter in
Prag Prosa, die keiner bestimmten Stilrichtung folgte, zu seinen Lebzeiten nur in Bruchstücken und wenigen Kennern bekannt wurde und
von ihm selbst nur zum kleinen Teil als gelungen eingeschätzt wurde.
60 Jahre nach seinem Tode ist der Autor Franz Kafka (1883–1924) zu
einem modernen Klassiker geworden, durch den die Krise des Erzählens
sich als Anfang einer neuen Literatur zu erweisen scheint. Ausgaben
seiner Werke erreichen Bestsellerzahlen (‚Der Prozeß' 1983 allein in der
deutschen Taschenbuchausgabe über 800000!) und sind in viele Sprachen übersetzt. Gegenwartsautoren bekennen sich zu der Wirkung, die
Kafka auf sie gehabt hat.
Die komplizierte Wirkungsgeschichte Kafkas hängt sicherlich mit ihren
Voraussetzungen in der äußeren Geschichte zusammen, aber auch mit

der Tatsache, daß kaum ein anderer moderner Autor so unterschiedlich verstanden und interpretiert wurde wie er: biographisch, politisch, sozialgeschichtlich, psychologisch und psychoanalytisch, religiös oder existentialphilosophisch. Offenbar entzieht sein Werk sich eindeutiger Interpretation. Durch diese Erfahrung wurde es zum Musterbeispiel modernen Literaturverständnisses überhaupt, daß nämlich der Sinn eines Literaturwerks nicht nur und nicht eindeutig vom Text festgelegt wird, sondern sich erst aus der Wechselwirkung zwischen Text und Leser jeweils ergibt. Mit dieser Vieldeutigkeit stünde Kafkas Werk im Zusammenhang mit der Krise des Erzählens, mit dem Expressionismus und der modernen Chiffren-Dichtung. Sein Prosastil dagegen knüpft eher an Traditionen an, nicht an die Experimente der Avantgarde. Diesen Eindruck bestätigt, was man über Kafkas eigene Lektüre weiß: Neben Autobiographien, Biographien und Briefen kannte und schätzte er besonders Goethe und Kleist, Dickens, Flaubert, den Erzähler Strindberg, Hamsun und Dostojewski, von deutschen Zeitgenossen Hofmannsthal, Robert Walser und Wassermann. Die seit dem Zweiten Weltkrieg anhaltende Wirkung Kafkas zeigt andererseits, daß moderne Leser bis heute in Kafkas Texten eigene Erfahrungen und Vorstellungen wiederzuerkennen glauben – seien es die Unsicherheiten des sich reflektierenden Ichs, seien es die Zweifel an Erkenntnis und Glauben, die Irritation durch eine erforschte, aber nicht verstandene Welt, die Ängste gesellschaftlicher oder politischer Unfreiheit oder gar die Katastrophenschocks.

6.5.2 Dialektik von Leben und Schreiben (Tagebücher)

Zu politischen und gesellschaftlichen Fragen der Zeit hat Kafka direkt sich nur gelegentlich geäußert. Viel mehr beschäftigten ihn seine persönlichen Probleme, Wahrnehmungen in der engeren Umgebung und auf Reisen, Literatur und Kunst, das Judentum und ethisch-weltanschauliche Probleme. Der Zusammenhang zwischen Persönlichem, Weltanschaulichem und Zeitgeschichtlichem, den Kafkas Leser empfinden, liegt in seiner Biographie begründet, die Kafka selbst in Tagebüchern und Briefen ausführlich reflektiert hat.

Kafka wuchs im Prager Getto als Sohn eines jüdischen Kaufmanns auf, besuchte ein deutsches Gymnasium und studierte – nach der bald aufgegebenen Germanistik – Rechtswissenschaft, mit Staatsexamen und Promotion als Abschluß. Dann arbeitete er als Sachbearbeiter und im Außendienst für Versicherungsgesellschaften, mit dem Spezialgebiet Arbeitsschutz und Arbeiterunfälle. Der Beruf vermittelte ihm Erfahrungen mit der proletarischen Arbeitswirklichkeit, mit Bürokratie und Unternehmertum; hier sowie in den Geschäften seines Vaters, eines sozialen Aufsteigers, und in der gesellschaftlich problematischen Stellung der Juden lernte Kafka soziale Probleme der Zeit unmittelbar kennen. Beruf und Geschäfte waren ihm aber verhaßt, weil sie ihn vom Schreiben abhielten. Mit der Familie verband ihn ein spannungsreiches Verhältnis, und sein ganzes Leben war von der äußeren und inneren Auseinandersetzung mit dem gefürchteten Vater belastet. Ebenso problematisch waren mehrere Frauenbeziehungen, vor allem die wiederholt beschlossene und wieder gelöste Verlobung mit Felice Bauer; Kafka fand nie eine unbefangene Einstellung zu Frauen. Gesundheitlich war Kafka labil (teilweise wohl aus psychischen Gründen), und 1917 wurde eine Tuberkulose diagnostiziert. Er mußte seine berufliche und literarische Tätigkeit oft unterbrechen, Heilstätten aufsuchen und die letzten Jahre als Todkranker leben. 1924 starb er an Kehlkopftuberkulose.

Kafka empfand sein Leben als Ringen um sich selbst in seiner Umwelt, ja als Auseinandersetzung mit den ständigen Mißerfolgen dieses Ringens. Dem Lebensgefühl einer sich immer mehr schließenden Ausweglosigkeit stemmte er sich entgegen, indem er auf jede Weise, aber schon mit dem Zweifel, ob es gelingen könnte, sich seiner selbst zu vergewissern suchte: „Ich werde versuchen, allmählich das Zweifellose in mir zusammenzustellen, später das Glaubwürdige, dann das Mögliche usw." (Tagebuch, 11. 11. 1911). An diesem Satz fällt die scheinbare Entschiedenheit des Beschlusses auf, die aber schon mit dem „allmählich" und der Antiklimax der Aufzählung abgeschwächt erscheint – ein Muster, das die Handlung vieler Erzählungen Kafkas kennzeichnet.

Schreiben war für Kafka *die* Gegenkraft zum Leben; im Schreiben ging es ihm um die innere Selbstbehauptung gegenüber einem als übermächtig empfundenen Leben:

„Das Tagebuch von heute an festhalten! Regelmäßig schreiben! Sich nicht aufgeben! Wenn auch keine Erlösung kommt, so will ich doch jeden Augenblick ihrer würdig sein" (25. 2. 1912).

Das Schreiben aber mußte dem bedrängenden Leben erst abgerungen werden:

„Ich will schreiben, mit meinem ständigen Zittern auf der Stirn. Ich sitze in meinem Zimmer im Hauptquartier des Lärms einer ganzen Wohnung." Kafka schildert, wie das Familienleben, vor allem der Vater und die Schwestern, ihn stören, und endet mit einer grotesken Vorstellung: „Schon früher dachte ich daran, [...] ob ich nicht die Türe bis zu einer kleinen Spalte öffnen, schlangengleich ins Nebenzimmer kriechen und so auf dem Boden meine Schwestern und ihr Fräulein um Ruhe bitten sollte" (5. 11. 1911).

Nimmt man zu diesem Familienbild noch hinzu, daß für Kafka sein Beruf der andere große Widersacher des Schreibens war, so sind die Ähnlichkeiten mit einigen seiner Erzählungen ganz deutlich – sogar die „Verwandlung" in ein Tier ist als Motiv mit dem Wort „schlangengleich" schon angedeutet. Die Frauenbeziehungen Kafkas scheiterten ebenfalls nicht nur an seiner widersprüchlichen Einstellung zu Sexualität, Junggesellentum und Ehe, sondern auch daran, daß er fürchtete, der Anspruch einer Frau auf sein Leben könne das Schreiben gefährden. Im

Schreiben als der anderen Existenz hatte Kafka jedoch mit den gleichen
Schwierigkeiten wie im Leben zu kämpfen. Kurze Texte gelangen ihm
manchmal auf Anhieb, manche überarbeitete er oft; aber das große
Werk, der Roman, wurde trotz pedantischer Arbeit nie fertig. Kafka
selbst nannte das die „Schwierigkeit der Beendigung" (29. 12.
1911), aber auch „das Unglück des fortwährenden Anfangs" (16. 10. 1921).
Von außen wie von innen bedrängt, versuchte er im Schreiben, sich der
äußeren und inneren Erfahrung zu bemächtigen, stellte aber dabei sich
selbst und den Schreibprozeß zugleich in Frage; der ihn ständig beglei-
tende Zweifel wurde so auch zum Bestandteil des Geschriebenen:
„Meine Zweifel stehen um jedes Wort im Kreis herum, ich sehe sie
früher als das Wort" (15. 12. 1910).
In den Jahren 1911 bis 1914 schrieb Kafka sich vorwiegend im Tagebuch
aus; später ersetzte er dieses Schreiben für sich selbst mehr und mehr
durch Briefe, vor allem an die ihm nahestehenden Frauen, vor denen er
seine inneren Konflikte ausbreitete. Erzählungen und literarische Entwürfe gingen ebenfalls oft aus dem Tagebuch hervor oder sind in das-
selbe Heft geschrieben. Im Tagebuch beschrieb oder reflektierte Kafka
aber nicht nur seine „Zustände", sondern auch Gegenständliches; Fak-
tenwirklichkeit und Innenleben stehen – wie in den Erzählungen –
unmittelbar nebeneinander. Es begegnen viele Motive, die man in den
Erzählungen oder Romanen wiederfindet, z. B. Familienszenen,
Träume, die Gassen und Plätze Prags, Szenen im Büro, im Theater oder
auf dem Lande; und oft wird schon die Tagebuchskizze zum symbolischen Bild. Kafkas Erzählen ging also aus einem existentiellen Krisenge-
fühl hervor, vollzog sich selbst in fortwährenden Krisen und stellt auch
immer wieder Erfahrungskrisen dar.

6.5.3 „Alltäglicher Vorfall" und „Gleichnis": Kafkas Parabeln und kleine Erzählungen

Den frühen Prosastücken Kafkas merkt man ihre Nähe zum Tagebucheintrag an (vgl. ‚Betrachtung', 1913), etlichen Erzählungen wie
z. B. ‚Das Urteil' (1913) ihre verschlüsselt autobiographische Bedeutung,
selbst wenn so etwas Absurdes erzählt wird wie die „Verwandlung"
(1915) eines Menschen in ein Insekt. Manche Geschichten lesen sich wie
traditionelle Novellen, allerdings über hintergründige Begebenheiten
(z. B. ‚In der Strafkolonie', 1919). Fast immer aber entsteht der Eindruck einer nicht ganz aufzulösenden Spannung zwischen Verständlich-
keit und Unverständlichkeit; zwischen konkreten Fakten, Personen und
Abläufen einerseits, einer Abstraktion, die das Konkrete für irgend
etwas Gedachtes transparent macht, andererseits; schließlich aber auch
zwischen Präzision und logischer Strenge und Brüchen der Wahrschein-
lichkeit, Kausalität und Logik. Wie andere Zeitgenossen scheint Kafka

dem im vordergründigen Sinne realistischen Erzählen eine neue Art des parabolischen Erzählens entgegenzusetzen, in der aber, im Gegensatz zur alten Parabel, der abstrakte Sinn des Erzählten nicht evident ist. Ein Musterbeispiel für diese Erzählweise ist ein kurzer Text aus dem Nachlaß, der unter dem Titel ‚Eine alltägliche Verwirrung' (1917) veröffentlicht wurde.

Erzählt wird etwas Reales und zunächst Alltägliches: wie eine präzise Verabredung zwischen zwei Geschäftsleuten getroffen wird, der eine den anderen dann aber fortwährend verfehlt. Die einleitende Wendung – „Ein alltäglicher Vorfall: sein Ertragen eine alltägliche Verwirrung" – kündigt einen Gedanken und eine Aussage an; das entspricht alten belehrenden Erzählformen wie Kasus (Beispielgeschichte) und Parabel (Gleichniserzählung), die man versteht, wenn man den erzählten Vorgang auf den Gedanken bezieht. Kafka nennt nun die Personen A und B, einen Ort H; das verstärkt die Abstraktion und erweckt den Eindruck eines konstruierten Kalküls. Was nun A widerfährt, ist das Verwirrende: Er kann sich auf Fakten, Daten und das Verhalten des B nicht verlassen, bis er ihn fast trifft, aber durch einen Unfall endgültig verfehlt.

Die scheinbare Genauigkeit der Erzählung trügt; wichtige Umstimmigkeiten werden nicht erklärt oder aufgelöst. Dementsprechend unterschiedlich kann man die Geschichte deuten: als Modell scheiternder Kommunikationsversuche oder falscher Einschätzungen von Informationen und Erfahrungen; als Einbruch des Irrationalen in die Rationalität; als Beispiel für Fehlleistungen oder auch für die finstere Komik des Pechvogels. Ebenso verwirrend ist die Erzählperspektive. Im Stil eher auktorial, ist die Geschichte doch in der Perspektive A.s eingerichtet – die aber wird ständig widerlegt. Noch verwirrender wird die Sachlage, wenn man erfährt, daß der Titel gar nicht von Kafka stammt, sondern von Brod, der die Einleitung im Manuskript falsch gelesen hat; der Anfang heißt richtig: „Ein alltäglicher Vorfall: sein Ertragen ein alltäglicher Heroismus". Mit diesem Stichwort kann man sich an Kafkas Tagebuch erinnern und die Geschichte als groteske Parabel seines Lebensgefühls deuten.

So scheinen Vieldeutigkeit und Widersprüchlichkeit das Verhältnis zwischen Autor, Text und Leser insgesamt zu bestimmen. Kafkas Erzählmethode besteht sehr oft im dialektischen Wechsel zwischen Entwürfen einer vorgestellten Wirklichkeit und Problematisierungen dieser Entwürfe. Deshalb sieht auch der Leser sich durch den Text ständig aufgefordert, einen Sinn zu ermitteln; beim weiteren Lesen aber werden die sinngebenden Akte fortwährend in Frage gestellt. Damit ließe sich auch Kafkas besondere Stellung zwischen Tradition und Moderne erklären. Oft hat er alte Erzählformen nachgeahmt oder umgeschrieben, vor allem Parabeln und Legenden, und unter diesen besonders solche biblisch-jüdischer Tradition. Diese Geschichten veranschaulichen fundamentale Wahrheiten über das Leben und überliefern sie zur Belehrung der Nachkommen. Zur jüdischen Tradition gehörte dabei ebenso die jahrhundertealte Folge von Auslegungen und der Streit um die gültige Deutung. Kafka scheint nun die Dialektik der Suche nach Wahrheit bzw. der Vermittlung von Wahrheit in seinem Denken und Erzählen nachzuvollziehen: Erzählung, Auslegung und Zweifel rufen sich gegenseitig hervor (vgl. ‚Von den Gleichnissen', 1922/23).

Kafkas Leser sollte nicht versuchen, einen feststehenden 'Sinn' hinter den Erzählungen zu finden, sondern die erzählte Geschichte als Vorgang des Erzählens, der Sinnsuche und der Problematisierung mitvollziehen. Daß er dabei sein Lebensgefühl wiederfinden kann, hat sicherlich mehrere Gründe. Erstens entspricht diese Erzählweise und Verstehenserfahrung den krisenhaften Wirklichkeitserfahrungen der Zeit. Zweitens geben die Erzählungen dem Leser Spielraum für die Projektion eigener Erfahrungen. Schließlich zeichnen sich darin Grundmuster der konkreten Erfahrung ab. In den typischen Situationen des Alltags- und Familienlebens, der Berufstätigkeit, der Beziehungen zur sozialen Umwelt oder ihren Institutionen (wie Firma, Justiz, Regierung usw.) findet der Leser seine Rollenerfahrungen als Individuum und als Sozialwesen wieder, vor allem die, daß das Individuum sich in seiner Umwelt verunsichert oder gefährdet fühlt, daß es in einen Rechtfertigungszwang gerät oder daß die soziale Verständigung nicht gelingt. Darin vor allem hat Kafka offenbar wesentliche soziale Strukturen und Probleme der Gegenwart und die gesellschaftliche Erfahrung der Entfremdung erfaßt. Besonders eindrucksvoll sind in dieser Hinsicht die Bilder labyrinthischer Institutionen und vergeblicher Anstrengungen eines einzelnen (vgl. ‚Eine kaiserliche Botschaft', in: ‚Beim Bau der chinesischen Mauer', 1917).

6.5.4 Die Abhängigkeit vom Unzugänglichen: Kafkas Romane

In seinen Romanprojekten hat Kafka versucht, „die ungeheure Welt, die ich in meinem Kopfe habe", in all ihren Verästelungen darzustellen. Die Vollendung ist ihm in keinem Falle gelungen, nur drei Fragmente lassen den Grundriß eines Ganzen erkennen. Alle drei haben ein ähnliches Handlungsmuster: Ein einzelner versucht, sich in einer sozialen Wirklichkeit oder Institution zu orientieren, ja in sie einzudringen, und scheitert dabei, teils wegen deren Unzugänglichkeit, teils wegen verwirrender Verwicklungen, teils wegen seiner eigenen Fehler oder Versäumnisse.

Im frühesten dieser Romanentwürfe, ‚Amerika' (seit 1911/12), erscheint das Grundmuster noch nicht so ausweglos wie später, sondern – wie bei Robert Walser – verbunden mit Humor und Zuversicht. Karl Roßmann muß wegen einer Liebesaffäre auswandern und gerät nacheinander in verschiedene Dienstverhältnisse der Geschäftswelt im kapitalistischen Amerika (als Angestellter, Liftboy, Diener). Ob Kafka sich schließlich für einen tragischen Schluß (Roßmanns Tod) oder eine befreiende Lösung (Roßmann als Künstler im ‚Naturtheater von Oklahoma'?) entschieden hätte, ist nicht auszumachen.

Ein undurchschaubares „System von Abhängigkeiten" (s. u.) stellt das letzte Romanfragment dar, ‚*Das Schloß*' (1922). Der Held, K., kommt in ein Dorf, das unter der Herrschaft eines Schlosses steht, und soll dort angeblich Dienst als Landvermesser aufnehmen. Trotz allen möglichen Versuchen gelangt er nicht ins Schloß und erhält auch keine Gewißheit über seinen Auftrag. Es vergehen einige Tage mit Liebschaften, Begegnungen mit „Sekretären" und Dorfbewohnern; dabei treten Gerüchte und Komplikationen zutage, die alle irgendwie mit dem undurchsichtigen Herrschaftssystem Schloß – Dorf zusammenhängen. Brod nahm an, daß K. am 7. Tage entkräftet sterben sollte, gerade als die Nachricht kommt, daß er als Landvermesser bestätigt sei und im Dorf bleiben dürfe. Im Unterschied zu ‚Amerika' gelangt der Romanheld hier überhaupt nur in den Vorraum und Wartestand des Dienstverhältnisses; die eigentliche Zentrale des Systems bleibt hermetisch abgeschlossen, und in allem, was geschieht, erlebt K. die abwechselnd ermutigende und entmutigende Wirkung von unzuverlässigen Informationen.

Diesem Handlungsmuster ähnelt dasjenige im Fragment ‚*Der Prozeß*' (1911/12 bis 1914), jedoch handelt es sich hier um Dienstverhältnisse nur nebenbei. Entscheidender Vorgang ist, daß der Romanheld – wiederum K. – von einem Gericht, dessen Identität er nie ganz herausfindet, wegen einer Schuld, die er nicht kennt, zum Angeklagten in einem Prozeß gemacht wird, der im geheimen abzulaufen scheint. K. bemüht sich um Aufklärung, um Fürsprecher, um Beeinflussung der Vorgänge, zwischendurch glaubt er auch, dem Prozeß zu entrinnen – alles umsonst. In der vorliegenden Fassung endet das Buch mit K.s Hinrichtung, aber unter Umständen, die sie einer illegalen Liquidation gleichen lassen.

Der Deutung der Romane ist wiederum ein weiter Spielraum gegeben. Die institutionellen, sozialen und kommunikativen Muster des Erzählten legen es nahe, sie als verschlüsselte Auseinandersetzungen mit gesellschaftlichen Erfahrungen zu interpretieren. Vor allem ‚Der Prozeß' und ‚Das Schloß' spiegeln Erfahrungen der Abhängigkeit und Entfremdung des einzelnen in der verwalteten Massengesellschaft oder in totalitären Systemen. Kafka soll sich einmal in diesem sozialkritischen Sinne so geäußert haben:

„Der Kapitalismus ist ein System von Abhängigkeiten, die von innen nach außen, von außen nach innen, von oben nach unten und von unten nach oben gehen. Alles ist abhängig, alles ist gefesselt. Kapitalismus ist ein Zustand der Welt und der Seele." (Gustav Janouch: Gespräche mit Kafka. Erinnerungen und Aufzeichnungen. 1951)

Falls dieses Zitat authentisch ist, so läßt es eine ganz universale Auffassung vom sozialen „System der Abhängigkeiten" erkennen, die nicht nur auf den Kapitalismus zutrifft, sondern überhaupt auf einen „Zustand der Welt und der Seele". So erinnern die Romane andererseits an Kafkas Auseinandersetzungen mit der „geistigen Oberherrschaft" seines Vaters (vgl. ‚Brief an den Vater', 1919), ebenso aber an sein

Ringen mit den Begriffen des „Gesetzes" oder „Gebotes" im Judentum oder mit den Fragen der Wahrheit und des Lebenssinns überhaupt. Biographisch gesehen, stehen ‚Der Prozeß' und ‚Das Schloß' sogar in Beziehung zu Kafkas problematischen Freundschaften mit Frauen. Betrachtet man die Erzählstruktur der Fragmente, so stößt man wieder auf das Verwirrspiel von Schlüssigkeit und Inkohärenz der Handlung, von Genauigkeit und Unbestimmtheit im Detail, von changierenden Erzählperspektiven, von Enthüllung und Verrätselung – wie in den Erzählungen. Alles, was berichtet wird, auch die Entscheidungen des Romanhelden, ist eine Frage des Verstehens oder Erkennens. Im ‚Schloß' und ganz besonders im ‚Prozeß' hängt davon das Schicksal K.s ab, und deshalb ringt er darum, die Ordnung, die Norm und die Autorität, denen er unterworfen ist, zu erkennen, damit er sich rechtfertigen oder seine Anerkennung erlangen kann. Gerade die Instanz, die Ordnung, Norm und Autorität vertritt und über Sein oder Nichtsein des Helden entscheidet, entzieht sich ihm aber.

Kafka hat den Zusammenhang zwischen Norm, Verstehen und Schicksal an einer Stelle im ‚Prozeß' besonders deutlich gemacht (9. Kapitel). In einem Gespräch über seinen Prozeß wirft dort ein Geistlicher K. vor, daß er sich über den Prozeß, das Gericht und selbst das Gesetz grundlegend „täuscht". Die Komplikationen, die aus einer solchen Täuschung erwachsen können, veranschaulicht der Geistliche mit der Parabel ‚Vor dem Gesetz'. Der anschließende Disput über den Sinn der Parabel hebt dialektisch eine Auslegung durch die andere auf; er führt zu keiner Klärung, sondern zu dem Ergebnis: „Richtiges Auffassen einer Sache und Mißverstehen der gleichen Sache schließen einander nicht völlig aus." Als K. es aufgibt, die Parabel, die Auslegungen und die Absicht des Geistlichen zu verstehen, erfährt er, daß dieser, in dem er einen Fürsprecher zu finden hoffte, einer seiner Richter sei. Damit mündet die Erkenntnisfrage wieder in die Handlung, die über Sein und Nichtsein entscheidet. Die Verschachtelung der Erzählebenen – Handlung, Disput, Parabel, Disput, Handlung – bewirkt, daß erzählter Vorgang und Erzählvorgang einander durchdringen und so auch den Verstehensvorgang beim Leser in ihre Verschachtelung hereinziehen. Für K. allerdings hängen sein Nichtwissen und Nichtverstehen mit der Frage seiner Schuld oder Rechtfertigung und dadurch mit seiner Existenz überhaupt zusammen. Goethe ließ im Roman einen Weisen sagen: „Wer sich zum Gesetz macht, [...] das Tun am Denken, das Denken am Tun zu prüfen, der kann nicht irren, und irrt er, so wird er sich bald auf den rechten Weg zurückfinden" (‚Wilhelm Meisters Wanderjahre', Montan im 9. Kapitel). Kafkas Roman dagegen besagt: Wir irren immer und kennen das Gesetz nicht, deshalb verfehlen wir den rechten Weg.

Es wäre jedoch falsch, in Kafka einen zynischen Nihilisten zu sehen oder in seinem Erzählen nur ein relativistisches Spiel mit der Dialektik. Es gibt zu viele Zeugnisse dafür, daß er unter seinen Erfahrungen gelitten hat und daß er sich – auch beim Schreiben – nach Lösungen und „Erlösung" sehnte. So schrieb er während der Arbeit am Entwurf eines anderen Romans:

„Zeitweilige Befriedigung kann ich von Arbeiten wie ‚Landarzt' noch haben, vorausgesetzt, daß mir etwas Derartiges noch gelingt (sehr unwahrscheinlich). Glück aber nur, falls ich die Welt ins Reine, Wahre, Unveränderliche heben kann." (Tagebuch, 25. 9. 1917)

Im Rückblick scheinen viele Züge der Krise des Erzählens bei Kafka zu münden: die kritische Auseinandersetzung mit einer Welt der Entfremdung; die Deformation der gewohnten Wirklichkeitserfahrung und tradierten Muster, sie darzustellen; die Spannung zwischen „Tatsachenphantasie" und Abstraktion; die Selbstreflexion des Intellekts und die Reflexion des Erzählens im Erzählen; die Neigung zum Exemplarischen und Parabolischen, verfremdet durch Vieldeutigkeit ... usw. Anders als viele Avantgardisten schöpfte Kafka aus einem Spannungsverhältnis zur Tradition: Tradierte Literatur, von den ältesten Legenden bis zur Klassik und den Prosaisten des 19. Jahrhunderts, faszinierte ihn; gleichzeitig aber war ihm die Tradition selbst ein Gleichnis für etwas, was ihm versagt blieb: Gewißheit. Darin, wie Kafka tradierte Exempel mit persönlichem und zugleich zeittypischem Krisenbewußtseins durchsetzte, erkannten die Zeitgenossen und Nachkommen ihr Wesen und ihre Erfahrung wieder, einschließlich der Dialektik und Vieldeutigkeit dieser Erfahrung. So gesehen, wäre Kafkas Werk eine Chiffre des Jahrhunderts.

Daten der Literatur	Daten der Politik und Kulturgeschichte
1870/71	Deutsch-Französischer Krieg
1871 É. Zola: Les Rougon-Macquart (Romanzyklus bis 1893)	Gründung des Deutschen Reiches Kulturkampf. Gründerjahre
1878	Sozialistengesetz
1880 É. Zola: Le roman expérimental H. Ibsen: Nora (Dr); F. Dostojewski: Die Brüder Karamasow (R)	Gründung der Sozialistischen Partei in Paris
1881 H. Ibsen: Gespenster (Dr)	Neutralitätsvertrag (Deutschland, Rußland, Österreich)
1882 Brüder Hart: Kritische Waffengänge (bis 1884)	Dreibund (Deutschland, Österreich, Italien)
1885 Moderne Dichter-Charaktere (Anthologie, hrsg. von W. Arent) Die Gesellschaft (Zs, M. G. Conrad)	K. Marx: Das Kapital, 2. Band (postum)
1886 L. Tolstoi: Kreutzersonate (E) K. Bleibtreu: Revolution der Literatur A. Holz: Das Buch der Zeit (G) P. Hille: Die Sozialisten (R)	Bulgarienkrise beendet Drei-Kaiser-Bündnis von 1872 (Rußland, Österreich, Deutschland) E. Mach: Beiträge zur Analyse der Empfindungen F. Nietzsche: Jenseits von Gut und Böse
1887 Théâtre Libre in Paris (Antoine) A. Strindberg: Der Vater (Dr) L. Tolstoi: Macht der Finsternis (Dr) W. Bölsche: Die naturwissenschaftlichen Grundlagen der Poesie H. Sudermann: Frau Sorge (R)	Rückversicherungsvertrag mit Rußland Reichstag beschließt Ausbau des Heeres (Septennat). Kulturkampf beigelegt Arbeiterschutzgesetz Kraftwagen mit Benzinmotoren (Daimler)
1888 Th. Fontane: Irrungen, Wirrungen (R) Th. Storm: Der Schimmelreiter (N) G. Hauptmann: Bahnwärter Thiel (N) M. Kretzer: Meister Timpe (R) † Th. Storm	Wilhelm II. deutscher Kaiser (bis 1918) F. Engels: Ludwig Feuerbach und der Ausgang der deutschen Philosophie F. Nietzsche: Der Wille zur Macht. Die Umwertung aller Werte. Der Antichrist
1889 A. Strindberg: Fräulein Julie (Dr)	Weltausstellung in Paris

Daten der Literatur	Daten der Politik und Kulturgeschichte
1889 Freie Bühne in Berlin (Brahm, Schlenther) G. Hauptmann: Vor Sonnenaufgang (Dr) B. P. Holmsen (= A. Holz, J. Schlaf): Papa Hamlet (,Studien') H. Sudermann: Die Ehre (Dr)	Gründung der Zweiten Internationale in Paris Berlin: 1 500 000 Einwohner B. v. Suttner: Die Waffen nieder! (R) Antinaturalistische Künstlergruppe ,Les Nablis' in Paris (Bonnard, Maillol); Künstlerkolonie Worpswede (Modersohn)
1890 K. Hamsun: Hunger (R) M. Maeterlinck: L'intruse (Dr), Les aveugles (Dr) Th. Fontane: Stine (R) Freie Volksbühne in Berlin G. Hauptmann: Das Friedensfest (Dr) A. Holz/J. Schlaf: Familie Selicke † G. Keller	Bismarck entlassen Deutsch-russischer Rückversicherungsvertrag erloschen Sozialistengesetz nicht verlängert Sozialdemokratische Partei Deutschlands (SPD); Erfolge bei Wahlen (35 Reichstagsabgeordnete) Tuberkulin (R. Koch)
1891 O. Wilde: The Picture of Dorian Gray (R); G. Hauptmann: Einsame Menschen (Dr); H. Bahr: Die Überwindung des Naturalismus; F. Wedekind: Frühlingserwachen (Dr)	Erfurter Programm der SPD Alldeutscher Verband Brotpreise seit 1888 um 60 % erhöht; Arbeitszeitbegrenzung für Arbeiterinnen unter 16 Jahren auf 11 Stunden täglich
1892 Th. Fontane: Frau Jenny Treibel (R) Die Zukunft (Zs, M. Harden) G. Hauptmann: De Waber (Dr) St. George: Algabal (G) H. v. Hofmannsthal: Der Tod des Tizian (fragm. lyr. Dr)	1. Kongreß der Freien Gewerkschaften E. Haeckel: Der Monismus. Glaubensbekenntnis eines Naturforschers Münchener ,Secession' (v. Uhde, Stuck, Corinth, Hölzel u. a. m.)
1893 G. Hauptmann: Die Weber (Dr); Hanneles Himmelfahrt (Dr); Biberpelz (K) H. Sudermann: Heimat (Dr) A. Schnitzler: Anatol (Dialoge)	Reform des Dreiklassenwahlrechts Ausstellung der Münchener Secession (Böcklin, Liebermann, Courbet, Corinth, Slevogt u. a. m.)
1894 O. Brahm Leiter des Deutschen Theaters in Berlin: Aufführung der ,Weber' von G. Hauptmann H. v. Hofmannsthal: Der Tor und der Tod (lyr. Dr)	Bund deutscher Frauenvereine Reichstagsgebäude in Berlin vollendet
1895 H. Ibsen: Die Wildente (Dr) Th. Fontane: Effi Briest (R)	Entdeckung der Röntgenstrahlen Erste Filmvorführung in Berlin

Daten der Literatur	Daten der Politik und Kulturgeschichte
1895	St. George: Die Bücher der Hirten ... (G) H. v. Hofmannsthal: Das Märchen der 672. Nacht W. Raabe: Die Akten des Vogelsangs (R) W. v. Polenz: Der Büttnerbauer (R) A. Schnitzler: Liebelei (Dr) F. Wedekind: Erdgeist (Dr)	K. Kollwitz: Ein Weberaufstand (Radierungen, bis 1898) G. Le Bon: Psychologie des foules (Psychologie der Massen, dt. 1922)
1896	A. Jarry: Ubu Roi (Dr, Theater-skandal in Paris) A. Tschechow: Die Möwe (Dr) Simplizissimus (Zs, München) Jugend (Zs, München) H. Böhlau: Der Rangierbahnhof (R)	Krügerdepesche (Südafrikapolitik) Nationalsozialer Verein (F. Naumann) Drahtlose Telegraphie (Marconi) Th. Herzl: Der Judenstaat (Zio-nismus)
1897	Th. Fontane: Der Stechlin (R) M. Halbe: Mutter Erde (Dr) C. Viebig: Kinder der Eifel (R) St. George: Das Jahr der Seele (G)	Aufstände in Deutsch-Südwestafri-ka unterdrückt. China verpachtet Kiautschou an das Deutsche Reich
1898	Moskauer Künstlertheater (Stanislawski) G. Hauptmann: Fuhrmann Henschel (Dr) A. Holz: Phantasus (G, weitere Fassungen 1899–1925) Th. Mann: Der kleine Herr Friedemann (En) F. Nietzsche: Gedichte und Sprüche F. Wedekind: Erdgeist (Dr, Urauff.) † Th. Fontane, C. F. Meyer	Sozialdemokratische Arbeiterpar-tei Rußlands Beginn des Ausbaus der deutschen Kriegsflotte (A. v. Tirpitz) Erste Frau in Halle promoviert Radium (M. u. P. Curie, Frank-reich), Kathodenstrahl-Leuchtröh-re (Braun), Kalkstickstoff (Frank, Caro) Berliner Sezession (Leistikow, Liebermann, Slevogt u. a. m.) É. Zola: J'accuse (offener Brief zum Dreyfus-Prozeß)
1899	Die Fackel (Zs, K. Kraus, Wien) H. v. Hofmannsthal: Reiterge-schichte R. Huch: Blütezeit der Romantik A. Holz: Revolution der Lyrik F. Wedekind: Der Kammersänger (Dr)	Haager Landkriegsordnung Burenkrieg in Südafrika (bis 1902) E. Haeckel: Die Welträtsel H. St. Chamberlain: Die Grund-lagen des 20. Jahrhunderts
1900	A. Strindberg: Nach Damaskus (Dr)	„Boxer"-Aufstand in China Weltausstellung in Paris

Daten der Literatur	**Daten der Politik und Kulturgeschichte**
1900	Heimat (Zs der Heimatkunstbewegung; F. Lienhard) St. George: Der Teppich des Lebens und die Lieder von Traum und Tod ... (G) A. Schnitzler: Lieutenant Gustl (E); Reigen (Dr) F. Wedekind: Der Marquis von Keith (Dr)	Quantentheorie (M. Planck) H. Zilles „Miljöh"-Zeichnungen in Berliner Zeitschriften S. Freud: Traumdeutung E. Key: Das Jahrhundert des Kindes P. Gauguin: Noa Noa (1891–93, Tahiti) † F. Nietzsche
1901	Kabaretts: Überbrettl (Berlin), Schall und Rauch (Berlin), Die elf Scharfrichter (München) Th. Mann: Buddenbrooks (R) A. Schnitzler: Leutnant Gustl (E)	Deutsch-englische Bündnisverhandlungen scheitern Wandervogel (Jugendbewegung)
1902	A. Strindberg: Ein Traumspiel (Dr) A. Tschechow: Drei Schwestern (Dr) F. Wedekind: König Nicolo (Dr) P. Rosegger: Als ich noch der Waldbauernbub war (En) R. M. Rilke: Das Buch der Bilder (G) H. v. Hofmannsthal: Ein Brief	Dreibund erneuert (Deutschland, Österreich-Ungarn, Italien) Burschenschaftsdenkmal eingeweiht W. Sombart: Der moderne Kapitalismus F. Mauthner: Beiträge zu einer Kritik der Sprache
1903	M. Gorki: Nachtasyl (Dr, von M. Reinhardt in Berlin inszeniert) Akademisch-dramatischer Verein (München) nach Aufführung von Schnitzlers ‚Reigen' verboten M. Halbe: Der Strom (Dr) G. Hauptmann: Rose Bernd (Dr) H. v. Hofmannsthal: Ausgewählte Gedichte; Das kleine Welttheater (Dr); Elektra (Dr) Th. Mann: Tristan (Nn, darunter: Tonio Kröger)	Reichstagswahlen: Zentrum 100 Sitze, SPD 81, Konservative 52, Nationalliberale 50, Freisinnige 21, Sonstige 96 Kinderschutzgesetz (betr. Kinderarbeit) Gründung der Firmen Siemens-Schuckert, Telefunken. Zentralverband deutscher Konsumgenossenschaften gegründet Erster Motorflug in Berlin Deutsches Museum, München
1904	A. Holz/O. Jerschke: Traumulus (Dr) H. Hesse: Peter Camenzind (R) F. Wedekind: Die Büchse der Pandora (Dr)	Entente cordiale (England – Frankreich) S. Freud: Zur Psychologie des Alltagslebens
1905	A. Strindberg: Todestanz (Dr) M. Reinhardt Leiter des	215 000 Bergarbeiter streiken im Ruhrgebiet

Daten der Literatur	Daten der Politik und Kulturgeschichte
1905 Deutschen Theaters in Berlin H. Mann: Professor Unrat (R) C. Morgenstern: Galgenlieder (G) R. M. Rilke: Das Stundenbuch (G) E. Stadler: Präludien (G)	Ausstellung der ‚Fauves‘ in Paris (Matisse, Derain, Vlaminck u. a.) Künstlergemeinschaft ‚Die Brük- ke‘ in Dresden (Kirchner, Heckel, Schmidt-Rottluff)
1906 H. Hesse: Unterm Rad (R) H. Mann: Stürmische Morgen (Nn) R. Musil: Die Verwirrungen des Zöglings Törleß (R) R. Walser: Geschwister Tanner (R)	Diplomatische Niederlage der deutschen Marokkopolitik (Konfe- renz von Algeciras) Gesetz der Gleichwertigkeit von Masse und Energie (A. Einstein). Aminosäuren, Polypeptide, Pro- teine (E. Fischer)
1907 St. George: Der siebente Ring (G) R. Walser: Der Gehülfe (R) O. Kokoschka: Mörder Hoffnung der Frauen (Dr, bis 1913)	Lenin emigriert aus Rußland (Schweiz) Tripelentente (England, Frank- reich, Rußland). Deutschland au- ßenpolitisch zunehmend isoliert. H. Bergson: L'évolution créative
1908 R. Walser: Jakob von Gunten (R) J. Wassermann: Caspar Hauser oder Die Trägheit des Herzens (R) R. M. Rilke: Neue Gedichte	Deutschland zweitgrößte See- macht nach England Frauen zum Studium an der Uni- versität Berlin zugelassen
1909 F. T. Marinetti: Futuristisches Manifest (Paris) H. Mann: Die kleine Stadt (R) Th. Mann: Königliche Hoheit (R) E. Lasker-Schüler: Die Wupper (Dr) W. Kandinsky: Der gelbe Klang (Bühnenkomposition; bis 1912)	Konflikte mit Rußland wegen österreichischer Annexionen im Balkan (1908) H. Breuer: Zupfgeigenhansl (Volksliederbuch des Wander- vogels) Ausstellung der Neuen Künstler- vereinigung München (Kandinsky, Jawlensky, Kubin)
1910 Der Sturm (Zs, H. Walden, bis 1932) R. M. Rilke: Die Aufzeichnungen des Malte Laurids Brigge (R) † L. Tolstoi, W. Raabe	Ausstellung der Kubisten in Paris (Picasso, Braque, Gris) Erstes abstraktes Gemälde von Kandinsky
1911 G. Hauptmann: Die Ratten (Dr) H. v. Hofmannsthal: Jedermann (Dr) C. Sternheim: Die Hose (Dr) Die Aktion (Zs, F. Pfemfert) A. Ehrenstein: Tubutsch (E)	Konflikte mit nichtdeutschen Minderheiten in Österreich- Ungarn Ausstellung ‚Der blaue Reiter‘, München (Kandinsky, Jawlensky, Marc, Macke, Klee)

Daten der Literatur	Daten der Politik und Kulturgeschichte
1911 G. Heym: Der ewige Tag (G) J. v. Hoddis: Weltende (G) A. Lasker-Schüler: Meine Wunder (G) F. Werfel: Der Weltfreund (G)	R. Strauss und H. v. Hofmanns- thal: Der Rosenkavalier (Oper). A. Schönberg: Harmonielehre
1912 F. T. Marinetti: Manifesto tecnico della letteratura futurista Die weißen Blätter (Zs, Schickele) E. Barlach: Der tote Tag (Dr) G. Benn: Morgue u. a. (G) C. Einstein: Bebuquin (R) G. Heym: Umbra vitae (G), postum G. Kaiser: Die Bürger von Calais (Dr, Umarbeitungen bis 1923) J. Sorge: Der Bettler (Dr) (Kafka: Der Prozeß [R], bis 1914) † G. Heym	Dreibund erneuert (Deutschland, Österreich, Italien). Neutralitäts- abkommen Italien – Frankreich. Deutsch-englische Spannungen wegen der Flottenpolitik SPD stärkste Fraktion im Reichstag R. Steiner gründet Anthroposo- phische Gesellschaft C. G. Jung: Wandlungen und Sym- bole der Libido
1913 Th. Mann: Der Tod in Venedig (N) C. Sternheim: Bürger Schippel (Dr) A. Döblin: Die Ermordung einer Butterblume (En) G. Heym: Der Dieb (Nn, postum) F. Kafka: Betrachtung; Der Hei- zer; Das Urteil (En) Mynona (S. Friedländer): Rosa, die schöne Schutzmannsfrau (En) Gedichte von A. Stramm, G. Trakl	Zweiter Balkankrieg † A. Bebel. Vorsitzender der SPD: F. Ebert. Hochdruck-Ammoniaksynthese (Haber/Bosch); Fließband (Ford, USA) Freideutsche Jugend (Hoher Meißner) S. Freud: Totem und Tabu E. Husserl: (philos. Phänomenologie)
1914 St. George: Der Stern des Bundes (G) H. Mann: Der Untertan (R, veröf- fentlicht erst 1918) C. Sternheim: Der Snob (Dr), Busekow (N) R. Walser: Geschichten J. R. Becher: Verfall und Triumph (Prosa und G) W. Hasenclever: Der Sohn (Dr) E. Stadler: Der Aufbruch (G) A. Wolfenstein: Die gottlosen Jahre (G) † E. Stadler, G. Trakl	Deutsch-englisches Bagdad- Abkommen Ausbruch des Ersten Weltkriegs (Ostpreußen, Belgien, Nordfrank- reich, Polen) Erste deutsche Kriegsanleihe: 4460 Mill. Mark. Arbeiterschutz weitgehend aufgehoben W. Gropius: Faguswerke in Alfeld (erster Fabrikbau in moderner funktionaler Architektur) M. Chagall: Der grüne Jude (Gemälde) F. Marc: Der Turm der blauen Pferde (Gemälde)

Daten der Literatur	Daten der Politik und Kulturgeschichte
1915 G. Meyrink: Der Golem (R) C. Sternheim: 1913 (Dr) G. Benn: Gehirne (Nn) A. Döblin: Die drei Sprünge des Wang-Lun (R) F. Kafka: Die Verwandlung (E) G. Trakl: Sebastian im Traum (G)	Italien erklärt Österreich den Krieg, Bulgarien den Alliierten Antikriegs-Zs ‚Die Internationale' (R. Luxemburg, K. Liebknecht, W. Mehring) beschlagnahmt A. Einstein arbeitet an der allgemeinen Relativitätstheorie
1916 J. R. Becher: An Europa (G) A. Ehrenstein: Der Mensch schreit (G) G. Kaiser: Von morgens bis mitternachts (Dr) F. v. Unruh: Opfergang (E, veröffentlicht 1919) Cabaret Voltaire (Dada in Zürich)	† Kaiser Franz Joseph I. (regierte seit 1848). Nachfolger: Karl I. Italien erklärt Deutschland den Krieg. Stellungskrieg im Westen; Gelbkreuz-Gas. U-Boot-Krieg; Skagerrak-Schlacht Bewegliche Prothesen unter Verwendung von Gliedstumpfmuskeln (Sauerbruch) E. Heckel: Krüppel am Meer, Irrer Soldat (Lithographien)
1917 W. Flex: Der Wanderer zwischen beiden Welten R. Walser: Kleine Prosa R. Goering: Seeschlacht (Dr) G. Kaiser: Die Koralle (Dr)	Kriegserklärung der USA an das Deutsche Reich; Revolution in Rußland; Friedensresolution des Deutschen Reichstags S. Freud: Einführung in die Psychoanalyse; C. G. Jung: Das Unbewußte im normalen und kranken Seelenleben
1918 L. Frank: Der Mensch ist gut (En) C. Sternheim: Chronik von des 20. Jahrhunderts Beginn (Nn) G. Benn: Das moderne Ich (Essay) E. Barlach: Der arme Vetter (Dr) G. Kaiser: Gas I (Dr) Club Dada in Berlin (Huelsenbeck, Grosz, Hausmann u. a. m.) Dadaistisches Manifest K. Kraus: Die letzten Tage der Menschheit (Dr, umgearbeitet bis 1922)	Präsident Wilsons 14 Punkte Friede von Brest-Litowsk (Rußland) Zerfall der Donaumonarchie November: Waffenstillstand; Revolution in Deutschland Opfer: Europa: ca. 10 Mill. Soldaten und Zivilpersonen; Deutschland: 1,9 Mill. Soldaten A. Adler: Praxis und Theorie der Individualpsychologie G. Simmel: Der Konflikt der modernen Kultur E. Bloch: Der Geist der Utopie
1919 F. Kafka: Ein Landarzt (En) A. Lichtenstein: Gedichte und Geschichten	Friedensverträge von Versailles und Saint-Germain. Verfassung der Weimarer Republik

Daten der Literatur	Daten der Politik und Kulturgeschichte
1919 K. Schwitters: Anna Blume (G) E. Toller: Die Wandlung (Dr)	R. Luxemburg, W. Liebknecht, K. Eisner ermordet Deutsche Arbeiterpartei (später: NSDAP)
1920 Menschheitsdämmerung (G.-Anthologie, hrsg. von K. Pinthus) H. Arp: der vogel selbdritt; die wolkenpumpe (G) E. Barlach: Die echten Sedemunds (Dr) G. Kaiser: Gas II (Dr) E. Jünger: In Stahlgewittern (R)	Internationaler Gerichtshof (Den Haag) Kapp-Putsch. Kommunistische Unruhen im Ruhrgebiet. Reichswehr. Hitlers 25-Punkte-Programm Jazz-Musik in Deutschland (aus den USA) M. Planck: Quantentheorie
1921 H. v. Hofmannsthal: Der Schwierige (Dr) E. Toller: Masse-Mensch (Dr)	Freikorps-Kämpfe und Abstimmung in Oberschlesien Erstes Auftreten der SA
1922 J. Joyce: Ulysses (R) T. S. Eliot: The Waste Land (G) G. Benn: Die gesammelten Schriften B. Brecht: Baal; Trommeln in der Nacht (Dr)	B. Mussolini italienischer Ministerpräsident Vertrag von Rapallo (Deutschland – UdSSR) W. Rathenau ermordet O. Spengler: Der Untergang des Abendlandes
1923 R. M. Rilke: Sonette an Orpheus; Duineser Elegien (G) E. Toller: Hinkemann (Dr); Das Schwalbenbuch (G)	Besetzung des Ruhrgebiets durch französische Truppen Hitler-Ludendorff-Putsch (München); Höhepunkt der Inflation
1924 F. T. Marinetti: Futurismus und Faschismus F. Kafka: Ein Hungerkünstler (E, postum) A. Schnitzler: Fräulein Else (N) † F. Kafka	† Lenin. Kämpfe um die politische Führung in der UdSSR Vorzeitige Entlassung Hitlers aus der Festung Landsberg
1925 A. Breton: Surrealistisches Manifest (Paris) H. v. Hofmannsthal: Der Turm (Dr) F. Kafka: Der Prozeß (R, postum)	Vertrag von Locarno † F. Ebert. Hindenburg Reichspräsident (bis 1934) Neugründung der NSDAP und SS A. Hitler: Mein Kampf

Dr = Drama, E(n) = Erzählung(en), G = Gedichte, K = Komödie,
N(n) = Novelle(n), R = Roman, Zs = Zeitschrift

Literaturhinweise

Von der Reichsgründung bis zum Ersten Weltkrieg

a) Textsammlungen

Ulrich Heimrath (Hrsg.): Deutsche Literatur im Wilhelminischen Zeitalter: Kunsttheoretische Schriften und literarische Beispiele. Diesterweg, Frankfurt a. M., 1978.

Jost Hermand (Hrsg.): Literarisches Leben im Kaiserreich 1871–1918 Klett, Stuttgart, 1982 (Editionen für den Literaturunterricht).

Walther Killy (Hrsg.): 20. Jahrhundert. Texte und Zeugnisse. 1880–1933. Beck, München, 1967.

Walter Killy (Hrsg.): Zeichen der Zeit. Ein deutsches Lesebuch. Band 4: Von 1880 bis zum Zweiten Weltkrieg. Neuwied/Darmstadt, 1981 (Sammlung Luchterhand. 354).

Hans Mayer (Hrsg.): Deutsche Literaturkritik. Band 2: Von Heine bis Mehring. Band 3: Vom Kaiserreich bis zum Ende der Weimarer Republik. Frankfurt a. M., 1978 (Fischerbücherei. 2009 und 2010).

Erich Ruprecht/Dieter Bänsch (Hrsg.): Jahrhundertwende. Manifeste und Dokumente zur deutschen Literatur 1890–1910. Metzler, Stuttgart, 1981.

Rainer Simon (Hrsg.): Deutsche Literatur 1900–1930. Schülerheft und Lehrerheft. Schroedel, Hannover o. J. (Materialien für die Sekundarstufe II).

b) Gesamtdarstellungen

Penrith Goff: Wilhelminisches Zeitalter. Francke, Bern/München, 1970 (Handbuch der deutschen Literaturgeschichte. Abt. 2, Band 10).

Richard Hamann/Jost Hermand: Epochen deutscher Kultur von 1870 bis zur Gegenwart. Band 1: Gründerzeit. Band 2: Naturalismus. Band 3: Impressionismus. Band 4: Stilkunst um 1900. Band 5: Expressionismus. Nymphenburger Verlagshandlung, München, 1971–76.

Klaus Günther Just: Von der Gründerzeit bis zur Gegenwart. Geschichte der deutschen Literatur seit 1871. Francke, Bern/München, 1973 (Handbuch der deutschen Literaturgeschichte. Abt. 1, Band 4).

Helmut Kreuzer/Hans Hinterhäuser: Jahrhundertende – Jahrhundertwende. Athenäum, Wiesbaden, 1976 (Neues Handbuch der Literaturwissenschaft. Band 18 und 19).

Albert Soergel/Curt Hohoff: Dichtung und Dichter der Zeit. 2 Bände. Bagel, Düsseldorf, 1961/62.

Victor Žmegač (Hrsg.): Geschichte der deutschen Literatur vom 18. Jahrhundert bis zur Gegenwart. Band 2. Athenäum, Königstein i. Ts., 1980.

Victor Žmegač (Hrsg.): Deutsche Literatur der Jahrhundertwende. Hain, Königstein/Ts., 1981 (Neue Wissenschaftliche Bibliothek. 113).

c) Sozial- und Kulturgeschichte

Karl Erich Born: Von der Reichsgründung zum Ersten Weltkrieg. (Gebhardt: Handbuch der Geschichte, hrsg. von H. Grundmann. Band 16.) München (dtv 4216).

Hans Magnus Enzensberger/Rainer Nitsche/Winfrid Schafhausen (Hrsg.): Klassenbuch 2. Ein Lesebuch zu den Klassenkämpfen in Deutschland 1850–1919. Neuwied/Darmstadt, 1980 (Sammlung Luchterhand. 80).

Hermann Glaser: Fluchtpunkt Jahrhundertwende. 2 Bände. Berlin, 1981 (Ullstein Taschenbuch 34049, 34050).

Hans Kramer: Deutsche Kultur zwischen 1871 und 1918. Athenaion, Frankfurt a. M., 1971 (Handbuch der Kulturgeschichte. Band 1).

Beate Pinkerneil/Dietrich Pinkerneil/Victor Žmegač (Hrsg.): Literatur und Gesellschaft. Zur Sozialgeschichte der Literatur seit der Jahrhundertwende. Eine Dokumentation. Athenäum, Frankfurt a. M. 1973.

Gerhard A. Ritter/Jürgen Kocka (Hrsg.): Deutsche Sozialgeschichte. Dokumente und Skizzen. Band 2: 1870–1914. C. H. Beck, München 1974.

Rudolf Schenda: Volk ohne Buch. Studien zur Sozialgeschichte der populären Lesestoffe 1770–1910. Klostermann, Frankfurt a. M., 1970 (dtv WR 4282. München 1977).

Edward R. Tannenbaum: 1900. Die Generation vor dem Großen Krieg. Ullstein, Frankfurt a. M., 1978.

Klaus Vondung (Hrsg.): Das Wilhelminische Bildungsbürgertum. Zur Sozialgeschichte seiner Ideen. Göttingen, 1976 (Kleine Vandenhoeck-Reihe. 1420).

Erster Teil: Naturalismus

a) Textsammlungen

Marlies Korfsmeyer/Roy C. Cowen (Hrsg.): Dramen des deutschen Naturalismus. Von Gerhart Hauptmann bis Karl Schönherr. 2 Bände. Winkler, München, 1981 (Wissenschaftliche Buchgesellschaft, Darmstadt, 1981).

Theo Meyer (Hrsg.): Theorie des Naturalismus. Stuttgart, 1973 (RUB 9475).

Wolfgang Rothe (Hrsg.): Einakter des Naturalismus. Stuttgart, 1973 (RUB 9468).

Walter Schmähling (Hrsg.): Naturalismus. Reclam, Stuttgart, 1977 (Die deutsche Literatur. Ein Abriß in Text und Darstellung, hrsg. von O. F. Best und J. J. Schmitt. Band 12).

Gerhard Schulz (Hrsg.): Prosa des Naturalismus. Stuttgart, 1973 (RUB 9471).

b) Gesamtdarstellungen

Roy C. Cowen: Der Naturalismus. Kommentar zu einer Epoche. Winkler, München, 1973.

Ronald Daus: Zola und der französische Naturalismus. Metzler, Stuttgart, 1976.

Brigitte Dörrlamm/Hans-Christian Kirsch/Ulrich Konitzer: Klassiker heute. Realismus und Naturalismus. Frankfurt a. M. (Fischerbücherei. 3027).

Sigfrid Hoefert: Das Drama des Naturalismus. Metzler, Stuttgart, 1979.

Günther Mahal: Naturalismus. Fink, München, 1975.

Helmut Scheuer (Hrsg.): Naturalismus. Bürgerliche Dichtung und soziales Engagement. Kohlhammer, Stuttgart, 1974.

Jürgen Schulte: Lyrik des deutschen Naturalismus 1885–1893. Metzler, Stuttgart, 1976.

Friedwart Uhland (Hrsg.): Naturalismus: Hauptmann, Strindberg, Holz/Schlaf. Schülerarbeitsbuch und Lehrerband. Metzler, Stuttgart, 1980.

c) Leben und Werk einzelner Autoren

Karl S. Guthke: Gerhart Hauptmann: Weltbild im Werk. Francke, München, 1980.

Sigfrid Hoefert: Gerhart Hauptmann. Metzler, Stuttgart, 1982.

Hans Mayer: Gerhart Hauptmann. Friedrich, Velber, 1973 (Friedrichs Dramatiker des Welttheaters).

Hans Joachim Schrimpf (Hrsg.): Gerhart Hauptmann. Wissenschaftliche Buchgesellschaft, Darmstadt, 1976 (Wege der Forschung. 207).

Kurt Lothar Tank: Gerhart Hauptmann in Selbstzeugnissen und Bilddokumenten Hamburg, 1959 (rowohlts bildmonographien. 27).

Zweiter Teil: Gegenpositionen zum Naturalismus

a) Textsammlungen

Jost Hermand (Hrsg.): Lyrik des Jugendstils. Stuttgart 1964 (RUB 8928).

Jürg Mathes (Hrsg.): Prosa des Jugendstils. Stuttgart 1982 (RUB 7820).

Erich Ruprecht/Dieter Bänsch (Hrsg.): Jahrhundertwende: Manifeste und Dokumente der deutschen Literatur 1890–1910. Metzler, Stuttgart, 1981.

Michael Winkler (Hrsg.): Einakter und kleine Dramen des Jugendstils. Stuttgart 1974 (RUB 9720).

Gotthard Wunberg (Hrsg.): Die Wiener Moderne. Literatur, Kunst und Musik zwischen 1890 und 1910. Stuttgart, 1982 (RUB 7742).

b) Gesamtdarstellungen

Christa Bürger/Peter Bürger/Jochen Schulte-Sasse (Hrsg.): Naturalismus, Ästhetizismus. Frankfurt a. M., 1979 (edition suhrkamp. 992.)

Jost Hermand: Jugendstil. Wissenschaftliche Buchgesellschaft, Darmstadt, 1971.

Ulrich Karthaus (Hrsg.): Impressionismus, Symbolismus und Jugendstil. Stuttgart 1979 (Die deutsche Literatur. Band 13. UB 9649).

Wolfram Krömer: Dichtung und Weltsicht des 19. Jahrhunderts. Akademische Verlagsgesellschaft Athenaion, Wiesbaden, 1982 (Athenaion Literaturwissenschaft. Band 18).

Herbert Lehnert: Geschichte der deutschen Literatur vom Jugendstil zum Expressionismus. Reclam, Stuttgart, 1978 (Geschichte der deutschen Literatur von den Anfängen bis zur Gegenwart. Band 5. RUB 10275).

Wolfdietrich Rasch: Zur deutschen Literatur seit der Jahrhundertwende. Gesammelte Aufsätze. Metzler, Stuttgart, 1967.

c) Leben und Werk einzelner Autoren

Manfred Durzak: Zwischen Symbolismus und Expressionismus: Stefan George. Kohlhammer, Stuttgart, 1974 (Sprache und Literatur. 89).

Franz Schonauer: Stefan George in Selbstzeugnissen und Bilddokumenten. Reinbek, 1960 (rowohlts bildmonographien. 44).

Richard Alewyn: Über Hugo von Hofmannsthal. Göttingen, [4]1967 (Kleine Vandenhoeck-Reihe. 57).

Hermann Broch: Hofmannsthal und seine Zeit. Eine Studie. Piper, München, 1964.

Hermann Rudolph: Kulturkritik und konservative Revolution. Zum kulturell-politischen Denken Hofmannsthals in seinem problemgeschichtlichen Kontext. Niemeyer, Tübingen, 1971.

Werner Volke: Hugo von Hofmannsthal in Selbstzeugnissen und Bilddokumenten. Reinbek, 1967 (rowohlts bildmonographien. 127).

Hans Egon Holthusen: Rainer Maria Rilke in Selbstzeugnissen und Bilddokumenten. Reinbek 1958 (rowohlts bildmonographien. 22).

Ingeborg Schnack: Rainer Maria Rilke: Chronik seines Lebens und seines Werkes. Insel, Frankfurt a. M. 1975.

Hans-Ulrich Lindken: Interpretationen zu Arthur Schnitzler. Drei Erzählungen. Oldenbourg, München, 1970 (Interpretationen zum Deutschunterricht).

Heinrich Schnitzler (Hrsg.): Arthur Schnitzler: sein Leben, sein Werk, seine Zeit. Fischer, Frankfurt a. M., 1981.

Reinhard Urbach: Arthur Schnitzler. Friedrich, Velber, 1968 (Friedrichs Dramatiker des Welttheaters. 56).

Reinhard Urbach: Schnitzler-Kommentar zu den erzählenden Schriften und dramatischen Werken. Winkler, München, 1974.

Günter Seehaus: Frank Wedekind in Selbstzeugnissen und Bilddokumenten. Reinbek, 1974 (rowohlts bildmonographien. 213).

Klaus Voelker: Frank Wedekind. Friedrich, Velber, 1965 (Friedrichs Dramatiker des Welttheaters. 7).

Dritter Teil: Avantgarde und Expressionismus

a) Textsammlungen

Thomas Anz/Michael Stark (Hrsg.): Expressionismus. Manifeste und Dokumente zur deutschen Literatur 1910–1920. Metzler, Stuttgart, 1982.

Gottfried Benn (Einleitung): Lyrik des expressionistischen Jahrzehnts. Von den Wegbereitern bis zum Dada. Limes, Wiesbaden 1955.

Otto F. Best (Hrsg.): Expressionismus und Dada. Reclam, Stuttgart, 1974 (Die deutsche Literatur. Ein Abriß in Text und Darstellung. Band 14).

Otto F. Best (Hrsg.): Theorie des Expressionismus. Stuttgart, 1976 (RUB 9817).

Dietrich Bode (Hrsg.): Gedichte des Expressionismus. Stuttgart, 1966 (RUB 8726).

Horst Denkler (Hrsg.): Einakter und kleine Dramen des Expressionismus. Stuttgart, 1968 (RUB 8562).

Klaus Gallwitz/Städtische Galerie im Städelschen Kunstinstitut Frankfurt a. M. (Hrsg.): DADA in Europa. Werke und Dokumente. Reimer, Berlin, 1977.

Jürgen W. Götte (Hrsg.): Expressionismus. Texte zum Selbstverständnis und zur Kritik. Diesterweg, Frankfurt a. M., 1976.

Wilhelm Große (Hrsg.): Expressionismus. Lyrik. Mit Materialien. Klett, Stuttgart, 1980 (Editionen für den Literaturunterricht).

Fritz Martini (Hrsg.): Prosa des Expressionismus. Stuttgart, 1970 (RUB 8379).

Karl Otten (Hrsg.): Ahnung und Aufbruch. Expressionistische Prosa. Luchterhand, Darmstadt, 1957.

Karl Otten (Hrsg.): Schrei und Bekenntnis. Expressionistisches Theater. Luchterhand, Neuwied, [2]1959.

Eckhard Philipp (Hrsg.): Prosa des Expressionismus. Mit Materialien. Klett, Stuttgart, 1982 (Editionen für den Literaturunterricht).

Kurt Pinthus (Hrsg.): Menschheitsdämmerung. Ein Dokument des Expressionismus. Rowohlt, Hamburg, 1959.

Paul Pörtner (Hrsg.): Literatur-Revolution 1910–1925. Dokumente, Manifeste, Programme. Band 1: Zur Ästhetik und Poetik. Luchterhand, Darmstadt/Neuwied, 1960. Band 2: Zur Begriffsbestimmung der ‚Ismen‘. Neuwied, 1960/61.

Günter Rühle (Hrsg.): Zeit und Theater 1913–1925. 2 Bände. Ullstein, Frankfurt a. M., 1980.

Peter Rühmkorf (Hrsg.): 105 expressionistische Gedichte. Wagenbach, Berlin, 1976 (WAT. 18).

Karl Riha (Hrsg.): 113 DADA-Gedichte. Wagenbach, Berlin, 1982 (WAT. 91).

b) Gesamtdarstellungen

(Ausführliches Literaturverzeichnis s. u. Brinkmann, Knapp, Stark.)

Armin Arnold: Die Literatur des Expressionismus. Sprachliche und thematische Quellen. Kohlhammer, Stuttgart, 1966.

Richard Brinkmann: Expressionismus. Internationale Forschung zu einem internationalen Phänomen. Metzler, Stuttgart, 1980.

Horst Denkler: Drama des Expressionismus. Programm – Spieltext – Theater. Fink, München, 1967.

Brigitte Dörrlamm/Hans-Christian Kirsch/Ulrich Konitzer: Klassiker heute. Die Zeit des Expressionismus. Frankfurt a. M., 1982 (Fischerbücherei. 3026).

Manfred Durzak: Das expressionistische Drama. Carl Sternheim – Georg Kaiser. Nymphenburger Verlagshandlung, München, 1978.

Manfred Durzak: Das expressionistische Drama. Barlach – Toller – Unruh. Nymphenburger Verlagshandlung, München, 1979.

Kasimir Edschmid: Lebendiger Expressionismus. Auseinandersetzung, Gestalten, Erinnerungen. Ullstein, Frankfurt a. M., 1964.

Christoph Eykmann: Denk- und Stilformen des Expressionismus. Francke, München, 1974.

Gerhard P. Knapp: Die Literatur des deutschen Expressionismus. Einführung, Bestandsaufnahme, Kritik. Beck, München, 1979.

Franz Norbert Mennemeier: Modernes deutsches Drama. Kritiken und Charakteristiken. Band 1: 1910–1933. Fink, München, [2]1979.

Paul Raabe (Hrsg.): Expressionismus. Aufzeichnungen und Erinnerungen der Zeitgenossen. Walter, Olten und Freiburg i. Br., 1965.

Paul Raabe: Die Zeitschriften und Sammlungen des literarischen Expressionismus. Metzler, Stuttgart, 1964.

Walter Riedel: Der neue Mensch. Mythos und Wirklichkeit. Bouvier, Bonn, 1970.

Wolfgang Rothe (Hrsg.): Expressionismus als Literatur. Gesammelte Studien. Francke, Bern/München 1969.

Hans Steffen (Hrsg.): Der deutsche Expressionismus. Formen und Gestalten. Göttingen, 1965, [2]1970 (Kleine Vandenhoeck-Reihe. 2085).

Michael Stark: Für und wider den Expressionismus. Die Entstehung der Intellektuellendebatte in der deutschen Literaturgeschichte. Metzler, Stuttgart, 1982.

Silvio Vietta (Hrsg.): Die Lyrik des Expressionismus. Niemeyer, Tübingen, 1976.

Silvio Vietta/Hans-Georg Kemper: Expressionismus. Fink, München, 1975.

Annalisa Viviani: Das Drama des Expressionismus. Kommentar zu einer Epoche. Winkler, München, 1970.

Richard Huelsenbeck: En avant DADA. Zur Geschichte des Dadaismus. Edition Nautilus, Hamburg, ²1978.

Eckhard Philipp: Dadaismus. Fink, München, 1980.

Karl Riha: Da DADA da war, ist DADA da. Aufsätze und Dokumente. Hanser, München, 1979.

c) Leben und Werk einzelner Autoren

(Ausführliches Literaturverzeichnis siehe bei Knapp, Abschnitt b.)

Brigitte Dörrlamm/Hans-Christian Kirsch/Ulrich Konitzer: Klassiker heute. Die Zeit des Expressionismus. Erste Begegnung mit: G. Benn, G. Trakl, G. Heym, J. R. Becher, G. Kaiser, E. Toller, Else Lasker-Schüler, A. Döblin. Frankfurt a. M., 1982 (Fischerbücherei. 3026).

Herbert Kaiser: Der Dramatiker Ernst Barlach. Analysen und Gesamtdeutung. Fink, München, 1972.

Walter Lennig: Gottfried Benn in Selbstzeugnissen und Bilddokumenten. Reinbek, 1962 (rowohlts bildmonographien. 71).

Friedrich Wilhelm Wodtke: Gottfried Benn. Metzler, Stuttgart, ²1970.

Matthias Prangel: Alfred Döblin. Metzler, Stuttgart, 1973.

Ingrid Schuster (Hrsg.): Zu Alfred Döblin. Klett, Stuttgart, 1980 (LGW-Interpretationen. 48).

Sibylle Penkert: Carl Einstein. Beiträge zu einer Monographie. Vandenhoeck & Ruprecht, Göttingen, 1969.

Kurt Mautz: Georg Heym. Mythologie und Gesellschaft im Expressionismus. Akademische Verlagsgesellschaft Athenaion, Frankfurt a. M., ²1972.

Hermann Korte: Georg Heym. Metzler, Stuttgart, 1982.

Chris Bezzel: Kafka-Chronik. Daten zu Leben und Werk. München (dtv 3252).

Hartmut Binder (Hrsg.): Kafka Handbuch. Band 1: Der Mensch und seine Zeit. Band 2: Das Werk und seine Wirkung. Kröner, Stuttgart, 1979.

Hartmut Binder: Kafka Kommentar zu sämtlichen Erzählungen. Winkler, München, 1975.

Hartmut Binder: Kafka Kommentar zu den Romanen, Rezensionen, Aphorismen und zum Brief an den Vater. Winkler, München, 1976.

Erich Heller/Joachim Beug (Hrsg.): Franz Kafka, Über das Schreiben. Frankfurt a. M. (Fischerbücherei. 2528).

Heinz Politzer (Hrsg.): Franz Kafka. Eine innere Biographie in Selbstzeugnissen. Frankfurt a. M., 1966 (Fischerbücherei. 708).

Klaus Wagenbach: Franz Kafka in Selbstzeugnissen und Bilddokumenten. Reinbek, 1964 (rowohlts bildmonographien).

Klaus Wagenbach: Franz Kafka. Bilder aus seinem Leben (Bildband). Wagenbach, Berlin, 1983.

Armin Arnold (Hrsg.): Zu Georg Kaiser. Klett, Stuttgart, 1980 (LGW-Interpretationen. 49).

Wolfgang Paulsen: Georg Kaiser: Die Perspektiven seines Werkes (...). Niemeyer, Tübingen, 1960.

Wilhelm Steffens: Georg Kaiser. Friedrich, Velber, 1969 (Friedrichs Dramatiker
des Welttheaters).

Klaus Schröter: Anfänge Heinrich Manns. Zu den Grundlagen seines Gesamt-
werkes. Metzler, Stuttgart, 1965.

Klaus Schröter: Heinrich Mann in Selbstzeugnissen und Bilddokumenten. Reinbek, 1967 (rowohlts bildmonographien. 125).

Manfred Durzak (Hrsg.): Zu Carl Sternheim. Klett, Stuttgart, 1982 (LGW-Interpretationen. 58).

Hellmuth Karasek: Carl Sternheim. Friedrich, Velber, 1965 (Friedrichs Dramatiker des Welttheaters).

Jörg Schönert (Hrsg.): Carl Sternheims Dramen. Zur Textanalyse, Ideologiekritik und Rezeptionsgeschichte. Quelle & Meyer, Heidelberg, 1975.

Wolfgang Wendler (Hrsg.): Carl Sternheim. Materialienbuch. Luchterhand,
Darmstadt/Neuwied, 1980.

Wolfgang Frühwald und John Spalek (Hrsg.): Der Fall Toller. Kommentar und
Materialien. Hanser, München, 1979.

Jost Hermand (Hrsg.): Zu Ernst Toller. Klett, Stuttgart, 1981 (LGW-Interpretationen. 55).

Otto Basil: Georg Trakl in Selbstzeugnissen und Bilddokumenten. Reinbek, 1968
(rowohlts bildmonographien. 106).

Christa Saas: Georg Trakl. Metzler, Stuttgart, 1974.

Register der Autoren und Werke

(Die in der Datentafel S. 158–165 genannten Namen sind hier nicht erfaßt.)